Gramática española

©   1936: Emilio Marín
            Sabino 275, 06400,
            México, D.F.

Realiza edición según convenio con:

©   **Editorial Progreso, S.A. de C.V.**
        Naranjo 248, Col. Santa María la Ribera
        Delegación Cuauhtémoc, 06400, México, D.F.
        Tel.: 55 47 73 04 Fax: 55 41 06 15

Miembro de la Cámara Nacional
de la Industria Editorial
Registro No. 232

ISBN: 970-641-243-3
Gramática Española
Tercer Libro

1936: 1a. Edición
1948: 18a. Edición
1962: 28a. Edición
1965: 30a. Edición
1978: 37a. Edición
1991: 38a. Edición
1995: 39a. Edición
1999: 40a. Edición
2000: 1a. Reimpresión
2001: 2a. Reimpresión
2002: 3a. Reimpresión

IMPRESO EN MÉXICO
PRINTED IN MEXICO

Se terminó la impresión de esta obra
en junio del 2002 en los talleres de
Editorial Progreso, S.A. de C.V.
Naranjo 248, Col. Santa María la Ribera,
Delegación Cuauhtémoc, 06400, México, D.F.
Tel.: 55-47-73-04 Fax: 55-41-06-15
Tiro: 6 000 ejemplares más sobrantes para reposición.

PRESENTACIÓN

El conocimiento de la lengua escrita resulta indispensable para la adecuada transmisión de todo conocimiento. El dominio de esta habilidad sólo podrá obtenerse gracias al estudio y a una constante ejercitación. Este texto abarca no sólo los conceptos gramaticales necesarios para un correcto uso de la lengua escrita, también refuerza la teoría con ejercicios que abundan sobre el tema.

Gramática Española de Emilio Marín no es una obra desconocida: se trata de un texto con gran tradición en la enseñanza de la lengua española. Tradición que se remonta al año 1949 en que fuera publicado por vez primera.

Diferentes generaciones han descubierto las maravillas del lenguaje a través de sus páginas, en ellas han podido admirar a diversos autores. Numerosos lectores han aprendido que el conocimiento de la Gramática es un requisito si se desea contar con sólidas bases de la lengua española.

La presente edición de Gramática Española de Emilio Marín ha sido actualizada de acuerdo con las normas del español que se emplea en México: modificación de los tiempos verbales, supresión del vosotros en las conjugaciones, sustitución de antiguos términos, etcétera.

Por otra parte, se realizó una minuciosa selección de lecturas que pertenecen a escritores contemporáneos, lo que sin duda resultará un atractivo extra dentro de la presente obra.

Los editores

3

INTRODUCCIÓN

El propósito fundamental de esta obra es participar en el proceso enseñanza-aprendizaje de la lengua española, tanto de alumnos como de profesores. Se ha buscado cubrir todos los aspectos que fundamentan el conocimiento de una lengua, en este caso, la española. Por ello el presente libro se ha dividido en cuatro apartados: Analogía, Prosodia, Ortografía y Sintaxis, atendiendo a la Gramática tradicional y a la forma original en la que fue redactada la obra.

En el Capítulo I, relativo a la Analogía, se han incluido las clases de palabras desde su perspectiva semántica: artículos, sustantivos, adjetivos, conjunciones, interjecciones, pronombres, verbos, adverbios, preposiciones. Cada una de estas clasificaciones es estudiada en forma crítica, con un profundo análisis tanto en el material ejemplificado como en el relativo a ejercicios. Por lo extenso de sus apartados, es una de las unidades más amplias.

El Capítulo II, Prosodia, está referido a los fenómenos acústicos y anatómicos que propician el lenguaje oral. De igual manera estudia los elementos mínimos de la lengua y las tonalidades propias en el discurso que imprimen variabilidad de interrogación o admiración a los enunciados. La importancia de la acentuación, así como formas que atañen a las estructuras poéticas: rima y métrica, pero que por su *musicalidad* estarán inscritas dentro de este apartado.

El Capítulo III, Ortografía, señala el adecuado empleo de las letras, los signos ortográficos y de puntuación, así como de las palabras homónimas y parónimas, motivo constante de dificultades en el manejo adecuado de la ortografía. En este mismo capítulo se agrega el significado de las siglas y abreviaturas de uso común en el español.

El Capítulo IV, Sintaxis, presenta un extenso análisis de los elementos que integran a los enunciados, desde una perspectiva sintáctica, es decir, por bloques de significado: complemento directo, complemento indirecto, circunstancial, etc. El análisis trasciende de los enunciados simples a las oraciones compuestas: coordinadas (con su clasificación) y subordinadas (con sus categorías). Este capítulo se enriquece con un apartado acerca de los vicios de dicción, errores comunes en el uso del español hablado y escrito.

Finalmente, el Apéndice gira en torno al tema de la composición, cómo redactar en forma adecuada, por lo que se extiende una amplia explicación sobre: estilo, narración, descripción, diálogo, etcétera.

GRAMÁTICA ESPAÑOLA, de Emilio Marín, constituye un vasto resumen de los conceptos gramaticales más relevantes de la lengua española por lo que es no sólo un texto básico en la adquisición de un conocimiento, sino una necesaria obra de consulta.

ÍNDICE

I. Analogía

Apéndice: de la composición

Emilio Marín

PRELIMINARES

1. **Idea** es la representación mental de un objeto.

Así, al decir *alumno* y *libro*, mi espíritu se representa un joven que va a la escuela, estudia, escribe, lee, etc.; y un objeto compuesto de papel, letras, grabados, números, etc. Ambas ideas puedo relacionarlas diciendo: *El alumno lee en el libro*, lo cual constituye un juicio.

2. **Juicio** es la relación de dos o más ideas.

3. La expresión oral o escrita de una idea se denomina **palabra**, y la de un juicio, **oración** o **proposición**.

4. **Hablar** es manifestar lo que sentimos, pensamos o queremos.

5. Hablamos de tres modos:

1o. mediante gestos o actitudes corporales, lo que llamamos *lenguaje mímico* o *de acción*; **2o.** por sonidos articulados o *lenguaje oral*; **3o.** por la escritura o *lenguaje escrito*.

6. **Lengua o idioma** es el conjunto de palabras de que se vale una nación para expresar, oral o gráficamente, sus ideas, afectos y sentimientos; como el *español*, hablado en España; el *francés*, en Francia, y el *inglés* en Inglaterra.

Dialecto es un lenguaje particular que se aparta de la lengua oficial de un país en ciertas desinencias u otras circunstancias de sintaxis, pronunciación, etc.

7. Las lenguas se clasifican en *vivas* y *muertas*. Son vivas las que se hablan hoy en día, como el *alemán, italiano, ruso, japonés*; y muertas, las que no son ya de uso corriente como el *latín* y el *griego antiguo*. El hebreo fue considerado como una lengua muerta hasta que en 1949, al constituirse el estado de Israel, fue establecido como lengua oficial de la joven nación y volvió a entrar en uso.

8. Por su origen, las lenguas se dividen en **madres** e **hijas** o *derivadas*. Las primeras han dado lugar a la formación de las segundas; ejemplo: el *latín* y el *griego* son lenguas *madres*; el *español* y el *francés* son lenguas *hijas*. Si dos o más de estas últimas se derivan de una misma, reciben la denominación de lenguas **hermanas**, tales son el *español, francés, italiano, portugués, rumano*, etc., que se derivan del latín, por lo que se las llama lenguas *neolatinas* y también *románicas o romances*.

Sumario. 1. Idea. 2. Juicio. 3. Palabra y oración o proposición. 4. Hablar 5. Diferentes modos de comunicarse. 6. Lengua o idioma, dialecto. 7. Clasificación de las lenguas por el uso. 8. Ídem por el origen. 9. Lengua española o castellana. 10. Otros idiomas. 11. Gramática. 12. Gramática española. 13. Qué nos enseña la Gramática. 14. Analogía y partes de la oración. 15. Prosodia. 16. Ortografía. 17. Sintaxis. 18. Clasificación de las palabras atendiendo a las ideas. 19. Ídem al oficio gramatical.

9. La lengua hablada en España se llama *española* porque es la lengua oficial de este país; y también se denomina comúnmente *castellana*, porque empezó a hablarse en Castilla.

10. Se hablan también en España otras lenguas, derivadas, como el castellano, del latín; por ejemplo: el *catalán* y el *gallego*. El *éuscaro* o *vascuence* es de origen distinto. En América hispana se habla también el español.

11. <u>Gramática</u> es el conjunto de reglas que se han de observar para hablar y escribir correctamente un idioma.

12. **Gramática española** será, pues, el arte de hablar y escribir correctamente la lengua española.

13. La Gramática nos enseña:

1o. la naturaleza y representación de las palabras empleadas en el lenguaje; **2o.** el modo de agruparlas o combinarlas para expresar nuestros pensamientos. Las partes de la Gramática son dos: la *Analogía*, de la que forman parte la *Prosodia* y la *Ortografía*, y la *Sintaxis*.

14. La **Analogía** da a conocer el valor de las palabras consideradas aisladamente, con todos sus accidentes. Según la *Analogía*, las palabras se dividen en nueve grupos, llamados *partes de la oración*: *artículo, nombre sustantivo, nombre adjetivo, pronombre, verbo, adverbio, preposición, conjunción* e *interjección*. Las cinco primeras son *variables* o *flexibles*, por admitir diferentes terminaciones o accidentes, y las cuatro últimas, *invariables* o *inflexibles*, por no sufrir nunca alteración.

15. La **Prosodia** da reglas para la adecuada pronunciación y acentuación de las letras, sílabas y palabras.

16. La **Ortografía** enseña a usar correctamente las letras y los signos de la escritura.

17. La **Sintaxis** enseña a ordenar bien las palabras en la oración y las oraciones en un párrafo.

18. Atendiendo a *las ideas que representan*, las palabras se clasifican en:

Signos de idea

Palabras sustantivas (*Ideas de sustancia.*) — Nombre, Pronombre

Palabras que modifican (*Ideas de limitación, estados, accidentes, etc.*) — Artículo, Adjetivo, Adverbio (adjetivo del verbo)

Palabras que conectan . . . . Verbo copulativo (*Un medio que sirve de nexo o enlace entre las ideas sustantivas y las modificativas.*)

Palabras mixtas (*Por ser modificadoras y conectivas*) — Verbo predicativo, Preposición, Conjunción

Signos de afección (*Voces o expresiones que sirven para manifestar los . . . . Interjección sentimientos intensos.*)

19. Atendiendo al *oficio gramatical*, las palabras se clasifican en:

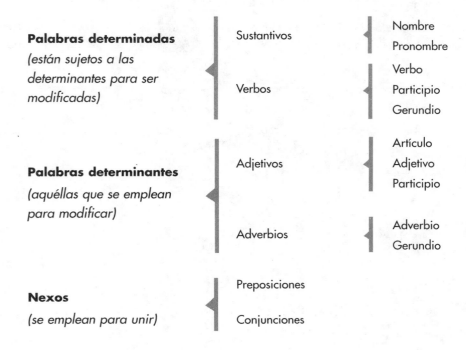

Palabras determinadas
(están sujetos a las determinantes para ser modificadas)

Sustantivos — Nombre / Pronombre

Verbos — Verbo / Participio / Gerundio

Palabras determinantes
(aquéllas que se emplean para modificar)

Adjetivos — Artículo / Adjetivo / Participio

Adverbios — Adverbio / Gerundio

Nexos
(se emplean para unir)

Preposiciones

Conjunciones

Ejercicios de Aplicación

1 • *Formar un juicio relacionando las ideas.*

Justicia y mundo.	Trabajo y premio.	Agua y sed.
Niño y escuela.	Anciano y experiencia.	Orquesta y músicos.
Jardín y flores.	Biblioteca y libros.	Desierto y sed.
Comunicación y satélites.	Culpa y castigo.	Molino y trigo.

2 • *¿Qué ideas entran en la formación de los siguientes conceptos?*

El vicio merece castigo. • La vida del hombre es breve y penosa. • Canta el ave en su nido. • La salida del sol, recrea la naturaleza. • La ociosidad es la madre de todos los vicios. • Dime con quién andas y te diré quién eres.

No anheles impaciente el bien futuro,
Mira que ni el presente está seguro.

SAMANIEGO.

MODELO:

El vicio merece castigo, encierra las ideas de *vicio,* de *castigo* y de *merecimiento.*

13

3• *Hacer referencia a algunas de las ideas que evoca cada uno de las palabras siguientes:*

Fuego	Tierra	Agua	Invierno
Primavera	Labrador	Historia	Jardín
Ciudad	Árbol	Verano	Castillo
Geografía	Museo	Pintor	Montaña
Mar	Puerto	Matemáticas	Paseo
Otoño	Observatorio	Locomotora	Mercado
Iglesia	Locutorio	Cosecha	Dormitorio
Colmena	Molino	Cabeza	Carpintero
Estación	Música	Pastor	Corral

MODELO:

El *fuego* recuerda la *llama*, el *calor*, la *luz*.

Los Impíos

La pérfida serpiente
Tomó agua clara
Y la arrojó al instante
Ya envenenada.
Así el impío
Para dañar consulta
Los buenos libros.

JOSÉ ROSAS. MÉXICO.

Parte Primera
ANALOGÍA

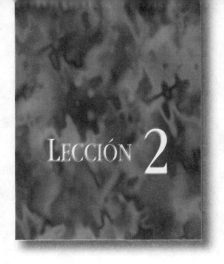

Artículo

20. **Artículo** es una parte variable de la oración que se antepone al nombre o a cuanto haga las veces de éste, para limitar la extensión de su significado.

Al decir *dame manzanas,* no se determinan cuáles; pero cuando se dice *dame las manzanas,* el artículo *las* expresa que se piden específicamente ciertas manzanas, que se habían mencionado con anterioridad.

21. El artículo se divide en *determinado* e *indeterminado.*

22. El artículo **determinado** precede a nombres tomados en sentido concreto; por ejemplo: *el* libro de Pedro; *los* alumnos *del* colegio.

23. Los artículos *determinados* son cinco:

	Masculino	**Femenino**	**Neutro**
Singular	el	la	lo
Plural	los	las	

Aunque sean cinco, se los puede considerar como uno solo, *el,* con cinco formas, según los diversos accidentes del nombre; por ejemplo: *el* padre, *los* padres; *la* madre, *las* madres; *lo* paternal.

24. Se usa el artículo *el* en vez de *la* con los nombres femeninos que empiezan por *a* o *ha,* si en la *a* carga el acento, para evitar así el hiato o encuentro de dos vocales; por ejemplo: *el* arpa, *el* ave, *el* hacha.

Quedan exceptuados de esta regla los nombres propios de mujer y las letras del alfabeto *a* y *h;* por ejemplo: *la* Ángela, *la* hache.

25. El artículo *el* sufre contracción cuando va precedido de la preposición *a* o *de,* y forma de este modo el artículo *contracto* o *contractado;* así diremos, *al* en lugar *de a el* y *del* en lugar de *de el;* por ejemplo: *al* padre, *del* niño.

26. El artículo **indeterminado** es el que se une a nombres tomados en sentido vago o sin especificar; por ejemplo: *un* libro, *unos* niños.

27. Los artículos *indeterminados* son cuatro:

	Masculino	**Femenino**
Singular	un	una
Plural	unos	unas

Pueden también reducirse a uno solo, que es *un*, con sus variaciones; por ejemplo: *un* libro, *unos* libros, *una* pluma, *unas* plumas.

Al emplear el artículo indeterminado con los nombres femeninos que empiezan por *a* acentuada, o *ha* también acentuada, se puede decir: *una ave* o *un ave, una alma* o *un alma, una hacha* o *un hacha.* Pero siempre debe decirse: *una a, una hache.*

Respecto al uso u omisión del artículo, no se pueden dar reglas fijas y constantes: lo mejor para ello es atenerse al uso de los buenos oradores y escritores.

Ejercicios de Aplicación

4. *Anteponer el artículo determinado que convenga:*

_____ crisis	_____ paternal	_____ arte	_____ vejez
_____ África	_____ ajeno	_____ acta	_____ liebres
_____ Águeda	_____ agradable	_____ arpa	_____ hacha
_____ acción	_____ enigma	_____ malo	_____ arpas
_____ Amalia	_____ ave	_____ útil	_____ habla

5. *Completar los refranes siguientes, sustituyendo las rayitas (____) por artículos determinados, y las rayas (_____) por artículos contractos.*

De ____ abundancia _____ corazón, habla ____ boca.

En ____ boca _____ discreto ____ público es secreto.

____ plato a ____ boca se cae ____ sopa.

Un ojo ____ gato y otro ____ garabato.

No es ____ miel para ____ boca _____ asno.

Voz _____ pueblo, voz _____ cielo.

Salir _____ lodo y caer en ____ arroyo.

6• *Distinguir y analizar los artículos.*

La Emulación Exagerada

La emulación es un sentimiento poderoso, excelente defensa contra la pereza, contra la cobardía y contra cuantas pasiones se oponen al ejercicio útil de nuestras facultades. El deseo de adelantar, de cumplir con nuestro deber, de llevar a cabo grandes empresas, el doloroso pesar de no haber hecho de nuestra parte todo lo que podíamos y debíamos, el rubor de vernos excedidos por aquéllos a los que hubiéramos podido superar, son sentimientos muy justos, muy nobles, excelentes para hacernos adelantar en el camino del bien. En ellos no hay nada reprensible, ellos son el manantial de muchas acciones virtuosas, de resoluciones sublimes, de hazañas sorprendentes.

7• *Poner los artículos correspondientes.*

La Emulación Exagerada (*continuación*)

Pero si ese mismo sentimiento se exagera, _____ néctar aromático, dulce, confortador, se trueca en humor mortífero que fluye de _____ boca de un reptil ponzoñoso, _____ emulación se hace envidia. _____ sentimiento, en _____ fondo, es _____ mismo, pero se ha llevado a _____ punto demasiado alto, _____ deseo de adelantar ha llegado a ser una sed abrasadora; _____ pesar de verse superado, es ya _____ rencor contra _____ que supera; ya no hay aquella rivalidad que se hermanaba muy bien con _____ amistad más íntima, que procura suavizar _____ humillación a _____ vencido, prodigándole muestras de cariño y sinceras alabanzas por sus esfuerzos, que, contenta con haber conquistado _____ lauro, lo escondía para no lastimar _____ amor propio de _____ demás; hay, sí, _____ verdadero despecho, hay _____ rabia, no por _____ falta de _____ adelantos propios, sino por _____ vista de _____ ajenos; hay _____ verdadero odio a _____ que se aventaja; hay _____ vivo anhelo por rebajar _____ mérito de sus obras, hay maledicencia; hay _____ desdén con que se encubre _____ furor mal comprimido, hay _____ sonrisa sardónica, que apenas alcanza a disimular _____ tormentos de _____ alma.

BALMES.

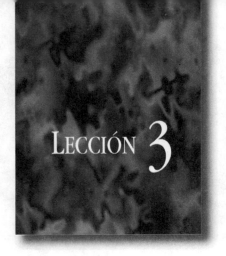

Nombre Sustantivo

28. **Nombre sustantivo**, llamado también únicamente *nombre* o *sustantivo*, es toda palabra que sirve para designar las personas, animales y cosas; como: *Alonso, pintor, Toledo, perro, gato, piedra, virtud, color, dureza.*

29. Por razón de su *extensión* el nombre se divide en *común* o *general*, y en *propio* o *individual*.

30. Llámase **extensión** del nombre el número de **individuos** que comprende; así, *animal* tiene mayor extensión que *hombre*, y *hombre*, mayor que *Pedro*.

31. Nombre **común**, *general, apelativo* o *genérico* es el que incluye todos los seres de la misma especie o clase; por ejemplo: *hombre, ciudad, virtud, pasión.*

32. Nombre **propio** o *individual* es el que se da a un ser determinado para diferenciarlo de los demás de su especie; por ejemplo: *Dios, Pedro, Cuba, Manila.*

33. Por *extensión*, el nombre común se subdivide en *colectivo, individual, partitivo* y *proporcional.*

34. Es **colectivo**, cuando indica colección o conjunto de varios individuos semejantes que forman un cuerpo o grupo; por ejemplo: *familia, ejército, librería, rebaño, par, docena.*

35. Es **individual**, cuando se refiere a un solo ser; por ejemplo: *soldado, libro, carnero.*

36. Es **partitivo**, cuando denota fracción o parte del todo; por ejemplo: *mitad, tercio, diezmo.*

37. Es **proporcional**, cuando indica el número de veces que una cantidad comprende a otra menor; por ejemplo: *el doble, el triple, el cuádruplo.*

38. El nombre, por su *composición*, se divide en *simple, compuesto, frase* y *oración.*

39. Es **simple**, cuando está formado de una sola palabra; por ejemplo: *agua, pluma.*

40. Es **compuesto**[1], cuando consta de una palabra simple y de otra u otras voces o partículas; por ejemplo: *paraguas, cortaplumas, antecoro, mediodía.*

41. **Sustantivo-frase** es el que requiere varias palabras para designar el ser; por ejemplo: *El Cantar de los Cantares, Don Quijote de la Mancha, El Laberinto de la Soledad, El reino de los cielos.*

42. **Sustantivo-oración** es todo conjunto gramatical que hace las veces de nombre, y que tiene algún verbo en modo personal; por ejemplo: *el que pueda, quien mal anda, el que teme a Dios.*

Ejercicios de Aplicación

8• *Distinguir los nombres comunes y los nombres propios, subrayando los primeros y poniendo mayúsculas a los últimos.*

Glorias de España

No sólo se ha levantado españa contra todos sus invasores: apenas se ha visto libre de enemigos, ha empuñado de nuevo las armas para hacer respetar en algunas partes su religión, y en otras sus pretendidos derechos, y ha sido, a su vez, conquistadora.

Dominaban aún los almohades andalucía, cuando aragón era ya dueño de provenza; reinaban aún los alhamares en granada, cuando ocupaban ya la isla de córcega, los reinos de cerdeña y de sicilia, los ducados de atenas y neopatria. Unidos luego aragón y castilla, expulsados los árabes, libre españa de guerras interiores, ¡qué no adelantó en un siglo!

1. He aquí los principales elementos que pueden entrar en la composición de las palabras.

1o. Dos sustantivos; por ejemplo: *boca-manga, ferro-carril, carri-coche.*

2o. Un sustantivo con un adjetivo; como: *peli-rubio, pati-tuerto,* y vice-versa, un adjetivo y un sustantivo; por ejemplo: *salvo-conducto, pleni-lunio, medio-día, tri-dente, Buenos-Aires.*

3o. Un sustantivo y un participio; por ejemplo: *lugar-teniente, agu-ardiente.*

4o. Dos adjetivos; como: *verdi-negro, científico-literario.*

5o. Adjetivo y verbo; como: *vana-gloriarse.*

6o. Un pronombre y un adjetivo o verbo; por ejemplo: *est-otro, quien-quiera.*

7o. Verbo y nombre: *quita-pesares, rompe-cabezas, corta-plumas.*

8o. Dos verbos unidos o no por conjunción: *va-i-vén, gana-pierde.*

9o. Un adverbio con un nombre, adjetivo o verbo o con otro adverbio: *menos-cabo, mal-contento, mal-decir, ante-ayer, tam-bién.*

10o. Una o dos preposiciones seguidas de un sustantivo, adjetivo o verbo; por ejemplo: *entre-mesa, de-poner, con-sabido, a-donde, para-bién.*

11o. Otras palabras; por ejemplo: *en-hora-buena, hijo-dalgo.*

No deben considerarse como compuestas las palabras que, en lenguas extrañas, consten de partes distintas y separables; por ejemplo: *geografía, metamorfosis, gramática,* etc.

En europa agregó a sus dominios el rosellón, el milanesado y flandes; en áfrica, orán y las islas canarias, en américa, santo domingo, venezuela, nueva granada, cuba, puerto rico, jamaica, méxico, guatemala, perú, buenos aires, el paraguay, la florida, chile y nuevo méxico; en oceanía las islas marianas y las filipinas. Dueña de portugal, lo fue además de brasil, del goa, de las molucas y de las islas de madera, que aquella nación tan pequeña como intrépida, había sojuzgado en sus mejores días.

9• *Decir cinco sustantivos apelativos de...*

prendas de vestir.

materiales de oficina.

instrumentos de carpintería.

virtudes y vicios opuestos.

árboles frutales.

hortalizas.

cuadrúpedos domésticos.

productos de la industria.

cuadrúpedos salvajes.

aves de corral.

aves de campo.

peces.

10• *Distinguir los colectivos, partitivos y proporcionales.*

La biblioteca de Alejandría.

Un par de tórtolas.

La totalidad de los seres.

La mitad del género humano.

La familia cristiana.

La semana de Pascua.

El cuarto creciente.

El céntuplo prometido.

La procesión del Corpus.

El alfabeto griego.

Larguísima lista.

El cardumen de atún.

Una docena de naranjas.

Medio ciento de botones.

El quíntuplo del número.

El herbario del colegio.

Un álbum de sellos.

El vergel del arbolista.

El diezmo del botín.

Primer trimestre del año.

La manada de lobos.

Los triunviratos romanos.

11• *Enunciar diez sustantivos propios de...*

    1o. autores clásicos.   **6o.** ríos.

    2o. cordilleras notables.   **7o.** naciones.

    3o. ciudades mexicanas.   **8o.** ciudades americanas.

    4o. constelaciones.   **9o.** ciencias.

    5o. mares.   **10o.** conquistadores célebres.

12• *Anotar en la línea el elemento que convenga para formar un sustantivo compuesto.*

_____ brisas	_____ tienda	_____ natural	_____ color
_____ presidente	_____ veneno	Sub_____	Pedi_____
_____ manga	Pati_____	Extra_____	_____ círculo
_____ discípulo	_____ tuerto	_____ puntas	_____ ojo
Ante_____	Tras_____	Pleni_____	_____ estante
_____ ligado	_____ carril	_____ algo	En _____ buena
Quita _____ pón	Tente _____ pie	Corta _____	_____ salto
Tarta_____	_____ incidencia	_____ movilidad	_____ peso
_____ rey	_____ teniente	Vice_____	_____ intendente
Hiper_____	_____ coche	guarda _____	_____ nuestro
_____ visor	_____ pán	intra _____	_____ bocas
_____ profesor	_____ composición	Va _____ vén	Coli_____
_____ corchos	_____ conde	_____ agre	_____ sol

21

Responso por un poeta
descuartizado *(fragmento)*

Lo veo y no lo creo: ardido por esa
leña verde, por esta agonía de
pirámide dirasada,
el poeta que todo lo amó
cubría su pecho con el crucifijo, el
crucifijo, el suave crucifijo,
el cristo de marfil que otro poeta
agónico le regalara -AMADO NERVO-
y me parece oir cómo los dientes le
quemaban y de qué manera se mordía
la lengua y la piel se le ponía violácea.
Nada más porque empezaba a morir.
Nada más porque empezaba a santificarnos
con la muerte y su delirio;
sus blasfemias, sus maldiciones,
su testamento.
Y nada más porque su cerebro tuvo que
andar de gana en mano y de mano en garra
hasta parecer el ala de un ángel,
la solar sonrisa de un efebo,
la sombra del recinto de todos
los poetas vivos,
de todos los poetas agonizantes,
de todos los poetas.

EFRAÍN HUERTA. MÉXICO.

División de los Nombres por su Origen

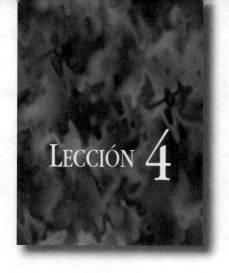

43. Por su *origen*, los nombres se dividen en *primitivos* y *derivados*.

Son **primitivos**, si no proceden de otra palabra del idioma; por ejemplo: *tinta, libro, mar, Veracruz, Perú.*

Son **derivados** si provienen de un primitivo; por ejemplo: *tintero, librero, marino, veracruzano, peruano.*

44. Los nombres derivados del castellano pueden ser *nominales, adjetivales* y *verbales.*

45. **Nominales** son los derivados de nombres, como *panadero,* de pan; *tintero,* de tinta; *marino,* de mar; *librería,* de libro; *salero,* de sal.

46. **Adjetivales** son los que se originan de adjetivos; por ejemplo: *blancura,* de blanco; *hermosura,* de hermoso; *justicia,* de justo; *apacibilidad,* de apacible.

47. **Verbales** son los derivados de verbos, como *cantor,* de cantar; *corredor,* de correr; *escritura, escribano, escritorio,* de escribir.

48. Los derivados nominales se subdividen en *aumentativos, diminutivos, despectivos, gentilicios* y *patronímicos.*

49. En la formación de los derivados, en general, se han de tener presentes las reglas siguientes:

1o. Si el primitivo termina en vocal y el sufijo empieza también por ella, se suprime la última letra del primitivo; por ejemplo: de casa, *casero,* en vez de casa-ero; de libro, *librería,* en vez de libro-ería.

2o. Si el primitivo termina en consonante, se le añade el sufijo sin alteración alguna; así, de pan, *panadero;* de sal, *salero,* etc.

3o. Si empieza el primitivo con los diptongos *ie-, ue-,* en el derivado se convierten en *e* y *o* respectivamente; por ejemplo: de viento, *vendaval, ventisca, ventolera, ventear;* de hueso, *óseo, osario, osamenta, osificación;* de huevo, *oval, ovalado;* de puerta, *portal, portón, portezuela,* etc.

50. Se llaman **aumentativos** los que acrecientan la significación del primitivo variando la terminación de la palabra, como de hombre, *hombrón;* de mujer, *mujerona.*

Para los aumentativos tenemos las terminaciones: *-ón, -azo, -acho, -ote*; con sus correspondientes femeninos: *-ona, -aza, -acha, -ota*, añadidas al primitivo siguiendo las reglas generales de derivación (*núm. 49*); por ejemplo: de *papel, papel-ón, papel-ote, papel-acho, papel-azo*; de *hombre, hombr-ón, hombr-ote, hombr-acho, hombr-azo*; de *mujer, mujer-ona, mujer-ota...*; de *muchacha, muchach-ona, muchach-ota*.

El sufijo *-ón* admite las siguientes variantes: *-achón, -arrón, -ejón, -erón y -etón*; por ejemplo: *fortachón, ventarrón, pedrejón, caserón, mocetón, etc.*

Téngase en cuenta que no todos los vocablos que llevan esas terminaciones son aumentativos; así, *abrazo, lazo, corazón, sacerdote, pelón, pantalón* y muchos más, no lo son.

51. **Diminutivos**[1] son las palabras derivadas que denotan idea de disminución respecto de su primitivo.

Las terminaciones masculinas más usuales de los diminutivos son:

1o. *-ececito, -ececico, -ececillo, -ecezuelo.*

2o. *-ecito, -ecico, -ecillo, -ezuelo, -achuelo, -ichuelo.*

3o. *-cito, -cico, -cillo, -zuelo.*

4o. *-ito, -ico, -illo, -uelo.*

Reciben las primeras terminaciones los monosílabos acabados en vocal; como de *pie, pi-ececito, pi-ecezuelo.*

Toman las segundas terminaciones:

1o. Los monosílabos acabados en consonante; por ejemplo: *red-ecilla, calabac-ita, pan-ecillo, flor-ecita, rey-ezuelo, pez-ecito.*

Exceptuándose *ruin-cilla* y los nombres propios de personas: como *Blas-illo, Gil-ito, Juan-ito, Luis-ito, Daniel-illo.*

2o. Los bisílabos cuya primera sílaba es diptongo de *ei, ie, ue*; o que terminan en *-ia, -io, -ua*; por ejemplo: *rein-ecita, huev-ecico, ciegue-zuelo, besti-ecica, geni-ecillo, lengüe-cita, fri-ecillo, ri-achue-lo, port-ichuelo.*

Se exceptúan *rub-ita, agü-ita y pascu-ita.*

3o. Los bisílabos terminados en *-e*; como *llav-ecita, nav-ecilla, cofr-ecillo, parch-ecito, pobr-ecito, trist-ezuelo.*

Todas las palabras agudas de dos o más sílabas terminadas en *-r* y aquéllas que, no siendo monosílabas acaban en *-n*, toman los sufijos *-cito, -cico, -cillo, -zuelo*; por ejemplo: *mujer-cita, amor-ci-llo, resplandor-cico, ladron-zuelo, Fermin-cico, Pilar-cita, Carmen-cita, imagen-cita.*

Se exceptúan a*lmacen-illo, alfiler-illo, Joaquin-illo, Gaspar-ito* y algún otro; y se usan indistintamen-te *altar-cillo y altar-illo; pilar-cillo y pilar-illo; jardin-cillo y jardin-illo; sarten-cilla y sarten-illa.*

---

1. Recuérdese que la terminación del diminutivo tiene formas específicas según la región. Por ejemplo en España es común la terminación *ico, ica*. En México prácticamente no se usa.

Todas las palabras no incluidas en las reglas anteriores, forman sus diminutivos con las terminaciones *-ito, -ico, -illo, -uelo*; como *vin-ico, jaul-illa; estatu-ita, vinagr-illo, rapaz-uelo, pajar-ito. camar-illa.*

Prado, llano y mano hacen *prad-ecillo, prad-ito y prad-illo; llan-ecillo y llan-ito; man-ecilla, man-illa y man-ita.*

52. No todos los aumentativos y diminutivos proceden de primitivos, sino que nuestra lengua posee aumentativos de aumentativos; como de picarón, *picaronazo*; de hombracho, *hombrachón*. Existen también diminutivos de diminutivos; como de chiquito, *chiquitito, chiquitín*; de calleja, *callejuela*; de carreta, *carretilla, carretón*. Tiene diminutivos de aumentativos: como de salón, *salon-cillo*; de pañolón, *pañoloncito*; aumentativos de diminutivos: como escobilla, *escobillón*; de roseta, *rosetón*; y por fin diminutivos triples: como *calleja, callejón y callejoncillo.*

53. Derivados **despectivos**, son los que incluyen en su significación la idea de burla, mofa o desprecio. Las terminaciones más comunes con que se forman en castellano son: *-aco, -uco, -acho, -ajo, -astro, -ato, -ejo, -ijo, -orrio, -orro, -uza, -ucho*; por ejemplo: *libr-aco, beat-uco, vulg-acho, latin-ajo, poet-astro, ceg-ato, peral-ejo, lagart-ija, vill-orrio, vent-orro, gent-uza, cald-ucho.*

54. Los **gentilicios** provienen del nombre de una nación, comarca o pueblo; como *español,* de España; *americano,* de América; *toluqueño,* de Toluca; *potosino,* de San Luis Potosí.

55. Los **patronímicos** son los apellidos que se daban a los hijos, derivándolos del nombre de los padres; por ejemplo: *Fernández,* hijo de Fernando; *Álvarez,* hijo de Álvaro; *Pérez,* hijo de Pedro; *Sánchez,* hijo de Sancho.

Ejercicios de Aplicación

13• *Señalar y especificar los sustantivos aumentativos, diminutivos y despectivos que aparecen en este texto, indicando los sustantivos primitivos correspondientes.*

En el seno e íntimo trato de una familia donde todos los varones se denominasen Pedro, la mujer llamaría Perico al marido; Periquito al hijo, Periquillo al criado, joven de poca edad, y al muchachón, entrado en años, Pedro a secas. De este último podría llegar a decir que era un bribonazo, y de aquél un jovenzuelo. En momentos de enojo tendría al marido por un tontín, cegato; un alma de Dios que sólo cuidaba de libracos viejos, yéndosele su fortuna de entre las manos, como la sal en el agua.

• •

Le desesperaba que Pedrito, ya siendo todo un mocetón, pasara todo el día en el pasillo jugando a la rayuela. Y le acabaría la paciencia el vivir en un caserón destartalado, con tal vecindad como la de la ca-

sucha de enfrente y la del callejón de atrás, por donde no pasaba sino gentuza, viniendo a echar de menos, la casa de sus padres, siempre arreglada como una tacita de té, y la vecindad de la condesita y del señor brigadier, tan guapetón y comedido.

14• *Distinguir por medio de las letras n, a y v, si los derivados siguientes son nominales, adjetivales o verbales.*

catolicismo	crecimiento	artista	espesura
escepticismo	espontaneidad	caciquismo	esparcimiento
alcaldía	bonanza	cafeína	amargura
algodonal	crianza	almirantazgo	colorido
atracción	felicidad	fregadero	acusatorio
bramido	anticuario	surrealismo	alcoholismo
caballería	calendario	emergencia	estoicismo
bromuro	computación	casualidad	abadía
facilidad	emperador	molienda	confitura
zapatero	confederación	carabinero	blandura
multimedia	comodidad	pedantería	cañaveral
tabacalera	pampero	llanero	periodismo

15• *Formar los gentilicios derivados de los siguientes sustantivos propios:*

Europa	México	Portugal	Marruecos
Asia	Venezuela	Bolivia	Etiopía
Chihuahua	Perú	Suiza	Yucatán
Canadá	Ecuador	Argelia	Andalucía
Brasil	Chile	Túnez	Atenas
Paraguay	Lituania	Corea	Holanda
Argentina	Suecia	Groenlandia	Francia

Patagonia	Noruega	Liberia	Bélgica
Buenos Aires	Tailandia	Irán	Ucrania
Uruguay	Bosnia	Quito	Andorra
Colombia	Tíbet	Inglaterra	Eslovenia
California	India	Egipto	La Habana

16 • *¿Qué diminutivos, aumentativos, despectivos y otros derivados corresponden a las voces siguientes?*

Pie	Rata	Casa	Mozo
Papel	Ratón	Cuerpo	Chico
Hombre	Espada	Raíz	Anciano
Cabeza	Carne	Lámpara	Pueblo

17 • *Formar los patronímicos de estos sustantivos propios adjuntos.*

García	Pedro	Gonzalo	Ramiro
Martín	Álvaro	Nuño	Diego
Rodrigo	Esteban	Pelayo	Lope
Domingo	Hernando	Enrique	Fernán

El Eco

Sé que el muro es el muro
y que el cielo no es cielo
sé que me olvido y oigo
cómo tañe el olvido

sin embargo no puedo
detenerme y caer
y apagarme en el sueño
y soñar que me rindo

sin base
sin motivos
sin aval
sin razones
sin ningún documento
que apoye la esperanza
miro en la tarde inerme
y grito una fe oscura
y me quedo esperando
las primicias del eco.

MARIO BENEDETTI. URUGUAY.

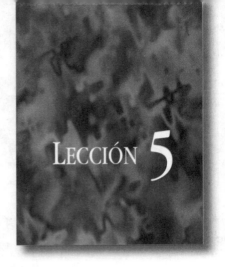

Género de los Nombres

56. **Accidentes** gramaticales son las alteraciones que experimentan las palabras en sus desinencias o terminaciones.

57. Los accidentes del nombre son: *género, número, caso* y *persona.*

58. El **género** sirve para indicar el sexo de las personas y animales, y el que convencionalmente se atribuye a las cosas según su *significación* o su *terminación.*

En nuestra lengua, la diferencia de sexo se expresa de cuatro maneras:

1o. Por el cambio de palabra; por ejemplo: *hombre* y *mujer;* **2o.** por cambio de terminación; por ejemplo: *perro* y *perra;* **3o.** por los artículos; por ejemplo: *el testigo* y *la testigo;* **4o.** añadiendo al sustantivo la palabra *macho* o *hembra;* por ejemplo: *la hiena macho* y *la hiena hembra.*

59. Los géneros son dos para el sustantivo: *masculino* y *femenino,* y se admite el *neutro* para los adjetivos tomados sustantivamente.

60. Por razón del significado:

a) Son masculinos: 1o. Los nombres propios o comunes de varón y de animal macho; por ejemplo: *Antonio, Rocinante, hombre, caballo, gato.* Exceptuándose *jaca* o *haca* (caballo pequeño). **2o.** Los que expresan dignidades, profesiones, empleos y grados de parentesco propios de varón; por ejemplo: *papa, rey, médico, abogado, sastre, abuelo, sobrino.* **3o.** Los que indican la nación, casta, orden religiosa a que pertenece el hombre de quien se trata; por ejemplo: *mexicano, esclavo, jesuita, mahometano.* **4o.** Los nombres de meses, días y notas musicales; por ejemplo: el *enero,* el *martes,* el *do,* el *re.* **5o.** Los mares, golfos, cabos, montes y volcanes; por ejemplo: el *Aral,* el *Gascuña,* el *Finisterre,* el *Himalaya,* el *Vesubio.* **6o.** Los de ríos, menos *la Huerva* y *la Esgueva* (que muchos consideran ya como masculinos); los de vientos, como el *cierzo,* el *simún,* el *levante;* excepto la *brisa,* y la *tramontana;* los de metales, menos la *plata.*

b) Se consideran del **género femenino: 1o.** Los nombres propios o apelativos de mujeres y animales hembras; por ejemplo: *Lucía, Zaida, Estrella, mujer, gata, vaca.* **2o.** Los que expresan dignidades, profesiones, empleos, grados de parentesco propios de mujer; por ejemplo: *emperatriz, abadesa, planchadora, hermana, prima.* **3o.** Los que designan la nación, casta, orden religiosa, secta a la que pertenece la mujer de quien se habla; por ejemplo: *turca, esclava, clarisa, budista.* **4o.** Los nombres de ciencias, artes y virtudes; por ejemplo: la *teología,* la *arquitectura,* la *humildad;* exceptuándose el *derecho,* el *dibujo,* el *grabado* y el *amor.* **5o.** Las letras del alfabeto y las figuras de gramática, retórica, etc.; por ejemplo: la *b,* la *d,* la *silepsis,* la *cacofonía.* Excepto el *hipérbaton,* el *pleonasmo* y algunas más.

61. Por razón de la terminación:

a) Pertenecen al género **masculino** los terminados en vocal que no sea *a,* o en consonante que no sea *d* o *z,* y generalmente los nombres que sólo se usan en plural, menos los terminados en *as;* por ejemplo: el *alambre,* el *aceite, cabello, palo, borceguí, tisú; dedal, comedor, almacén; víveres, enseres, modales.*

b) Son **femeninos** los terminados en *a, d, z,* y los verbales acabados en *ión;* por ejemplo: *puerta, bondad, paz, cruz, lección, administración.*

Existen muchas excepciones en todos estos casos.

Generalmente, los nombres de regiones, ciudades, villas, pueblos se expresan con el género que a su terminación corresponde, como: *España es grandiosa; Chiapas, húmeda; Monterrey, industrioso.* Cuando se califica con otro género es porque se sobrentiende algún apelativo; por ejemplo: *la gran* (ciudad de) *Toledo; todo* (el pueblo de) *Sinaloa.*

62. Además, se admiten los géneros *común, epiceno* y *ambiguo.*

63. El género **común** es el de aquellos nombres de *personas* que abrazan ambos géneros con una sola terminación y diferente artículo; por ejemplo: *el mártir, la mártir; el testigo, la testigo; el reo, la reo.*

64. El **epiceno** comprende los nombres de *animales* que, sin cambiar de terminación ni de artículo, abrazan uno y otro sexo; por ejemplo: *el cuervo, el ratón, la pantera.*

65. El **ambiguo** se refiere a nombres de *cosas* cuyo género no se ha determinado, por lo que se usan ya como masculinos, ya como femeninos; por ejemplo, se dice: *el mar y la mar, el sartén y la sartén, el dote y la dote.*

66. Llamamos sustantivos **bigéneros** o **heterogéneos** los que toman distinto género, según la acepción en que están tomados; así, *corte* es masculino cuando designamos la parte *cortante* del cuchillo o el resultado de cortar, y es femenino si se refiere al *lugar* donde residen los gobernantes de un reino o de un imperio; otro tanto sucede con *orden, capital, etc.*

Emilio Marín

Ejercicios de Aplicación

18 *Distinguir los nombres y señalar su género.*

La Aurora

En esto ya comenzaban a gorjear en los árboles mil suertes de pintados pajarillos, y en sus diversos y alegres cantos parecía que daban la enhorabuena y saludaban a la fresca aurora, que ya por las puertas y balcones del oriente iba descubriendo la hermosura de su rostro, sacudiendo de sus cabellos un número infinito de líquidas perlas, en cuyo suave licor, bañándose las hierbas, parecían asimismo que ellas brotaban y llovían blanco y menudo aljófar. Los sauces destilaban maná sabroso, reíanse las fuentes, murmuraban los arroyos, alegrábanse las selvas y enriquecíanse los prados con su venida.

CERVANTES.

19 *Anotar en la línea el nombre masculino o femenino correspondiente según el caso.*

Emperador _____ Duque _____ Pavo _____ Ireneo _____

Reina _____ Princesa _____ Gato _____ Virreina _____

Zorro _____ Abad _____ Doctor _____ Ángel _____

Cantora _____ Oveja _____ Cuñado _____ Hombre _____

Profetisa _____ Cabra _____ Padrastro _____ Pastora _____

Caballo _____ Portero _____ Diácono _____ Roberto _____

Gallo _____ Médico _____ Anciano _____ Raro _____

MODELO:

Emperador, *emperatriz*; rey, *reina*.

30

20• *Decir el género de los nombres siguientes, señalando lo que expresa cada uno.*

Prudencio	Himalaya	Embrujo	Zar
Cocinera	Caspio	Morfeo	Brisa
Poeta	Tejedor	Escultura	Suegra
Éufrates	Espía	Huasteca	Yerno
Alcalde	Profetisa	Egipcio	Modista
Manila	Azafrán	Abadesa	Jesuita
Plata	Barón	Manipulación	Beduino
Julián	Eslovaco	Discípulo	Huracán
Céfiro	Petronila	Diosa	Aguacate
Lingüística	Prior	Este	Judío

MODELO:

Prudencio, masc. *varón*. Cocinera, fem. *oficio de mujer*.

21• *Indicar si los sustantivos expresados a continuación son bigéneros, neutros, comunes, epicenos o ambiguos.*

Cómplice	Atalaya	Llama	Dromedario
Frente	Margen	Cónyuge	Levita
Tigre	Cura	Efecto	Arte
Mar	Hiena	Murciélago	Útil
Hermoso	Fantasma	Anacoreta	Cisne
Testigo	Trípode	Trompeta	Reo
Corte	Avestruz	Agua	Cutis
Puente	Guardia	Hereje	Ballena
Espía	Lente	Vista	Guía
Capital	Agradable	Estambre	Perdiz
Cólera	Ratón	Cigüeña	Héroe
Consorte	Aroma	Canal	Postre

22• *¿Qué nombre se da al territorio gobernado o administrado por un ...*

Emperador?	Gran duque?	Tetrarca?
Patriarca?	Rey?	Conde?
Virrey?	Párroco?	Príncipe?
Gobernador?	Prefecto?	Arcipreste?
Señor?	Marqués?	Alcalde?
Presidente?	Duque?	Barón?
Obispo?	Califa?	Monarca?

Emilio Marín

23● El alumno enumerará cada grupo de nombres por orden decreciente de generalidad, esto es, de modo que la idea expresada por cada uno de ellos esté comprendida en la idea que expresa la anterior.

1o. Animal, ser, gorrión, pájaro, ave.

2o. Criatura, mamífero, rumiante, vaca, vertebrado.

3o. Europeo, español, hombre, castellano, manchego.

4o. Astro, cuerpo, luna, planeta, satélite.

5o. Célula, cuerpo, órgano, hombre.

6o. México, estado, república, municipio.

7o. Cereales, trigo, gramínea, vegetal.

8o. Subsecretario, Presidente, Director, Secretario, Coordinador.

9o. Católico, cristiano, obispo, papa, sacerdote.

MODELO:
Ser, animal, ave, pájaro, gorrión.

24● Sustituir la raya con el sustantivo que convenga.

1o. Cuerpo, abejas, sabor, licor, miel, manjares, mundo, conservas.

2o. Miel, mosca, concierto, animalillo, cera, cosas, orden, animalillos.

De las Abejas

1o. Pues, ¿qué diré de las _____, que con tener menores _____ proveen de un _____ suavísimo y muy saludable a todo el _____, que es la _____, la cual sirve para dar _____ a todos los _____, y para tantas diferencias de _____ qué se hacen con ella?

2o. Pues, ¡cuán provechosa es también la _____ que ellas fabrican junto con la _____ ! Y todo esto hace un _____ poco mayor que una _____. ¿Quién creyera estas dos _____, si nunca las hubiera visto, mayormente si le contaran el _____ que guardan estos _____ en su manera de república y _____ de la vida?

FR. LUIS DE GRANADA.

Táctica y Estrategia

Mi táctica es
            mirarte
aprender cómo eres
quererte como eres

mi táctica es
            hablarte
y escucharte
construir con palabras
un puente indestructible

mi táctica es
quedarme en tu recuerdo
no sé cómo   ni sé
con qué pretexto
pero quedarme en ti

mi táctica es
            ser franco
y saber que eres franca
y que no nos vendamos
simulacros
para que entre los dos
no haya telón
            ni abismos

mi estrategia es
en cambio
más profunda y más
            simple
mi estrategia es
que un día cualquiera
no sé cómo   ni sé
con qué pretexto
por fin   me necesites.

MARIO BENEDETTI. URUGUAY.

Número de los Nombres

67. **Número** es el accidente gramatical que sirve para indicar *unidad* o *pluralidad.*

68. Los números son dos para el nombre: *singular y plural.*

69. Número **singula**r es el que denota un solo ser, o una entidad colectiva; por ejemplo: *el niño, la madre, el ejército, una docena.*

70. Número **plural** es el que indica varios seres o entidades colectivas; por ejemplo: *unos niños, las madres, los ejércitos, unas docenas.*

71. El plural de los nombres se forma del singular, modificando su terminación del modo siguiente:

1o. Los terminados en vocal sin acento o en **-é** acentuada forman el plural tomando una **s**, como: *río, ríos; hombre, hombres; café, cafés.*

2o. Los acabados en consonante o en vocal acentuada, que no sea la **e**, toman la sílaba **es**; como: *clavel, clavel**es**; rey, rey**es**; jabalí, jabal**íes**; bajá, baja**es**; tisú, tis**úes**.*

Exceptuándose papá, mamá, sofá, chacó y champú, cuyo plural es: *papás, mamás, sofás, chacós y champús. Maravedí hace maravedís, maravedíes o maravedises.*[1]

72. Los nombres cuyo singular termina en **-s** y no son agudos, no sufren alteración en plural; así, diremos en ambos números: *crisis, dosis, lunes.*

73. Tampoco sufren alteración los **patronímicos** acabados en **-z**, en cuya penúltima vocal carga el acento; por ejemplo: *los Martínez, los Fernández, los Núñez;* los demás acabados en **-z** y en **-x** las mudan en **c**, añadiendo la sílaba **es**; así: *pez, pe**ces**; cruz, cru**ces**; ónix, óni**ces**.*

74. Para la *formación del plural* en los sustantivos compuestos, no pueden establecerse reglas fijas, pues si bien la mayoría lo forman modificando el segundo elemento, como, de *ferrocarril, ferrocarril**es**;* de *tirabuzón, tirabuzon**es**,* hay algunos que sólo modifican el primero; por ejemplo: de *hijodalgo, hijo**s**dalgo;* de *cualquiera, cual**es**quiera;* los

---

1. Nótese la tendencia del popular a decir: *jabalís, bajás, tisús, alelís.*

hay que modifican ambos elementos, así, de *gentilhombre*, resulta *gentileshombres*; de *media-caña*, *mediascañas*; y algunos permanecen invariables; por ejemplo: *un o unos hazmerreír, un o unos quitapón.*

a) Cuando el primer elemento de una palabra compuesta pierde o cambia alguna letra, dicho elemento no altera en plural; por ejemplo: *maestr-escuelas, peli-rrubios, cari-tristes.*

b) Tampoco varían aquellos vocablos cuyo segundo elemento está en plural; así se dice *el o los limpiabotas, un o unos azotacalles.*

c) Las preposiciones, adverbios u otras partes invariables de la oración que entran en composición no admiten plural; por ejemplo: *ANTEdiluvianos, SEMIcírculos.*

75. Hay nombres que sólo se usan en singular y otros sólo en plural.

76. Carecen de *plural*:

a) Los nombres propios de personas, animales o cosas; por ejemplo: *Juan Alberto, Europa, Alemania, Lerma, Jalapa, Madrid.* Si a veces se ponen en plural, es porque están usados como apelativos o en lenguaje figurado; pero, en tales casos, conservan la letra mayúscula; por ejemplo: los *Pedros* y los *Felipes,* las *Castillas,* los *Jerónimos,* los *Ambrosios.*

b) Los que de suyo *indican una idea única;* como: el *caos,* la *eternidad,* la *inmortalidad,* el *andar,* lo *bueno.*

c) Los nombres de virtudes, vicios y pasiones: la *humildad,* la *avaricia,* el *horror;* los de ciencias, artes, profesiones: *gramática, oratoria, abogacía;* los de metales, puntos cardinales y edades de la vida: el *oro,* el *mercurio,* el *sur,* la *vejez,* la *juventud.*

d) Los sustantivos que indican instituciones militares, escuelas filosóficas y religiosas; por ejemplo: la *artillería,* el *racionalismo,* el *Cristianismo.*

e) Algunos nombres latinos que se han admitido sin variación en nuestro idioma; por ejemplo: *déficit, ultimátum.*

77. Carecen de singular:

a) Los que designan objetos compuestos de partes múltiples, como: *tijeras, despabiladeras, trébedes, maitines, efemérides;* los que denotan idea de muchedumbre o multitud; por ejemplo: *víveres, modales, alrededores, pertrechos,* y otros que el uso ha establecido, como: *andas, albricias, exequias.*

b) Los nombres de muchas cordilleras; por ejemplo: los *Alpes,* los *Atlas,* los *Andes,* los montes *Azules.*

c) Los numerales cardinales, menos *uno,* y el adjetivo *ambos.*

d) Ciertos sustantivos que cambian de significado al usarlos en singular; por ejemplo: *esposas* y *grillos* (instrumentos de suplicio), *celos* (pasión), etc.

Nota. Algunos sustantivos propios de lugares, villas y ciudades aunque parezcan plurales y algunos vayan precedidos de artículos o de otra voz en este número, se considera como singular porque representan una sola población; por ejemplo: Los Cabos, Los Mochis.

Emilio Marín

25 ● *Localizar los sustantivos e indicar su género y número.*

El Sur *(fragmento)*

El hombre que desembarcó en Buenos Aires en 1871 se llamaba Johannes Dahlmann y era pastor de la iglesia evangélica; en 1939, uno de sus nietos, Juan Dahlmann, era secretario de una biblioteca municipal en la calle Córdoba y se sentía honradamente argentino. Su abuelo materno había sido aquel Francisco Flores, del 2o. de infantería de línea, que murió en la frontera de Buenos Aires, lanceado por los indios de Catriel; en la discordia de sus dos linajes, Juan Dahlmann (tal vez a impulsos de la sangre germánica) eligió el de ese antepasado romántico, o de muerte romántica. Un estuche con el daguerrotipo de un hombre inexpresivo y barbado, una vieja espada, la dicha y el coraje de ciertas músicas, el hábito de estrofas del "Martín Fierro", los años, el desgano y la soledad, fomentaron ese criollismo algo voluntario, pero nunca ostentoso. A costa de algunas privaciones, Dahlmann había logrado salvar el casco de una hacienda en el Sur, que fue de los Flores; una de las costumbres de su memoria era la imagen de los eucaliptos balsámicos y de la larga casa rosada que alguna vez fue carmesí. Las tareas y acaso la indolencia lo retenían en la ciudad. Verano tras verano se contentaba con la idea abstracta de posesión y con la certidumbre de que su casa estaba esperándolo, en su sitio preciso de la llanura. En los últimos días de febrero de 1939, algo le aconteció...

JORGE LUIS BORGES. ARGENTINA.

26 ● *Formar el plural de los siguientes sustantivos adjuntos.*

Convoy	Ruiz	Vara	Arnés
Armatoste	Bajá	Atril	Fénix
Metamorfosis	Pie	Voz	Compás
Sofá	Tribu	Café	Cárcel
Carácter	Azúcar	Crisis	Alelí

Res	Huésped	Nariz	Gas
Jabalí	Chorlito	Colibrí	Cáliz
Lord	Avemaría	Jueves	Coadjutor
Tórax	Borceguí	Cutis	Maravedí

27 Completar con las palabras como convenga.

Los aguardiente ____ de las bodega ____.

Unos monda dien ____ de marfil.

Los modal ____ de los hijo ____ dalgo ____.

Los viaducto____ de los romano ____.

Los ferrocarril ____ de las nacion ____ .

Los salvaguardia ____ de las ciudad ____.

Unos correcamino ____ emplumado ____.

Los contramaestre ____ de las fábric ____.

Unos galli ____ rechonchito ____.

Los alumn ____ de las escuel ____.

Buenos tirabuzo ____ de metal.

Los modal ____ de los subtenient ____.

28 ¿Qué se designa con las siguientes expresiones?

El astro rey.

La Ciudad de los Rascacielos.

La sultana del Norte.

La estación de los frutos.

La estación de los hielos.

El rey de la selva.

El rey del corral.

La Ciudad Luz.

El Benemérito de las Américas.

La rotonda de los hombres ilustres.

El Centauro del Norte.

El descanso eterno.

El día de muertos.

La Perla Tapatía.

La Ciudad de la Eterna Primavera.

El Padre de la Patria.

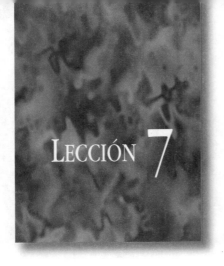

Caso y Persona de los Nombres

78. **Caso** es el accidente de que nos valemos para expresar las diferentes funciones del nombre en la oración o sus relaciones con otra u otras palabras de la misma.

79. Los casos son seis: *nominativo, genitivo, dativo, acusativo, vocativo y ablativo.*

Dichas denominaciones provienen del latín, significando, por lo común, el oficio de cada uno de ellos.

80. El **nominativo** indica el *sujeto* agente o paciente de la significación del verbo y el *predicado nominal*; no lleva preposición; por ejemplo: el *hombre* trabaja; *Dios* es amado; *Balmes* fue *sacerdote* (sacerdote, atributo o 2o. nominativo).

81. El **genitivo** (complemento determinativo) denota *posesión, cualidad* o *materia*, y va precedido de la preposición *de*; por ejemplo: casa *de Pedro,* libro *de español,* cadena *de oro.*

82. El **dativo** (complemento indirecto) indica la *persona* o *cosa* que recibe el *daño* o *provecho* de la acción del verbo, pero sin ser el objeto directo; va precedido de la preposición *a* o *para*; por ejemplo: escribo *a Pedro*; Juan tiene aptitud *para la informática.*

83. El **acusativo** (complemento directo) expresa la *persona* o *cosa* que recibe la significación del verbo; generalmente no lleva preposición, a no ser la preposición *a* en determinados casos; por ejemplo: Estudio la *Gramática,* amo *a mis padres.*

84. El **vocativo** sirve para llamar o exclamar; no le acompaña preposición alguna; por ejemplo: ¡*Oh! padre* mío; ven, *Pedro.*

85. El **ablativo** (complemento circunstancial) designa las circunstancias de *lugar, tiempo, instrumento*, materia, etc.; puede ir precedido de todas las preposiciones; por ejemplo: hablo *con mis amigos*; estoy *a veinte leguas*; estudio *desde niño*; escribo *con la pluma*; juego *a la pelota.* Vengo de Guadalajara.

86. **Declinar** el nombre es presentarlo en sus diversos casos, al conjunto de los cuales llamamos *declinación.*

87. Hay dos clases de declinación: *desinencial* y *prepositiva.*

La *declinación desinencial* es el conjunto ordenado de las diferentes desinencias que pueden recibir las palabras variables (excepto el verbo), con las que se indican las relaciones o circunstancias en que aquéllas se encuentran respecto de otras.

La *declinación prepositiva* es la colección de medios (preposiciones, interjección, énfasis, construcción), por los que expresamos las relaciones entre unas palabras y otras.

La declinación desinencial ha desaparecido para el nombre y el adjetivo. *El nombre conserva la prepositiva; el adjetivo no conserva ni una ni otra.* Ejemplos:

del caballo dócil = cavall - i docil - is

para el caballo dócil = cavall - o docil - i

y no decimos como en el latín: *del caballo del dócil,* ni *para el caballo para el dócil.*

88. *¿Existe en español declinación?* Si por declinación entendemos un conjunto de desinencias distintas, en español sólo hay declinación en los pronombres personales. Si el caso es la función (no el medio) por la que se expresan las relaciones, sí existe declinación en nuestra lengua.

89. Declinación del nombre "*jardín*".

NOM. El *jardín.*

GEN. *Del jardín.*

DAT. *A* o *para* el *jardín.*

ACUSAT. El *jardín.*

VOCAT. ¡Oh *jardín!*

ABLAT. *Con, de, en, por, sin,* etc...., el *jardín.*

Declinación del Nombre "jardín"
en composición oracional.

NOM. **El jard**ín de Pedro es muy hermoso.

GEN. Las flores **del jardín** son bellas y olorosas.

DAT. Traigo estas semillas *para* **el jardín.**

ACUSAT. Mi tía puso a mi disposición **el jardín** ameno.

VOCAT. **¡Oh jardín** mío, qué bello eres!

ABLAT. Dejé la regadera **en el jardín.**

Declinación de "libros de Juan"
en composición oracional.

NOM. Los *libros de Juan* son interesantes.

GEN. El papel *de los libros de Juan* es superior.

DAT. Compré forros *para los libros de Juan.*

ACUSAT. Francisco compró los *libros de Juan*.

VOCAT. ¡Oh *libros de Juan*! ¡Qué interesantes son!

ABLAT. Aprendí la lección *con* los *libros de Juan*.

90. La **persona** es un accidente gramatical del nombre; por eso decimos que el sustantivo concuerda con el verbo en *persona*. Lo que ocurre es que generalmente los nombres se hallan en tercera persona, sirviendo de objeto de nuestra conversación. En sentido figurado pueden pertenecer a la segunda persona: *Oigan, amigos, no sean envidiosos; ¡Oh cielo!, ¡qué hermoso eres!*

91. Se analiza el *artículo* indicando:

1o. *Su especie:* esto es, si es determinado, indeterminado o contracto; **2o.** su género: masculino, femenino o neutro; **3o.** *su número:* singular o plural; **4o.** *su oficio:* a qué nombre se refiere; por ejemplo: No ha nacido para *la* gloria quien no conoce *el* valor *del* tiempo. QUEVEDO.

La	art. det. fem. sing., se refiere a *gloria*.
MODELO **DE ANÁLISIS** **el**	art. det. masc. sing., se refiere a *valor*.
del	art. cont. masc. sing., se refiere a *tiempo*.

92. Se analiza el *nombre* indicando:

1o. *Su especie*: propio, común, colectivo, gentilicio, etc.; **2o.** *su género*: masculino, femenino, neutro, común, ambiguo o epiceno; **3o.** *su número*: singular o plural; **4o.** *su caso*: nominativo, genitivo, etc., y el *oficio* que desempeña en la oración; por ejemplo: *España* produce con *abundancia vino* y *aceite*. *¡Hijo* de mi *alma!* imita a tus *mayores*.

España	nomb. prop. fem. sing. nom., suj. de *produce*.
abundancia	nomb. com. fem. sing. abl., compl. circ. de *produce*.
vino	nomb. com. masc. sing. acus., compl. dir. de *produce*.
MODELO **DE ANÁLISIS** **aceite**	nomb. com. masc. sing. acus., compl. dir. de *produce*.
Hijo	nomb. com. masc. sing. voc., suj. de *imita*.
alma	nomb. com. masc. sing. genit., compl. deter. de *Hijo*.
mayores	nomb. com. masc. plur. acus., compl. indir. de *imita*.

Ejercicios de Aplicación

29• *Declinar, formando una oración para cada caso:*

1o. Luis. **2o.** Mesa. **3o.** Niño estudioso. **4o.** Hijo del hortelano. **5o.** Corona y cetro del rey.

30• *Señalar el caso de los sustantivos.*

El joven se deja seducir fácilmente por las apariencias. • La ley de Dios prohíbe la calumnia. • La civilización debe mucho al Pontificado. • Cervantes inmortalizó su nombre con el famoso *Don Quijote*. • El hombre prudente desprecia la alabanza exagerada. • Zaragoza, con su arrojo, triunfó en Puebla • La hermosura del hombre está en la frente. • La envidia callada obra con mayor malicia. • La hija del príncipe reparte todos los días cuantiosas limosnas a los pobres de la ciudad. • La única sabiduría del hombre en la tierra es la ciencia de Dios. • Llega el estudiante con un libro en la mano. • Los príncipes rendían vasallaje a su rey. • El jilguero se esconde en la enramada para hacernos oír sus armoniosos trinos. • La ociosidad consume la vida más rápidamente que el trabajo. • El alumno debe prestar atención a la lección de Gramática.

31• **1o.** *Poner los artículos que falten,* **2o.** *Analizar los artículos de la parte final.*

Retrato de los Reyes Católicos

Eran ambos de mediana estatura, de miembros bien proporcionados. _____ Rey tenía _____ color tostado por _____ trabajos de _____ guerra, _____ cabello castaño y largo, _____ barba afeitada a fuer _____ tiempo, _____ cejas anchas, _____ cabeza calva, _____ boca pequeña, _____ labios colorados, menudos _____ dientes y ralos, _____ espaldas anchas, _____ cuello derecho, _____ voz aguda, _____ habla presta, _____ ingenio claro, juicio grave y acertado, _____ condición suave y cortés, y clemente con _____ que iban a negociar. Fue diestro para _____ cosas de _____ guerra; para _____ gobierno, sin par; tan amigo de _____ negocios, que parecía que con _____ trabajo descansaba. _____ cuerpo no con deleites regalado, sino con vestido honesto y comida templada, acostumbrado y a propósito para sufrir _____ trabajos.

_____ Reina era de buen rostro, _____ cabellos rubios, _____ ojos zarcos, no usaba de afeites: _____ gravedad, mesura y modestia de su rostro, singular. Fue muy dada a _____ devoción y aficionada a _____ letras; alcanzó alguna noticia de _____ lengua latina, ayuda de que careció _____ rey D. Fernando, por no aprender letras en su pequeña edad; gustaba, empero, de leer historias y hablar con hombres letrados.

MARIANA. *(Historia de España).*

32• *Analizar los nombres del siguiente trozo.*

El Siglo de las Luces *(fragmento)*

Ahora, el frescor del mar. La gran sombra de los velámenes. La brisa norteña que, después de correr sobre las tierras, cobraba nuevo impulso en la vastedad, trayendo aquellos olores vegetales que los vigías sabían husmear desde lo alto de las cofas, reconociendo lo que olía a Trinidad, a Sierra Maestra o a Cabo Cruz. Con una vara a la que habían fijado una pequeña red, Sofía sacaba maravillas del agua: un racimo de sargazos, cuyos frutos hacía estallar entre el pulgar y el índice; un gajo de mangle, aún vestido de ostras tiernas; un coco del tamaño de una nuez, de tan esplendoroso verdor que parecía recién barnizado. Se pasaba sobre bancos de esponjas que pintaban pardos macizos en los fondos claros, bogándose entre cayos de arena blanca, siempre a la vista de una costa difuminada por brumas, que se iba haciendo más montañosa y quebrada. Sofía había aceptado aquel viaje con alegría, repentinamente librada del calor, de los cínifes, de la perspectiva de un tedioso regreso hacia lo cotidiano y monótono —hecho más monótono por la ausencia de quien, a todas horas, tenía el poder de transfigurar la realidad— como si se tratara de una mera excursión sobre las aguas de algún lago suizo, de románticas orillas empeñascadas...

ALEJO CARPENTIER. CUBA.

33• *Subrayar los nombres del fragmento siguiente, y poner los artículos que falten.*

El Pájaro Mosca

No hay, entre _____ seres animados, otro más elegante en _____ figura ni más brillante en _____ colores; _____ naturaleza le ha prodigado sus dones: agilidad, rapidez, viveza, gracia, hermosura, todo lo ha reunido en este su pequeño favorito. Brillan a la par, en su rico plumaje, _____ esmeralda, _____ rubí y _____ topacio, sin que llegue jamás a deslucirlo _____ polvo de _____ tierra; en su vida, del todo aérea, apenas se le ve tocar ligeramente y por _____ momento _____ césped; mantiénese de continuo en _____ aire volando de _____ flores a otras, teniendo _____ brillo y frescura de éstas, viviendo de su néctar y no habitando otro clima que aquél que le presenta _____ continua primavera.

BUFFON.

34• *Decir el género de los nombres siguientes:*

Sazón	Cariátide	Berbiquí	Huésped
Metrópoli	Comezón	Faz	Efemérides
Ironía	Legumbre	Césped	Serpiente
Enigma	Lacre	Adalid	Anagrama
Bisturí	Aceite	Lema	Sede
Análisis	Azogue	Emblema	Afueras
Alelí	Bilis	Ataúd	Epístola
Ardid	Brida	Techumbre	Col
Tez	Mazapán	Peste	Sal
Orfandad	Síntoma	Cometa	Coz
Dictamen	Atril	Sena	Apocalipsis
Maná	Camarín	Albacea	Haba

35• *Indicar el caso de los sustantivos.*

El Negro Fingido

Una vez, hace muchos años, cuando aún había esclavos negros en América, dos jóvenes hermanos, cerrajeros de oficio, se embarcaron para Jamaica.

Luego que llegaron, no pudiendo establecerse por falta de recursos, acudieron a un medio algo extraño e ingenioso.

Uno de ellos, que tenía el pelo crespo, se pintó de negro, se disfrazó muy bien, y se hizo conducir por su hermano a casa de un banquero, a quien le suplicó le comprase el negro por cincuenta doblones. Recibido el dinero, se fue, dejando el negro en su poder; mas éste, pocas horas después, se fugó a casa de su hermano, en donde cambió de traje y se lavó de pies a cabeza. En vano se hicieron ofertas al que encontrara al negro: fue imposible.

Los dos hermanos fundaron un establecimiento de cerrajería; ganaron mucho dinero y algunos años después regresaron ricos a su país. Pero debe advertirse que, antes de salir de Jamaica, devolvieron banquero el dinero con sus intereses, dándole las gracias y refiriéndole la estratagema ideada por ellos.

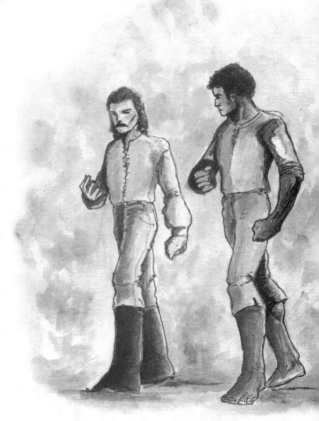

36 ¿Qué diminutivos, aumentativos, despectivos y otros derivados puedes elaborar con las siguientes palabras?

Mujer	Bolsa	Zapato	Madre
Libro	Hermano	Pájaro	Cielo
Padre	Corazón	Ladrón	Perro
Luz	Duro	Nariz	Puerta

37 ¿Qué primitivos corresponden a los gentilicios siguientes?

Húngaro	Vienés	Haitiano	Huasteco
Danés	Egipcio	Filipino	Neoyorkino
Parisiense	Checo	Africano	Turco
Polaco	Marroquí	Mexiquense	Potosino
Yucateco	Portugués	Tampiqueño	Guerrerense
Limeño	Ruso	Etiope	Guatemalteco

38 Anotar en la línea el sustantivo que convenga.

a) Encuadernadores, servicios, generaciones, monjes, civilización, monumentos, restos, literaturas.

b) Amanecer, folio, monje, tesoros, sol, ojos, benedictinos, trabajo, humanidad.

c) Ciencia, puesto, obrero, monje, siglo, cadena, falta, celo, universidades, capítulos.

Los Monjes

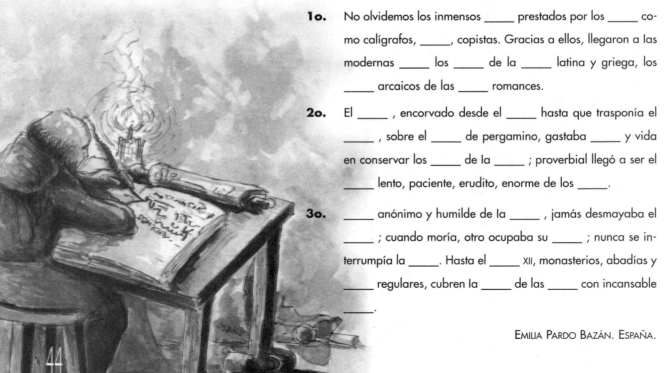

1o. No olvidemos los inmensos _____ prestados por los _____ como calígrafos, _____, copistas. Gracias a ellos, llegaron a las modernas _____ los _____ de la _____ latina y griega, los _____ arcaicos de las _____ romances.

2o. El _____ , encorvado desde el _____ hasta que trasponía el _____ , sobre el _____ de pergamino, gastaba _____ y vida en conservar los _____ de la _____ ; proverbial llegó a ser el _____ lento, paciente, erudito, enorme de los _____ .

3o. _____ anónimo y humilde de la _____ , jamás desmayaba el _____ ; cuando moría, otro ocupaba su _____ ; nunca se interrumpía la _____ . Hasta el _____ XII, monasterios, abadías y _____ regulares, cubren la _____ de las _____ con incansable _____ .

EMILIA PARDO BAZÁN. ESPAÑA.

44

ANÁLISIS:

La calumnia y la mentira _____ De Dios provocan la ira.

MARTÍNEZ DE LA ROSA.

Poemas Árticos *(fragmento)*

HP

Pronto llegaremos
Al último paralelo
       La tarde

Mi mano
Dirige el automóvil
Igual que un autopiano
       La estepa en silencio
       80 caballos de fuerza.

  La estepa
Ir cruzando la tierra
Alguien ha dejado sus alas en el suelo
Y hay golondrinas en tu pecho
Esta mañana.

VICENTE HUIDOBRO. CHILE.

Evaluación Sobre el Artículo y el Nombre

1o. ¿Qué es artículo?; **2o.** ¿Cuáles son las formas del artículo determinado?; **3o.** ¿Por qué decimos *un hacha* en vez de *una hacha*?; **4o.** ¿Qué entendemos por nombre o sustantivo?; **5o.** ¿Cómo se divide el nombre por su estructura o composición?; **6o.** ¿Qué son accidentes gramaticales?; **7o.** ¿Cuáles son los del nombre?; **8o.** Dígase el plural de *carri-coche, pati-tuerto, gentil-hombre, hijo-dalgo, quita-i-pon, maestr-escuela, semi-círculo*; **9o.** ¿A qué nombres se aplican los géneros epiceno, común y ambiguo?; **10o.** Cítense algunos nombres primitivos; **11o.** Mencione algunos derivados nominales, adjetivales y verbales; **12o.** ¿Qué son aumentativos?; **13o.** ¿Cuáles son las variantes del sufijo *-ón*?; **14o.** ¿Qué sufijos toman los diminutivos derivados de primitivos monosílabos?; **15o.** ¿Qué son derivados patronímicos?; **16o.** ¿Existe declinación en español?; **17o.** Declinar la palabra *hombre* en composición oracional.

ANÁLISIS:

Si la cruz de Cristo dejara de sombrear el territorio nacional, España dejaría de ser España.

ALFONSO XIII.

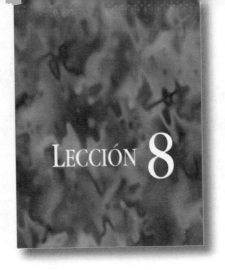

LECCIÓN 8

Nombre Adjetivo

93. **Nombre adjetivo**, llamado también únicamente *adjetivo*, es la parte variable de la oración que modifica al nombre, *calificándolo* o *determinándolo*.

94. Hay dos clases de adjetivos: *calificativos* y *determinativos*.

95. El **adjetivo calificativo** es el que designa alguna cualidad del nombre; por ejemplo: *blanco, bueno, alto, rosado, salado, grande.*

96. El adjetivo calificativo se puede dividir atendiendo a su *origen, composición, terminación* y *apreciación*.

a) Por razón del *origen*, el adjetivo calificativo, como el sustantivo, puede ser **primitivo** o **derivado,** según provenga o no de otra palabra del idioma; así, serán primitivos: *azul, blanco, amarillo* y derivados: *azulado, blanquecino, amarillento.*

El adjetivo derivado puede ser *nominal, verbal* y *gentilicio*, según provenga de un *sustantivo*, de un *verbo*, o de nombre de *gente*.

b) Atendiendo a su *composición* o *estructura*, el adjetivo se divide en *simple, compuesto, frase* y *oración*.

Simple, si consta de una sola palabra, como *dulce, agrio*.

Compuesto, si está formado de dos o más ya existentes en el idioma; por ejemplo: *agridulce, verdinegro*.

Adjetivo-frase es el que requiere varias palabras para designar la cualidad del nombre; por ejemplo: El Quijote, *perla de nuestra literatura*, no es bastante conocido. Un cazador, *vecino de Mérida*, mató un jabalí.

Adjetivo-oración es todo conjunto gramatical que hace las veces de adjetivo, teniendo algún verbo en modo personal; por ejemplo: El alumno *que estudia las lecciones* aprobará el curso.

c) Por la *terminación*, el adjetivo puede ser de una o dos terminaciones, así: *agradable* es de una y *bueno, buena*, de dos.

d) Por la *apreciación*, es *positivo, comparativo* o *superlativo*; por ejemplo: *bueno, más bueno* o *mejor; muy bueno*.

97. El adjetivo *calificativo* puede figurar en la oración como verdadero sustantivo. Sucede esto:

1o. Cuando el adjetivo está en la terminación neutra, denotando una cualidad abstracta; por ejemplo: *lo bueno, lo malo, lo agradable, lo blanco, etc.*

2o. Cuando lo que antecede o sigue en el discurso da bien a entender el sustantivo que debe acompañar a dicho adjetivo; por ejemplo: es un *sabio*, un *impertinente*; ejemplos en los cuales fácilmente se comprende que nos referimos a un hombre.

Se conocerá fácilmente que una palabra es un adjetivo o nombre, según se le pueda o no anteponer la palabra *persona o cosa*; así *agradable* es adjetivo, porque se puede decir *persona o cosa agradable*; no así *belleza*, pues no admite tal unión.

Ejercicios de Aplicación

39• *Señalar los adjetivos calificativos y el nombre a que se refieren.*

Cien Años de Soledad *(fragmento)*

La casa nueva, blanca como una paloma, fue estrenada con un baile. Úrsula había concebido aquella idea desde la tarde en que vio a Rebeca y Amaranta convertidas en adolescentes, y casi puede decirse que el principal motivo de la construcción fue el deseo de procurar a las muchachas un lugar digno donde recibir a las visitas. Para que nada restara esplendor a ese propósito, trabajó como un galeote mientras se ejecutaban las reformas, de modo de que antes de que estuvieran terminadas había encargado costosos menesteres para la decoración y el servicio, y el invento maravilloso que había de suscitar el asombro del pueblo y el júbilo de la juventud: la pianola. La llevaron a pedazos, empacada en varios cajones que fueron descargados junto con los muebles vieneses, la cristalería de Bohemia, la vajilla de la Compañía de las Indias, manteles de Holanda y una rica variedad de lámparas y palmatorias, y floreros, paramentos y tapices. La casa importadora envió por su cuenta a un experto italiano, Pietro Crespi, para que armara y afinara la pianola, instruyera a los compradores en su manejo y enseñara a bailar la música de moda impresa en seis rollos de papel.

Pietro Crespi era joven y rubio, el hombre más hermoso y mejor educado que se había visto en Macondo, tan escrupuloso en el vestir que a pesar del calor sofocante, trabajaba con la almilla y el grueso saco de paño obscuro. Empapado en sudor, guardando una distancia reverente con los dueños de la casa, estuvo varias semanas encerrado en la sala, con una consagración similar a la de Aureliano en su taller de orfebre. Una mañana, sin abrir la puerta, sin convocar a ningún testigo del milagro, colocó el primer rollo en la pianola, y el martilleo atormentador y el estrépito constante de los listones de madera cesaron en un silencio de asombro, ante el orden y la limpieza de la música.

GABRIEL GARCÍA MÁRQUEZ. COLOMBIA.

Emilio Marín

40 ● A los sustantivos expresados, agregar el calificativo que convenga y viceversa para los calificativos adjuntos.

La _____ paloma	La _____ lluvia	La ligera _____	El _____ Dios
El cielo _____	Las aguas _____	El oscuro _____	El _____ César
La _____ violeta	El torrente _____	La _____ capital	El _____ Beda
El _____ pavo real	La _____ hiel	El _____ apacible	El _____ Colón
La _____ tortolita	La _____ juventud	El _____ rumiante	El _____ Capitán
El bosque _____	La vejez _____	El _____ trueno	La _____ Doctora
La _____ cima	El _____ suelo	La diligente _____	El _____ Cervantes
La sed _____	La madre _____	La _____ amarilla	El _____ Bolívar
Las _____ olas	El _____ león	El _____ Abel	El _____ Pasteur

41 ● Formar calificativos derivados de las siguientes voces:

Sodio	Carne	Cobre	Año
Pardo	Tierra	Lira	Día
Hambre	Arena	Ciudad	Semana
Perro	Arcilla	Aldea	Mes
Alabastro	Selva	Joroba	Siglo
Arrojar	Blanco	Vello	Agua
Burla	Venir	Trigo	Cielo
Verano	Amar	Hacer	Mármol
Barba	Casa	Mujer	Naranja
Espantar	Perecer	Campo	Aire

42 ● Unir las siguientes palabras para formar un adjetivo compuesto.

Pelo y rubio	Blanco y negro	Ceja y junto
Fe y digno	Cuello y largo	Largo y mano
Barba y lampiño	Pata y tuerto	Cabeza y bajo
Ojo y negro	Pelo y Corto	Per y durar
Útil e in	Recto y ángulo	Se y mover
Fino y super	Sordo y mudo	Tres y cuerno
Montano y ultra	Circum y polar	Admitir e in
Escrito e infra	Barba y lindo	Literario y musical

43 ● ¿Cómo se califica lo que tiene la forma...

de un triángulo?	de una semiesfera?	de un huevo?
de un cuadrado?	de un prisma?	de una cuña?
de un rectángulo?	de una pirámide?	de una lenteja?

de un trapecio?	de una cruz?	de una elipse?
de un hexágono?	de un cubo?	de una lanza?
de un círculo?	de una estrella?	de una parábola?
de un cilindro?	de una palma?	de una esfera?
de un cono?	de un anillo?	de una llama?

MODELO:

Lo que tiene la forma de un triángulo es *triangular*.

44• *Anotar en la línea el calificativo que convenga.*

a) Mayores, prudente, morales, físicas, oportuno.

b) Purísimo, resplandeciente, ricas, infinita, celestial.

c) Viejo, exuberante, española, desheredadas, llenas, civil, barata.

1o. Las fuerzas _____ son como las _____; necesitan ser economizadas. Los que a cada paso las prodigan, las pierden; los que las reservan con _____ economía, las tienen _____ en el momento _____ .

JAIME BALMES.

2o. ¡Oh sol_____, hermosura _____ , espejo _____ de la gloria! ¿quién podrá decir lo que sienten los que te gozan! ¡Oh _____ moradas de la _____ Jerusalén adonde no se sabe qué cosa es noche, porque el Creador es tu sol, que jamás se traspone!

FRAY MALÓN DE CHAIDE.

3o. ¡La América _____ ! ¡Oh, cuándo será bien conocida! La población _____ de la Europa, las clases _____ del _____ continente deberían dirigir su rumbo hacia esas tierras benignas y _____ de riqueza. Ese Edén les brindaría al par de la vida fácil y _____ la libertad _____ y política.

J. M. TORRES CAICEDO.

ANÁLISIS:

El perro agradecido vale más que el hombre ingrato.

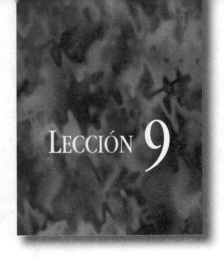

LECCIÓN 9

Grados del Adjetivo

98. El adjetivo calificativo, por el modo de expresar la cualidad, se divide en *positivo, comparativo* y *superlativo,* a lo que llamamos **grados** del adjetivo.

99. El adjetivo **positivo** expresa simplemente la cualidad, como: casa *blanca,* papel *azul.*

100. El **comparativo** indica comparación entre el grado en que poseen dos seres una misma cualidad o cualidades distintas, o entre dos cualidades diferentes de un mismo ser; por ejemplo: El aceite es más denso que el agua; el agua de manantial es *más limpia* y *saludable* que la del pozo. El papel era *más verde* que azul.

101. Esta comparación puede expresar *superioridad, igualdad* e *inferioridad.*

102. El comparativo de *superioridad* se forma anteponiendo al positivo la partícula *más* y posponiéndole *que;* por ejemplo: Esta lección es *más* fácil *que* la anterior.

El de *igualdad* anteponiéndole *tan* y posponiéndole *como;* o bien anteponiendo *igualmente* al positivo y posponiéndole *que;* por ejemplo: Este niño es *tan* aplicado *como* aquél, o bien, este niño es *igualmente* aplicado *que* aquél.

El de *inferioridad* se forma anteponiendo *menos* al positivo, y posponiéndole *que;* por ejemplo: Este hombre es *menos* alto *que* mi padre.

103. El adjetivo **superlativo** designa la cualidad en sumo grado, como: *muy sabio, el más sabio de todos, grandísimo, malísimo.*

104. Hay dos clases de superlativos: *el absoluto* y el *relativo.*

105. El superlativo *absoluto* expresa la cualidad en el más alto grado sin comparación de ninguna clase, y se forma anteponiendo al *positivo* la voz *muy,* u otra equivalente, como: *sumamente, en alto grado, extremadamente,* o añadiéndole la terminación *-ísimo,* cuando acabe en consonante; si acaba en vocal, se sustituye ésta por dicha terminación; como: *muy fácil* o *facilísimo; muy malo* o *malísimo; muy dulce* o *dulcísimo.*

106. El superlativo *relativo* expresa la cualidad en el *más alto* o *más bajo grado* en comparación con otros; se forma anteponiendo al *comparativo de superioridad* o *de inferioridad* un artículo determinado o un adjetivo posesivo; por ejemplo: *el más* o *el menos sabio de los hombres; la más bondadosa de las reinas; mi más apreciable hermano; su menor cuidado.*

107. Hay seis adjetivos que tienen *comparativo de superioridad* y *superlativo absoluto* propios, sin necesidad de adverbio alguno, y son los siguientes:

POSITIVO	COMPARATIVO	SUPERLATIVO
bueno	mejor	óptimo
malo	peor	pésimo
grande	mayor	máximo
pequeño	menor	mínimo
alto	superior	supremo
bajo	inferior	ínfimo

Anterior y *posterior, interior* y *exterior, citerior* y *ulterior* son comparativos que no tienen positivo en español.

108. Otros adjetivos procedentes del latín tienen un *superlativo absoluto* con terminación especial, como:

celebérrimo	de célebre	*acérrimo*	de acre
libérrimo	de libre	*pulquérrimo*	de pulcro
integérrimo	de íntegro	*paupérrimo*	de pobre

Ubérrimo carece de positivo y comparativo.

109. Se puede decir que, en general, carecen de grado los adjetivos cuya significación no admite aumento ni disminución, tales son:

1o. Aquellos que expresan idea cabal y absoluta, como: *diario, eterno, fundamental, inmortal, nocturno, único.*

2o. Los aumentativos, diminutivos, gentilicios; por ejemplo: *grandazo, chiquito, mexicano,* y los compuestos: *carilargo.*

3o. Los que expresan número, orden, comparación o tiempo: *cinco, tercero, mayor, semanal.*

4o. No admiten el superlativo en **-ísimo** los acabados en **-ble** si exceden en tres sílabas: *disoluble, incontrastable;* los esdrújulos terminados en **-eo**: *espontáneo, ígneo;* en **-io**: *recio, necio;* en **ío**: *sombrío* (sin embargo se dice *friísimo* y *piísimo*); en **-uo**: *arduo,* y en **-i**: *baladí, carmesí.* No obstante, algunos de estos adjetivos admiten grados en el lenguaje *enfático, festivo* o *hiperbólico;* por ejemplo: *soy tan mexicano como tú: deleznabilísimo; mexicanísimo; americanísimo.*

Ejercicios de Aplicación

45 • *Dar a los adjetivos siguientes las dos formas del superlativo.*

Pulcro	Largo	Mísero	Bravo
Salubre	Áspero	Hondo	Feliz
Noble	Malo	Santo	Barato
Grande	Sagrado	Postrero	Magnífico
Diestro	Tierno	Interno	Sencillo
Bajo	Nuevo	Pequeño	Lujoso
Íntegro	Amplio	Pobre	Antiguo
Acre	Frío	Amargo	Fiero
Cierto	Poco	Duro	Cruel

46 • *Indicar el grado de los adjetivos en las expresiones adjuntas.*

El sapientísimo rey.
El astuto zorro.
El amabilísimo Director.
El Sol es más brillante que la Luna.
El supremo gobierno de la nación.
El más feliz de los hombres.
El mejor de los amigos.
La blanca nieve.
El dolor es superior a mis fuerzas.
La malísima fiebre.
El niño pulcro y cuidadoso.
Era sabio en alto grado.

Osiel es tan amable como virtuoso.
El más célebre descubrimiento.
Óptimos frutos de la virtud.
El jocoso Bernardo.
Mi más ardiente deseo.
Sé benévolo con tus inferiores.
Más pobre que una rata.
El máximo común divisor.
El mínimo común múltiplo.
El sol es sumamente grande.
Era hermoso en gran manera.
Era el mejor ingeniero en sistemas.

47 • *Completar las siguientes comparaciones empleando los nombres propios bíblicos que convengan; agregar el adverbio de comparación:* **como.**

Eliezer, Abel, Job, Jefté, Salomón, Absalón, Sansón, Matusalén, José, Caín, Herodes, Judit, el apóstol Tomás, Jezabel, Moisés, Isaac, Judas, Eleazar, Esaú, Nabucodonosor.

Viejo	Manso	Sabio	Traidor
Casto	Fiel	Impío	Cruel
Paciente	Rebelde	Envidioso	Firme
Inocente	Velludo	Valiente	Imprudente
Fuerte	Obediente	Soberbio	Incrédulo

48 • *Anotar en la línea el calificativo que convenga.*

a) Blando, dolientes, próvidas, fieles.
b) Tierno, eterno, humildes, infinitos, bondadoso.

c) Leves, doradas, insigne, pobre, lisonjero.

1o. Las ____ abejas me ensordecen

con su susurro ____

Y las tórtolas ____ me enternecen

____ arrullando.

MELÉNDEZ VALDÉS.

2o. ____ Ser, que dones ____

Sobre la tierra con amor derramas,

Y, Padre ____, acoges

De tus ____ hijos las plegarias...

A. DÍAZ DE LAMARQUE.

3o. Más precia el ruiseñor su ____ nido

De pluma y ____ pajas, más sus quejas

En el bosque repuesto y escondido,

Que agradar ____ las orejas

De algún príncipe ____, aprisionado

En el metal de las ____ rejas.

OLEGARIO ANDRADE.

Adjetivos Determinativos. Posesivos

110. Los adjetivos **determinativos** son los que precisan la extensión de los nombres, limitando o concretando su significación general, como: *mío, esta, segundo, cuatro, alguno, tantos.*

111. Hay cuatro clases de adjetivos determinativos: *posesivos, demostrativos, numerales* e *indefinidos.*

112. Los adjetivos **posesivos** son los que determinan la significación del nombre, denotando a la vez posesión o pertenencia; por ejemplo: *mi libro, tu sombrero.*

113. Los adjetivos posesivos son:

	Un poseedor	**Varios poseedores**
Sing. masc..	*mío, tuyo, suyo.*	*nuestro, vuestro, suyo.*
Sing. fem.	*mía, tuya, suya.*	*nuestra, vuestra, suya.*
Pl. masc.	*míos, tuyos, suyos.*	*nuestros, vuestros, suyos.*
Pl. fem.	*mías, tuyas, suyas.*	*nuestras, vuestras, suyas.*

114. Los adjetivos *mío, tuyo, suyo, mía, tuya, suya,* cuando se anteponen al nombre se convierten, por apócope[1], en *mi, tu, su,* en singular, y en *mis, tus, sus,* en plural para ambos géneros; por ejemplo: *mi libro, tu pañuelo, mis plumas, tus hermanas, sus juguetes.*

115. **Su**, apócope de *suyo*, se aplica indistintamente al masculino y al femenino y puede igualmente referirse a uno o varios poseedores; por ejemplo: *su* padre y *su* madre, *su* (de él o de ella) abuelo y *su* (de él o de ella) abuela. **Sus** tiene idéntica aplicación.

Para evitar la ambigüedad a que da lugar el posesivo **su** respecto a cuál sea el poseedor a que se refiere, ténganse presentes las reglas siguientes:

1o. Colocar el **su** lo más cerca posible del sustantivo a que se hace referencia; por ejemplo: Juan fue a casa de *su* tío con Antonio, y no

---

1. Llámase *apócope* la supresión de una o más letras al final de una palabra; por ejemplo: *un, san,* por *uno, santo.*

decir: Juan fue con Antonio a casa de su tío. **2o.** Poner un paréntesis que aclare el concepto: *Tales fueron las batallas de los gloriosos mártires en Tiro, do habían venido de las partes de Egipto. Y no menos fueron las que en su provincia* (digo en Egipto) *vencieron otros bienaventurados.* **3o.** Repetir el nombre a que se refiere el **su** o sustituirlo con algún pronombre o adjetivo; por ejemplo: El viajero dio muerte al bandido con *su* escopeta (de éste).

Ejercicios de Aplicación

49● *Señalar los adjetivos posesivos*

Cómo Todo lo Criado
nos Convida al Amor de Dios

¿Qué son el sol, la luna, cielos y tierra, sino eficaces estímulos para nos intimar tu gran voluntad y amor? Cada mañana, hallarás, ánima mía, a la puerta de tu casa a todo el universo, las aves, animales, campos y cielos, que te esperan para servirte, para que tú pagues por todos los servicios de amor libre que tú sola, en lugar de todos, debes a tu Criador y suyo. Todas las cosas te despiertan al amor de tu Dios y todas, como un procurador de su Señor, te ponen demanda de amor. Convídate a su amor el clamor de todas sus criaturas, así superiores como inferiores, las cuales, con voces manifiestas, te declaran su majestad, su hermosura y su grandeza. Los cielos cuentan, Señor, tu gloria, y el firmamento denuncia las obras de tus manos, y no hay tablas ni lenguajes donde no sean oídas sus voces, y tanto, que son inexcusables todos los hombres. Callando manifiestan, Señor, los cielos, tu gloria, y nos dicen cuál será el aposento de tus escogidos, pues tanta hermosura dejas ver a los ojos de los mortales.

Fr. Diego de Estella.

50● *Anotar en la línea el adjetivo posesivo apropiado.*

Dios dijo a _____ pueblo: Honra a _____ padre y a _____ madre para merecer _____ cariño. Todos se quejan de _____ memoria, nadie de _____ talento. Que _____ Señoría atienda a _____ súplicas. Ofrecemos a _____ Reverencia _____ humilde trabajo. La tristeza, tiene _____ encantos y la alegría _____ amarguras. El sol nos alumbra con _____ luz y nos vivifica con _____ rayos, dando la fertilidad a _____ campos y el bienestar a _____ hogares. Amigos _____ , conoce Dios _____ pesares y _____ bondadoso corazón premiará _____ trabajos con la posesión eterna de _____ gloria. Decía Fenelón: Quiero a _____ familia más que a mí mismo, a _____ patria más que a _____ familia, y a la humanidad más que a _____ patria. ¡Pueblo _____! ¿por qué no te acordaste de _____ trabajos y de _____ dolores y de _____ muerte? Dice Cristo Señor _____ a Israel _____ pueblo.

ANÁLISIS:

La religión acalla los instintos y depura los sentimientos hasta producir el más noble de todos, el altruismo.

M. Primo de Rivera.

Nocturno en que Nada se Oye

En medio de un silencio desierto
como la calle antes del crimen,
sin respirar siquiera
para que nada turbe mi muerte
en esta soledad sin paredes,
al tiempo que huyeron los ángulos
en la tumba del lecho,
dejo mi estatua sin sangre
para salir en un momento tan lento,
en un interminable descenso,
sin brazos que tender,
sin dedos para alcanzar la escala que cae de un piano invisible,
sin más que una mirada y una voz
que no recuerdan haber salido de ojos y labios.
¿Qué son labios? ¿Qué son miradas, qué son labios?
y mi voz ya no es la mía,
dentro del agua que no moja,
dentro del aire de vidrio
dentro del fuego lívido que corta como el grito.
Y en el juego angustioso de un espejo frente a otro
cae mi voz,
y mi voz que madura,
y mi voz quemadura,
y mi bosque madura,
y mi voz quema dura,
como el hielo del vidrio,
como el grito de hielo,
aquí en el caracol de la oreja,
el latido de un mar en el que no sé nada,
en el que no se nada
porque he dejado pies en la orilla,
siento caer fuera de mí la red de mis nervios,
mas huye todo como el pez que se da cuenta;
hasta siento en el pulso de mis sienes
muda telegrafía a la que nadie responde,
porque el sueño y la muerte nada tienen que decirse.

XAVIER VILLAURRUTIA. MÉXICO.

Adjetivos Demostrativos y Numerales

116. Se llaman adjetivos **demostrativos** aquéllos que determinan la significación del nombre mediante una relación de *lugar;* por ejemplo: *este* libro, *aquella* pluma.

117. Los adjetivos demostrativos son:

Sing.	masc.	este,	ese,	aquel
Sing.	fem.	esta,	esa,	aquella.
Plur.	masc.	estos,	esos,	aquellos.
Plur.	fem.	estas,	esas,	aquellas.

118. Se emplean:

1o. *Este, esta, estos, estas* para indicar la persona o cosa que está cerca del que habla; por ejemplo: *este* libro que tengo en la mano.

2o. *Ese, esa, esos, esas* para indicar la persona o cosa que está cerca de aquel a quien se habla; por ejemplo: *ese* libro que tú tienes.

3o. *Aquel, aquella, aquellos, aquellas* para indicar una persona o cosa apartada de ambos; por ejemplo: *Aquel* libro de la biblioteca.

119. Existen, además, los demostrativos compuestos, formados por **este** y **ese**, seguidos del adjetivo **otro**, del modo siguiente: **estotro, esotro**, **estotra**, **esotra**; **estotros**, **esotros**; **estotras**, **esotras** (además de aqueste y aquese). Sin embargo, los adjetivos demostrativos compuestos son poco empleados en la actualidad.

120. Las palabras *tal, tanto* y *semejante* son adjetivos demostrativos en estos y semejantes casos: No había pensado en *tal* astucia o en *semejante* astucia (de la que se habla); ¿de qué le sirven *tantas* riquezas? (las que se han enumerado); ¡a *tanto* exceso nos arrastra la avaricia!

121. Los adjetivos **numerales** son los que determinan la significación del nombre, añadiéndole una idea de *número* u *orden;* por ejemplo: *cien* niños, *segundo* día.

122. Los adjetivos numerales se dividen en *absolutos* o *cardinales, ordinales, proporcionales* y *partitivos.*

123. Son **absolutos** o **cardinales** los que usamos para contar; indican simplemente un número, como: *uno, diez, ciento, mil.*

124. Son **ordinales** los que expresan el orden o colocación de las cosas, como: *primero, segundo.*

Hablando de los reyes y de los Papas se usan los numerales ordinales; por ejemplo: *Felipe Segundo, Carlos Quinto, Juan Pablo Segundo.*

Se puede decir: *capítulo once o undécimo; sección catorce o décima cuarta; Luis quince o décimo quinto*

Señalando las páginas de un libro se emplean ordinariamente los numerales cardinales: *página diez, quince, veinte.*

125. Son **proporcionales** los que indican las veces que una cantidad comprende a otra inferior, como: *doble, triple, cuádruple,* etc.; así decimos: *doble* metro, *triple* alianza.

126. Son **partitivos** los que señalan parte de algún todo, como: *medio, cuarto, décimo,* etc.; así decimos: *medio* turno, *cuarta* parte.

Ejercicios de Aplicación

51• *Analizar los adjetivos demostrativos, señalando su género, número y si son simples o compuestos.*

Ejércitos Fantásticos

Aquel caballero que allí ves de las armas jaldes, que trae en el escudo un león coronado, rendido a los pies de una doncella, es el valeroso Laurcalco, señor de la Puente de Plata...; pero vuelve los ojos a estotra parte, y verás delante y en la frente de estotro ejército al siempre vencedor y jamás vencido Timonel de Carcajona, príncipe de la Nueva Vizcaya, que viene armado con las armas partidas a cuarteles, azules, verdes, blancos y amarillos, y trae en el escudo un gato de oro en campo leonado, con una letra que dice *Miau*... El otro, que carga y oprime los lomos de aquella poderosa alfana, que trae las armas como nieve blancas y el escudo blanco y sin empresa alguna, es un caballero novel, de nación francés, llamado Pierre Papín, señor de las baronías de Utrique; el otro que bate las ijadas con los herrados carcaños a aquella pintada y ligera cebra, y trae las armas de los veros azules, es el poderoso duque de Nerbia, Espartafilardo del Bosque, que trae por empresa en el escudo una esparraguera con una letra en castellano que dice así: *Rastrea mi suerte.*

CERVANTES. ESPAÑA.

52• *Anotar en la línea el adjetivo posesivo o demostrativo que se requiera.*

La patria, después de Dios, tiene derecho a que _____ alma, _____ talento y _____ razón le consagren _____ mejores y más nobles facultades.

CICERÓN.

No pierdas tiempo, hijo _____ , en formar _____ gusto, _____ modales, _____ mente y todo lo que has de tener; pues lo que, hasta cierto punto, seas a los veinte años, eso, con poca diferencia, serás todo el resto de _____ vida.

LORD CHESTERFIELD.

¡Ay! ¡Qué larga es _____ vida,

Qué duros _____ destierros,

_____ cárcel y _____ hierros,

En que el alma está metida!

SANTA TERESA DE JESÚS. *(fragmento)*

53• *Distinguir los adjetivos numerales, señalando su especie y la palabra que determinan.*

Cristóbal Colón, con tres pequeñas naves, salió del puerto de Palos el doce de agosto de mil cuatrocientos noventa y dos, y arribó a las tierras americanas al tercer mes de navegación, después de experimentar mil percances. • Las mandíbulas del hombre tienen treinta y dos dientes, de los cuales ocho son incisivos, cuatro caninos y veinte molares. • Con fecha del año de mil seiscientos nueve, el astrónomo Janser, según el común pensar, inventó el telescopio. • En Europa se usó por vez primera la pólvora en la primera mitad del siglo catorce. • El alemán Gutenberg inventó la imprenta a mediados del siglo quince. • Carlos Quinto de Alemania y Primero de España, hijo de Felipe Primero, fue coronado rey en mil quinientos diez y siete, emperador en mil quinientos diez y nueve; abdicó en favor de su hijo Felipe Segundo en mil quinientos cincuenta y seis.

54• *Anotar en la línea el adjetivo numeral que convenga.*

El descubrimiento de América fue realizado en el año _____ . La conquista de México se llevó a cabo en el año _____ .

La Independencia de México se realizó en el siglo _____. La Revolución Mexicana se efectuaría cien años más tarde, en el siglo _____ .

San Fernando, rey de España, y San Luis, rey de Francia, reinaron en el siglo _____. Se conoce como el siglo de la ilustración al _____ que vio también la caída de Luis _____ de Francia y el ascenso al trono imperial por Napoleón _____.

Juan de Austria ganó la célebre batalla de Lepanto contra los turcos en _____ . Los siglos _____ y _____ forman la Edad de Oro de la Literatura Española. Las naciones hispanoamericanas se hicieron independientes al principio del siglo _____ .

ANÁLISIS:

La educación es para la juventud lo que el agua para las plantas.

Destino

Matamos lo que amamos. Lo demás
no ha estado vivo nunca.
Ninguno está tan cerca. A ninguno otro hiere
un olvido, una ausencia, a veces menos.

Matamos lo que amamos. ¡Que cese ya esta asfixia
de respirar con un pulmón ajeno!
El aire no es bastante
para los dos. Y no basta la tierra
para los cuerpos juntos
y la ración de la esperanza es poca
y el dolor no se puede compartir.

El hombre es animal de soledades,
ciervo con una flecha en el ijar
que huye y se desangra.

Ah, pero el odio, su fijeza insomne
de pupilas de vidrio; su actitud
que es a la vez reposo y amenaza.

El ciervo va a beber y en el agua aparece
el reflejo de un tigre.

El ciervo bebe el agua y la imagen. Se vuelve
—antes que lo devoren— (cómplice, fascinado)
igual a su enemigo.

Damos la vida sólo a lo que odiamos.

ROSARIO CASTELLANOS. MÉXICO.

Adjetivos Indefinidos

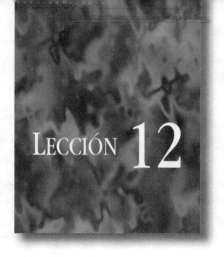

127. Los adjetivos **indefinidos** limitan la significación del sustantivo de un modo vago o general; por ejemplo: *Algunos* libros, *pocos* niños, *cierto* día, *harto* trabajo.

128. Son de esta clase: *mucho, poco, harto, bastante, tanto, cuanto, alguno, ninguno, cierto, todo, cualquier, cualquiera, cada, varios, sendos, ambos, demás, mismo, demasiado, ajeno, que,* etc.

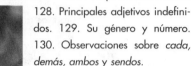

Sumario.   127. Adjetivos indefinidos. 128. Principales adjetivos indefinidos. 129. Su género y número. 130. Observaciones sobre *cada, demás, ambos y sendos.*

129. Los adjetivos *alguno, ninguno, harto, otro, cierto, todo, mucho, poco, mismo, tanto, cuanto, ajeno y demasiado,* tienen terminaciones genéricas y numéricas; *cualquier o cualquiera, tal, cual, bastante,* sirven para ambos géneros, pero tienen distintas formas en cuanto al número.

Varios y sendos se usan en ambos géneros solamente en plural; *demás y que* sirven para ambos géneros y números.

130. Cada sirve para los dos géneros y no se ajusta nunca a sustantivos en plural, a menos que vayan precedidos de un numeral cardinal; por ejemplo: *Cada* seis días; y no diremos *cada* días.

Demás, sinónimo de *otro,* casi siempre va precedido de artículo; por ejemplo: La *demás* gente, los *demás* libros. También puede ser adverbio, como se ve en el siguiente ejemplo: Estar *demás o* por *demás.*

Ambos se refiere a dos personas o cosas ya mencionadas, o a cosas que son siempre en número de dos: Se vendó *ambas* piernas.

Sendos equivale a *cada cual el suyo,* y no significa, como algunos pretenden, *muchos, recios, grandes,* etc.; por ejemplo: Venían cuatro jinetes montados en *sendos* caballos bien enjaezados.

Ejercicios de Aplicación

55 • *Anotar un adjetivo indefinido en las líneas siguientes.*

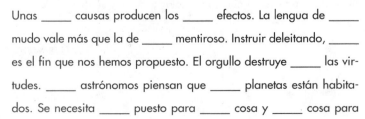

Unas _____ causas producen los _____ efectos. La lengua de _____ mudo vale más que la de _____ mentiroso. Instruir deleitando, _____ es el fin que nos hemos propuesto. El orgullo destruye _____ las virtudes. _____ astrónomos piensan que _____ planetas están habitados. Se necesita _____ puesto para _____ cosa y _____ cosa para

_____ puesto. Los atolondrados caen siempre en las _____ faltas. _____ los acontecimientos y _____ las circunstancias de la vida pueden convenir a nuestra educación. _____ labradores con _____ garrotes salieron con el propósito de poner fin a los estragos que con _____ frecuencia causaban _____ pilluelos que, no respetando el bien _____ , se introducían _____ tarde en _____ viñedos situados a _____ distancia del pueblo. _____ reyes escuchaban _____ día, a _____ horas fijas, a _____ los súbditos que tenían _____ que formular. _____ horas pasares en la ociosidad, _____ hallarás faltar en la ocasión oportuna. _____ exploradores terminaron la empresa con _____ dificultad. Las _____ historias que recuerdo y que con _____ placer os relato, las aprendí de mi difunto padre. En los juicios humanos la justicia es atropellada con _____ frecuencia por el interés.

56 ● _Distinguir los adjetivos indefinidos, señalando la palabra que determinan._

Parientes y trastos viejos, pocos y lejos.

REFRÁN.

¿No sabe un cristiano que por ninguna amistad humana ha de perderse la amistad divina?

CERVANTES.

Aun entre los demonios hay unos peores que otros, y entre muchos malos hombres, suele haber alguno bueno.

CERVANTES.

La filosofía consiste en ver en cada objeto todo lo que hay, sin ver más de lo que hay.

BALMES.

El consejo antes daña que aprovecha, si el que lo da no tiene mucha cordura, y el que lo recibe, mucha paciencia.

GUEVARA.

La ociosidad es polilla de todas las virtudes y feria de todos los vicios.

QUEVEDO.

Si te acuerdas de que eres hombre, no te parecerán nuevas tus calamidades, y si atiendes las ajenas, no te parecerán grandes las tuyas.

P. NIEREMBERG.

Accidentes del Adjetivo

131. El adjetivo toma el género y número del nombre a que se junta para concordar con él.

132. El **género** en los adjetivos se forma según las reglas siguientes:

1o. Los terminados en las vocales *-a, -e, -i*, en las sílabas *-en, -in, -ar*, o en las consonantes *-l, -s, -z, no siendo éstos gentilicios*, tienen una sola terminación, cualquiera que sea su género; por ejemplo: *hipócrita, persa, triste, cursi, marroquí, ruín, común, familiar, fiel, cortés, precoz;* hay, no obstante, varias excepciones.

2o. Los terminados en *-o* y los *aumentativos* y *diminutivos* en *-ote* y *-ete* forman el femenino cambiando la última vocal en **-a**; por ejemplo: *bueno, buen**a**; italiano, italian**a**; grandote, grandot**a**; regordete, regordet**a**.*

3o. Los terminados en *-an, -on, y -or* toman una **-a** para el femenino; por ejemplo: *holgazán, holgazan**a**; burlón, burlon**a**; traidor, traidor**a**;* excepto los comparativos simples, como *mejor, peor, superior,* etcétera.

4o. Los gentilicios acabados en consonante tienen terminación femenina en **-a**; por ejemplo: *español, español**a**; francés, frances**a**; portugués, portugues**a**.*

133. Observaciones:

1o. Los adjetivos *bueno, malo, uno, primero, alguno, ninguno,* pierden la **o** final cuando se anteponen al sustantivo; por ejemplo: *buen* señor, *primer* hombre, *algún* libro, etc. Lo mismo sucede con *tercero* y *postrero,* aunque no siempre, pues se dice: el *tercer* y *postrer* día, y el *tercero* y *postrero* día.

2o. El adjetivo *ciento* pierde la última sílaba al anteponerse al nombre; por ejemplo: *cien* años, *cien* pesos; y lo mismo el adjetivo *santo* cuando precede a los nombres propios de esta clase; por ejemplo: *San Pedro, San Antonio;* excepto *Santo* Domingo, *Santo* Tomás, *Santo* Toribio.

3o. El adjetivo *grande,* antepuesto al sustantivo, pierde o conserva la última sílaba sin regla fija para ello; por ejemplo: *gran* señor, *grande* hombre.

134. Los adjetivos forman el **plural** como los sustantivos: de *bueno, buenos;* de *feliz, felices;* de *fiel, fieles;* de *ruín, ruines.*

Sumario. 131. Accidentes del adjetivo. 132. Género de los adjetivos. 133. Observaciones sobre algunos adjetivos. 134. Plural de los adjetivos. 135. Cómo se analiza el adjetivo.

El adjetivo *cualquier* o *cualquiera* hace en el plural cual**es**quier o cual**es**quiera.

135. Al analizar el *adjetivo* se debe dar a conocer:

1o. Su *naturaleza*; es decir, si es calificativo o determinativo, demostrativo, posesivo, numeral o indefinido. **2o.** Sus *accidentes*, o sea su género y número. **3o.** Su *oficio*, si califica o determina. **4o.** A qué palabra califica o determina.

MODELO:

Dos cosas serían *capaces* de entretenerme *toda mi* vida: ver correr el agua y ver jugar a un niño. La música y los niños me producen el *mismo* efecto, si estoy *triste*, aumentan *mi* tristeza; si estoy *alegre*, doblan *mi* alegría.

JOSÉ SELGAS.

Dos	adj.	núm.	card.	fem.	pl.	det.	*cosas.*
capaces	adj.	cal.	fem.	pl.		predic.	nom. de *cosas.*
toda	adj.	ind.	fem.	sing.		det.	*vida.*
mi	adj.	pos.	fem.	sing.		det.	*vida.*
mismo	adj.	ind.	masc.	sing.		det.	*efecto.*
triste	adj.	cal.	masc.	sing.		predic.	nom. de *yo* (sobreent.)
mi	adj.	pos.	fem.	sing.		det.	*tristeza.*
alegre	adj.	cal.	masc.	sing.		predic.	nom. de *yo* (sobreent.)
mi	adj.	pos.	fem.	sing.		det.	*alegría*

Ejercicios de Aplicación

57• *Distinguir todos los adjetivos indicando su clase.*

La Ribera del Tajo

Admirado Timbrio de ver la frescura y belleza del claro Tajo, por do caminaba, vuelto a Elicio, que al lado le venía, le dijo:

— No poca maravilla me causa, Elicio, la incomparable belleza de estas frescas riberas; y no sin razón, porque quien ha visto, como yo, las espaciosas del nombrado Betis, y las que visten y adornan al famoso Ebro y al conocido Pisuerga, y en las apartadas tierras ha paseado las del santo Tíber y las amenas del Po, celebradas por la caída del atrevido mozo[1], sin dejar de haber rodeado las frescuras del apacible Sibeto[2], grande ocasión había de ser la que a maravilla me moviese de ver otras algunas.

---

1. Faetón, hijo del Sol y de Climene. Se empeñó en dirigir el carro de su padre, mas los caballos se desbocaron y corrieron hacia la Tierra, abrasándola. Júpiter lanzó un rayo contra Faetón que fue a caer en el Eridano, hoy el río Po, en Italia.

2. Río de Italia, cerca de Nápoles.

No te equivocas, discreto Timbrio — respondió Elicio — porque ha hecho cierto la experiencia, que, casi por derecha línea, encima de la mayor parte de estas riberas se muestra un cielo luciente y claro, que con un largo movimiento y con un vivo resplandor parece que convida al regocijo y gusto al corazón que de él está más ajeno.

CERVANTES.

58• *Poner cada una de las expresiones siguientes: 1o. en masc. plural; 2o. en fem. sing. 3o. en fem. plural.*

El salvaje gato montés. • Un perro cazador, ágil y veloz. • Un caballo azteca gris. • Un elefante berberí muy sagaz. • El huésped imperial. • El montaraz albanés. • Un marroquí altote y moreno. • Un criado fiel, diligente y cortés. • Un mozo regordete, holgazán e inepto.

59• *¿Cómo se califica aquél que (o lo que) no puede ser...*

consolado?	comprendido?	apreciado?	aplacado?
creído?	vencido?	admitido?	aguantado?
evitado?	doblado?	percibido?	negado?
excusado?	tocado?	hartado?	resuelto?
imitado?	destruido?	herido?	entendido?
vendido?	corrompido?	curado?	corregido?
perdido?	quemado?	cambiado?	recusado?
definido?	apagado?	usado?	calculado?
averiguado?	revocado?	acabado?	leído?

60• *Distinguir los calificativos, aumentativos, diminutivos, despectivos y gentilicios.*

Las tropas españolas, capitaneadas por el pastor lusitano Viriato, derrotaron a varios cónsules romanos. • Los buques ingleses dispararon muchos cañonazos. • Un hombre grande y forzudo insultó a un portugués. • El niño está malito, y el médico le ha recetado una medicina amarguísima. • Los principales puertos alemanes son fluviales. • La populosa ciudad berlinesa posee magníficos monumentos. • El colibrí es un diminuto pájaro que habita las tierras americanas. • El ejército persa derrotó a los espartanos en el paso de las Termópilas. • Siendo pequeñito, Aníbal juró odio eterno a los romanos. • Hay que educar para la Soberanía.

61• *Señalar los adjetivos y analizarlos.*

Dios

Hay un Dios creador, purísimo, inmenso, eterno, omnipotente, cuya gloria publican los cielos con sus inenarrables excelencias, cuyo poder ostentan luminosamente los astros que se columpian en el espacio y ese firmamento estrellado que sirve de manto a la tierra. Los mares son una muestra de su omnipotencia. Los valles con su rica vegetación, las montañas con sus árboles y cascadas, las llanuras matizadas de flores y arbustos, los campos atravesados por ríos y arroyos, heraldos son de su infinita grandeza. Las aves que cruzan la región del aire, llenándola de armonía, pregonan su admirable solicitud. El día, con sus torrentes de luz, anuncia su majestad a otro día, y la noche con sus innumerables estrellas, cuenta a la siguiente noche las alabanzas del Creador.

MASVIDAL.

Evaluación Sobre el Adjetivo

1o. ¿Qué es adjetivo? **2o.** ¿Cómo se divide? **3o.** ¿A qué llamamos *adjetivo-frase* y *adjetivo-oración*? **4o.** ¿Cómo se conoce si una palabra es adjetivo o nombre? **5o.** ¿Cómo se forma el comparativo de superioridad? **6o.** ¿Y el de igualdad? **7o.** ¿Cómo se forma el superlativo absoluto? **8o.** ¿Y el relativo? **9o.** ¿Qué adjetivos posesivos pueden ser convertidos en apócope? **10o.** ¿Cuáles son los adjetivos demostrativos compuestos? **11o.** ¿Cómo se subdividen los adjetivos numerales? **12o.** Cítense los principales adjetivos indefinidos. **13o.** ¿Cuáles son los accidentes gramaticales del adjetivo? **14o.** Observación acerca de los adjetivos *bueno, malo, uno, primero* y *ninguno*. **15o.** Observación acerca de los adjetivos *tercero, postrero, ciento, santo* y *grande*.

Pronombre. Pronombres Personales

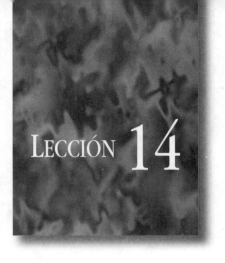

136. Pronombre es la parte variable de la oración que designa una persona o cosa sin nombrarla, y denota a la vez las personas gramaticales.

137. Los pronombres se dividen en *personales, posesivos, correlativos* e *indefinidos,* subdividiéndose los correlativos en *interrogativos, demostrativos y relativos.*

138. Pronombres personales son los que designan las personas gramaticales, poniéndose en lugar de nombres de personas o cosas personificadas.

139. Las personas *gramaticales* son las que intervienen en la oración, y no pueden ser más de tres: la que habla, llamada *primera,* como en *yo escribo;* aquélla a quien se habla, llamada *segunda,* como en *tú escribes;* y aquélla de quien se habla, llamada *tercera,* como en *él escribe.*

140. Los pronombres personales son las únicas palabras, en nuestro idioma, que han conservado en parte la declinación desinencial *(núm. 88);* por esto, tienen distintas formas, según el oficio que desempeñan en la oración.

1a. Persona
- Sing.: Yo, mí, me, conmigo.
- Plur.: Nosotros, nosotras, nos.

2a. Persona
- Sing.: Tú, ti, te, contigo.
- Plur.: Ustedes, usted, vosotros, vosotras, os, vos.

3a. Persona
- Sing.: Él, ella, ello, le, la, lo, sí, se, consigo.
- Plur.: Ellos, ellas, les, las, los, sí, se, consigo.

Todo *nombre* común o propio es de tercera persona.

La persona con quien se habla se designa también con el pronombre *Usted* (V. o Ud.), corrupción de *Vuestra Merced,* cuyo plural es *Ustedes* (V.V. o Uds.)

141. Los pronombres personales van alguna vez seguidos del adjetivo indefinido *mismo*, formando un pronombre *compuesto*; así: *yo mismo, tú mismo, él mismo, nosotros mismos, ustedes mismos, ellos mismos.*

142. Los pronombres personales tienen la declinación siguiente:

PRIMERA PERSONA

	SINGULAR	PLURAL
NOM.	*Yo.*	*Nosotros* o *nos.*
GEN.	De *mí.*	De *nos* o de *nosotros.*
DAT.	A o para *mí; me.*	A o para *nos* o *nosotros; nos.*
ACUS.	A *mí; me.*	A *nos,* a *nosotros, nos.*
VOCAT.	Carece.	Carece.
ABLAT.	De, en, por, sin, sobre, tras *mí; conmigo.*	Con, de, en, por, sin, sobre, tras, *nos* o *nosotros.*

SEGUNDA PERSONA

	SINGULAR	PLURAL
NOM.	*Tú.*	*Ustedes, vosotros* o *vos.*
GEN.	De *ti.*	De *vos* o de *vosotros.*
DAT.	A o para *ti; te.*	A o para *vos* o *vosotros; os.*
ACUS.	A *ti; te.*	A *vos;* a *vosotros; os.*
VOCAT.	*Tú.*	*Ustedes, vos, vosotros.*
ABLAT.	De, en, por... *ti; contigo.*	Con, de, en, por... *vos* o *vosotros.*

El singular de la primera y segunda personas sirve para ambos géneros. En el plural, se forma el femenino sustituyendo únicamente *nosotros* y *vosotros* por *nosotras* y *vosotras.*

TERCERA PERSONA

SINGULAR

	Masculino	**Femenino**
NOM.	*Él.*	*Ella.*
GEN.	De *él.*	De *ella.*
DAT.	A o para *él; le, se.*	A o para *ella; le* [2], *se.*
ACUS.	A *él; le* [1], *lo.*	A *ella; la.*
VOCAT.	Carece.	Carece.
ABLAT.	Con, de, en por... *él.*	Con, de, en por... *ellas.*

---

1. La Real Academia *admite,* o más bien, *tolera,* el empleo de *le* para el acusativo masculino. Así, según ella, se puede decir: *Yo le vi,* en vez de *Yo lo vi* (hablando de un hombre); y *Yo le tengo,* en vez de *Yo lo tengo* (hablando, por ejemplo, de un libro). No obstante, la mayor parte de los escritores de nota *reprueban el empleo* de *le* para el acusativo de nombres de animales y cosas.

2. La Real Academia *condena* el empleo de *la* para el dativo femenino. Así, pues, no debe decirse: *Vi a tu madre y la di una carta para tu padre;* sino: *Vi a tu madre y le di una carta,* etc.

PLURAL

	Masculino	Femenino
Nom.	Ellos.	Ellas.
Gen.	De ellos.	De ellas.
Dat.	A o para ellos; les, se.	A o para ellas; les, se.
Acus.	A ellos; los[3].	A ellas; las.
Vocat.	Carece.	Carece.
Ablat.	Con, de, en, por... ellos.	Con, de, en, por... ellas.

NEUTRO

Nom.	Ello.	Acus.	A ello; lo.
Gen.	De ello.	Vocat.	Carece.
Dat.	A o para ello.	Ablat.	Con, de, en, por... ello.

143. No deben confundirse las formas *él, la, lo, los, las* del pronombre con las del artículo determinado; bastará para ello recordar que éstas (las del artículo) siempre se juntan a sustantivos o palabras usadas como tales, mientras que las primeras acompañan necesariamente a un verbo; por ejemplo: Art.: *El* árbol no tiene hojas. Mi libro es nuevo; *el* (libro) de Juan, usado. Pron.: *Él* desea continuar su carrera.

144. Tampoco deben confundirse los pronombres *mí, tú*, con los adjetivos posesivos de igual denominación. Éstos acompañan a sustantivos, aquéllos los sustituyen y llevan acento ortográfico; por ejemplo: Adj.: *Mi* libro, *tu* cuaderno; Pron.: *Tú* no hables de *mí*.

145. El pronombre indefinido *se* es considerado como personal de tercera persona, llamándose también *recíproco* o *reflexivo*, y se declina como sigue:

EN AMBOS GÉNEROS

Nom.	Carece.	Acusat.	A sí, se.
Gen.	De sí.	Ablat.	De, en, por, sin, sobre, tras sí, consigo.
Dat.	A o para sí, se.		

146. El pronombre *se* carece de *nominativo* y *vocativo*.

Sin embargo, no falta quien en frases como éstas: *se dice; se espera que lloverá-*; analiza *se* como nominativo, dando a esas oraciones este significado: *algunos* dicen; *muchos* esperan... etc.; otros, y son la generalidad, consideran a *se* en estos casos como signo de voz pasiva o de oración impersonal, y dan a esas expresiones este significado: *es dicho, es esperado*.

---

3. La Real Academia también reprueba el empleo de *les* en acusativo.

Ejercicios de Aplicación

62 Indicar el caso de los pronombres personales.

Habla, para que yo te conozca.

SÓCRATES.

No te rindas a los trabajos: al contrario, procura vencerlos.

VIRGILIO.

Si te pide el pobre, no digas que le diste, sino que le pagaste; que el pobre que pide al rico lo que le falta y a él le sobra, mandamiento trae, a cobrar viene.

QUEVEDO.

La educación es al hombre, lo que el molde al barro: le da forma.

BALMES.

¿Quién me dará palabras para ensalzar ahora como yo quisiera a Fray Luis de León? Si yo les dijese que fuera de las canciones de San Juan de la Cruz, que no parecen ya de hombre, sino de ángel, no hay lírico castellano que se compare con él, aún me parecería haberles dicho poco.

MENÉNDEZ Y PELAYO.

Yo soy la vid, ustedes los sarmientos; el que está en mí, y yo en él, éste lleva mucho fruto; porque sin mí no pueden ustedes hacer nada. Si están en mí, y mis palabras están con ustedes, pedirían cuanto quisieran, y les será dado.

SAN JUAN, XV, 5 y 7.

Para y óyeme ¡oh Sol! yo te saludo
Y extático ante ti me atrevo a hablarte;
Ardiente como tú, mi fantasía
Arrebatada en ansia de admirarte,
Intrépidas a ti sus alas guías.

JOSÉ ESPRONCEDA.

63 Anotar en la línea el pronombre personal que convenga.

Gazapo *(fragmento)*

Confesar _____ calumnias, _____ maldiciones dichas, oídas y no impedidas, _____ relaciones infamatorias, sean verdaderas o falsas: es necesario decir por qué motivos se han dicho, delante de cuantas personas, si son de consecuencia y perjudiciales; _____ mofas y menosprecios, _____ malos consejos, lisonjas y aplausos para _____ cosas malas, _____ falsos testimonios, declaración del secreto de _____ faltas de otros, contumelias, represiones, palabras injuriosas, declaraciones, acciones, maldiciones. Me acaricio _____ cabeza, aplasto mis cabellos hacia adelante. Juicios temerarios, envidia, aborrecimiento, negligencia en restituir, en reparar _____ maledicencias, en reconciliarse.

GUSTAVO SÁINZ. MÉXICO.

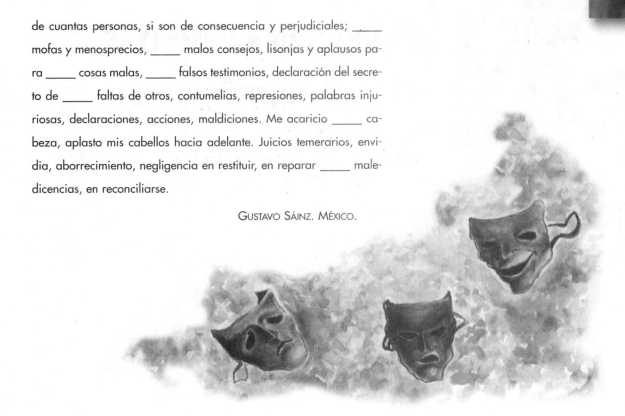

64 ● *¿Cómo calificamos a la persona o cosa que nos inspira...*

vergüenza?	horror?	sospecha?	sorpresa?
respeto?	disgusto?	temor?	ánimo?
terror?	piedad?	estima?	apetito?
espanto?	confianza?	admiración?	sueño?
amor?	odio?	fastidio?	estupor?
repugnancia?	aversión?	alegría?	desprecio?

ANÁLISIS:

La urbanidad es como el agua corriente, que pulimenta la superficie de los guijarros más duros.

Pronombres Posesivos

147. **Pronombres posesivos** son los que, además de designar la persona gramatical, la indican como poseedora, recordando al poseedor y a la persona o cosa poseída.

148. Los ponombres posesivos toman el género y número de la persona o cosa poseída a que se refieren; por ejemplo: el *mío,* la *tuya,* lo *suyo.*

149. Los pronombres posesivos son:

Para un solo poseedor

Masculino	S.	*mío,*	*tuyo,*	*suyo*
	P.	*míos,*	*tuyos,*	*suyos*
Femenino	S.	*mía,*	*tuya,*	*suya*
	P.	*mías,*	*tuyas,*	*suyas*

Para varios poseedores

Masculino	S.	*nuestro,*	*vuestro,*	*suyo*
	P.	*nuestros,*	*vuestros,*	*suyos*
Femenino	S.	*nuestra,*	*vuestra,*	*suya*
	P.	*nuestras,*	*vuestras,*	*suyas*

	Un poseedor	Varios poseedores
Neutro	Lo mío	Lo nuestro
	Lo tuyo	Lo vuestro
	Lo suyo	Lo suyo

150. Los nombres *posesivos* sustituyen al *genitivo* de los personales; así: *mío, tuyo, suyo,* equivalen a *de mí, de ti, de él o de ellos;* y *nuestro, vuestro,* a *de nosotros, de ustedes o de vosotros,* formas que también se usan; por ejemplo: este jardín es *de nosotros* o *nuestro.*

Ejercicios de Aplicación

65 • *Poner un pronombre posesivo en cada línea.*

Entre los hermanos no debe haber ni _____ ni _____ , sino que todo debe ser compartido. • Mientras los dos gatos se disputaban lo _____ y lo _____ del queso, vino la mona y se lo hizo _____ . • La conservación de lo _____ y la conquista de lo _____ o _____ ha ocasionado un sinnúmero de crueles guerras. • Todas estas tierras serán _____ si las cosechas con alegría. • Llega Sobieski, echa una ojeada sobre el ejército enemigo y exclama: *"Es _____ , está mal acampado."* • Las cigüeñas hacen su nido sobre los campanarios, y las águilas construyen el _____ en las escarpadas rocas. • ¿Cómo van sus cosechas? Las _____ han sido destrozadas por el granizo. • Tu familia y la _____ estuvieron presentes. • Mi libro de Primera Comunión es de nácar, el _____ es de piel de Rusia. • Quien mucho se cuida de los intereses ajenos, descuida los _____ . • Las fiestas de nuestra ciudad se han celebrado con tanta alegría como las _____ . • Mis abuelos como los _____ , esclarecieron su nombre con la gloria de sus hazañas.

66 • *Señalar con una línea los adjetivos posesivos, y con dos los pronombres posesivos.*

Cuando la barba de tu vecino veas pelar, echa la tuya a remojar. • Lo mío, mío; y lo tuyo de entrambos. • Quien de los suyos se aleja, Dios lo deja.

REFRANES.

A grandes voces decía: aquí de los nuestros, que por esta parte cargan los enemigos.

CERVANTES.

Y para eso venimos a la religión; ése es nuestro fin y ése ha de ser nuestro paradero y nuestro descanso, y nuestra gloria.

RODRÍGUEZ.

A usurparnos vienen cuanto habéis adquirido, no aspiran a menos que hacerse dueños de vuestra libertad, de vuestras haciendas y de vuestras esperanzas: suyas se han de llamar nuestras victorias; suya la tierra que habéis conquistado con vuestra sangre; suya la gloria de vuestras hazañas, y lo peor es que con el mismo pie que intentan pisar nuestra cerviz, quieren atropellar el servicio de nuestro rey, y atajar los progresos de nuestra religión: porque se han de perder si nos pierden; y siendo suyo el delito, han de quedar en duda los culpados.

ANTONIO DE SOLÍS.

LECCIÓN 16

Pronombres Correlativos y su División

151. Si prescindiendo de la persona gramatical que designan los pronombres, se consideran éstos atendiendo a la relación que entre sí guardan en la oración, reciben el nombre de **correlativos**, y se dividen en *interrogativos, demostrativos* y *relativos*.

152. Los **interrogativos** sirven para preguntar; por ejemplo: *¿quién es?;* los **demostrativos,** para responder, señalando a la vez el objeto que designan; por ejemplo: *éste, ése, aquél;* y los **relativos** para referirse a una persona o cosa ya citada; por ejemplo: el hombre *que* calla.

153. La correlación que entre sí guardan estos pronombres se verifica entre sustancias o cualidades, o entre la cantidad, intensidad u otras circunstancias que en aquéllas concurran:

Concepto	Interrogativos	Demostrativos	Relativos
Persona	¿Quién?	Éste, ése, aquél	Que, quien
Cosa	¿Qué?	Esto, eso, aquello	Que
Posesión	¿Cúyo?	(Mío, tuyo, suyo)	Cuyo
Cualidad	¿Cuál?	Tal	Cual
Cantidad			
	¿Cuánto?	Tanto	Cuanto
Intensidad			

154. **Pronombres demostrativos** son aquéllos con que se muestra un objeto o varios entre todos los de su especie, indicando su proximidad o lejanía respecto de la persona que habla o de aquélla a quien se habla.

155. Los pronombres demostrativos son:

Singular			Plural	
MASC.	FEM.	NEUTRO	MASC.	FEM.
éste	ésta	esto	éstos	éstas
ése	ésa	eso	ésos	ésas
aquél	aquélla	aquello	aquéllos	aquéllas

Estos pronombres, con el artículo determinado, son las únicas palabras castellanas de tres terminaciones genéricas.

156. *Éste* y sus derivados (*núm. 118*) indican lo que está cerca de la persona que habla; por ejemplo: *Éste* es el niño más aplicado de la clase.

Ése y sus derivados indican lo que está más cerca de la persona a quien se habla; por ejemplo: *Ése* es más adelantado que éste.

Aquél y sus derivados indican lo que está lejos de una y otra; por ejemplo: *Aquél* viene de paseo y *aquéllos* van a bañarse.

Tal y *tanto* son pronombres demostrativos cuando van solos, refiriéndose a un sustantivo sobreentendido; por ejemplo: No haré yo *tal*, no decía *tanto*.

157. Como se ve en el cuadro anterior (*núm. 153*), los **pronombres interrogativos** tienen la misma forma y los mismos accidentes gramaticales que los relativos, de los que se distinguen por el acento en la escritura, por la entonación en el habla y por carecer de antecedente expresivo; por ejemplo: ¿*quién* llama?, ¿*qué* quiere usted?, ¿*cuál* prefieres tú?, ¿*cúya* es esta imagen?

158. Pronombres relativos son los que hacen referencia a una persona o cosa ya citada, la cual se llama *antecedente*; por ejemplo: El hombre *que* habla; en esta frase el relativo *que* tiene por antecedente la palabra *hombre*.

159. Los pronombres relativos son: *que, cual, quien, cuyo, cuanto.*

160. *Que* es invariable; *cual* y *quien* hacen su plural *cuales, quienes*, y sirven para ambos géneros.

Quien se refiere sólo a *personas;* los otros pueden aplicarse indistintamente a *personas o cosas;* por ejemplo: La persona de *quien* me hablas; el niño *que* lee; el libro *que* compré.

Cuyo denota siempre idea de *posesión*, y equivale a *de que, de quien, del cual; concuerda* en género y número con la cosa *poseída* (y no con su antecedente), pudiendo llamársele **adjetivo posesivo relativo**; por ejemplo: El niño *cuya* madre y *cuyos* hermanos has visto.

Cuanto, como adjetivo y como pronombre, tiene distintas formas para distinguir el género y el número; así: *cuanto, cuanta, cuantos, cuantas*. Su antecedente propio es *tanto;* por ejemplo: Tendrás *tantos* amigos *cuantos* quieras.

Ejercicios de Aplicación

67 • *Anotar en la línea el pronombre demostrativo que convenga.*

El coro se componía de hombres y mujeres: _____ vestidas de blanco y _____ de negro. • Éste es mi libro, _____ no, ni _____ tampoco. • Aquel retrato que allí ves es de mi madre, _____ que tienes en la mano es de mi padre, _____ que aquí te presento, de mi hermano. • El rico y el pobre deben de vivir contentos con su suerte: _____ resignándose a sufrir los efectos de la pobreza y _____ ayudándole a soportarla. • Los males más terribles son _____ que causa la guerra. • Más vale morir por la patria que hacerle traición; pues _____ deshonra y _____ engrandece. • Carlos V y Fran-

cisco I fueron poderosos rivales: _____ peleaba por los intereses de Francia y _____ por los de España y del Catolicismo.

Cortada la rosa del rosal, ¡con qué brevedad y facilidad se marchita! _____ la toca, _____ la huele, el otro la deshoja, y finalmente entre las manos rústicas se deshace.

CERVANTES.

68 • *Anotar en la línea el pronombre relativo o interrogativo que convenga.*

El Señor a _____ dirijo mis plegarias tendrá a bien aliviarnos de los males _____ nos ha enviado. • ¿En _____ piensan los _____ no aspiran a morir bien? • Este libro es el libro del _____ he sacado el trozo _____ acabo de leerles. • Dijo el Señor en cierta ocasión a los fariseos: ¿ _____ es esa inscripción? • La paloma echó una brizna de hierba, a la _____ la hormiga debió su salvación. • Existen muchos picos en los Pirineos, _____ cimas están cubiertas de nieves perpetuas. • Vale _____ _____ tiene. • ¿ _____ vale el metro? • ¿ _____ ha traído este libro?

¿Cómo hacen cosas tan diferentes de una misma materia, como son miel y cera? y si hay en ella partes diferentes, ¿ _____ les enseñó esta diferencia tan secreta _____ nosotros no vemos? ¿ _____ les mostró lo más sutil para la miel y lo más grueso para la cera? ¿ _____ no podrá hacer _____ esto supo hacer?

FR. LUIS DE GRANADA.

¿ _____ mirarán los ojos

_____ vieron de tu rostro la hermosura,

_____ no les sea enojos?

_____ oyó tu dulzura,

¿ _____ no tendrá por sordo y desventura?

Aqueste mar turbado

¿ _____ le pondrá ya freno? ¿ _____ concierto

Al viento fiero, airado?

Estando tú encubierto,

¿Qué norte guiará la nave al puerto?

FR. LUIS DE LEÓN.

Poema Pródigo

Gracias, ¡oh trópico!
porque a la orilla caudalosa
y al ojo constelado
me traes de nuevo el pie del viaje.
(¡Esquinas de países que anuncian el paisaje!)
En mi casa de las nubes
o bajo el cielo de los árboles,
rodeado de todas las cosas creadas
(oídas espirales del berbiquí mirada),
voy y vengo sin tocar objeto alguno
–poseedor de la puerta y de la llave–
y de la alegre rama del trino.
En la rápida pausa del antílope
se oyen las pausas lentas de la noche,
y en el desnudo torso y en los brazos que reman
tus fuerzas me saludan
brotantes
hacia otra parte siempre nueva.
Gracias,
porque en mis labios de treinta años
has puesto el gusto y el silencio
del fruto y de la flor.
Los grupos de palmeras
me sombrean la sed junto al desierto.
Y el invitado oasis
que brinda el vino siempre de los límites
tiene los labios gruesos de llamarme
y actos de bailarinas en reposo.
Voy en barca
entre arrecifes de granito.
Anclo y salto a una nube de alabastro.
El árbol de goma
suscita el desbordar.
La hora oblicua se bisela al fondo.
Y yo surjo en el codo del camino
y canto en mí el principio de mi canto
y llego hasta mis labios
y soy mío.
Jocunda fe del trópico,
ojo dodecaedro,
¡¡justísimo sudor de no hacer nada!
Y el sabor de la vida de los siglos
y la orilla gentil y el pie del baño
y el poema.

CARLOS PELLICER. MÉXICO.

77

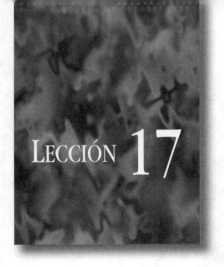

Pronombres Indefinidos

161. Llamamos **pronombres indefinidos** los que designan de un modo vago o general las personas o cosas a que se refieren.

162. Los pronombres indefinidos son: *alguien, nadie* y *quienquiera,* que se refieren siempre a personas: *algo* y *nada*, que representan cosas; *cualquiera,* que puede referirse a personas o a cosas.

Cualquiera y *quienquiera* y sus formas apocopadas, *cualquier* y *quienquier* son compuestos de los relativos *cual* y *quien* y el verbo *querer*.

Cualquiera se usa como adjetivo y como pronombre; como pronombre, conserva todas sus letras; por ejemplo: para eso *cualquiera* es bueno; como adjetivo, puede perder la última letra, sólo en el caso en que preceda al sustantivo; así se puede decir: *cualquier sujeto* y *cualquiera sujeto*; en una cuestión *cualquiera* o en *cualquier* o *cualquiera* cuestión.

Algunas veces los pronombres interrogativos *cuál* y *quién* y el demostrativo *tal* no se refieren a persona determinada, pudiéndose considerar entonces como pronombres indefinidos; por ejemplo: Todos, *cuál* más, *cuál* menos, contribuyeron al buen resultado; *quién* aconseja la retirada, *quién* morir peleando; *tal* habrá que lo sienta así y no lo diga.

Igualmente el pronombre *que* tiene a veces un sentido indeterminado y no lleva antecedente; en este caso se escribe acentuado, y significa *qué cosa, qué motivo, qué objeto*. Así se dice: ¿*qué haré?* por ¿*qué cosa haré?*; no se comprende el por *qué* ni el para *qué* de semejante conducta.

También se emplean como pronombres indefinidos *uno, otro, alguno, ninguno, varios, ambos, entrambos, demás*, etc., refiriéndose a personas o cosas, y los neutros *todo, mucho, demasiado, bastante, harto, poco*; por ejemplo: No está *uno* siempre de buen humor; *alguno* habrá; no hay *ninguno*; *todo* convida a pasear; *mucho* pretendes; *poco* come.

163. Respecto de dichos pronombres debe advertirse:

1o. Que *alguien* y *nadie* equivalen, respectivamente, a *alguna persona* y a *ninguna persona*, sirven para ambos géneros y carecen de plural.

2o. Que *uno, alguno, ninguno, otro, todo, mucho* y *poco* se emplean en todos los géneros y números.

3o. Que *cualquiera, quienquiera, tal* y *cual* sirven para ambos géneros y tienen distinto número.

4o. Que *varios, ambos, entrambos* y *demás* sólo se usan en plural.

5o. Que *alguien, nadie, algo, nada, cada, que* y *demás* son siempre invariables.

6o. Hay varias expresiones tomadas en sentido vago o general que hacen las veces de pronombres indefinidos; ejemplo: *la mayor parte, todo el mundo.*

7o. Muchos de ellos ofrecen el carácter de pronombres personales, pudiendo llamarse **personales indefinidos**; tales son: *alguien, cada cual, cualquiera, quienquiera* y *nadie.*

164. **Observación.** Ha de tenerse en cuenta que para clasificar una palabra se ha de atender, antes que a su estructura material, al oficio que desempeña en la oración.

Así, *cuanto* y *tanto*, por ejemplo, son adjetivos en *cuantos hombres, tantos amigos*; son pronombres en *tiene tanto cuanto quiere,* y adverbios, en *cuanto más gana tanto más gasta.* Asimismo, *algo* y *nada* son pronombres en *algo tiene* y *nada le falta,* y adverbios, en *es algo perezoso* y *no brilla nada*; como también *poco* y *mucho* son adjetivos en *poco dinero, mucha piedad*; pronombres, en *tiene poco* y *gasta mucho,* y adverbios, en *su conducta es poco prudente* y *se la censuran mucho.*

Por lo tanto, los pronombres indefinidos, al igual que todos los demás, son adjetivos de la denominación correspondiente cuando van unidos al sustantivo del cual toman los accidentes.

165. Al analizar el *pronombre* debe indicarse: **1o.** Su *naturaleza*: personal, demostrativo, etc.; **2o.** sus *accidentes*: género, número, caso; **3o.** su *oficio*: sujeto, complemento, etc.; por ejemplo: El maestro *lo* ha dicho y *yo te lo* repito: hay que precaverse de malas compañías. *Éste es el* mío.

Lo	pron. pers. 3a. pers. sing. acus., c. directo de *ha dicho.*
yo	pron. pers. 1a. pers. sing. nom., sujeto de *repito.*
te	pron. pers. 2a. pers. sing. dat., c. indirecto de *repito.*
lo	pron, pers. 3a. pers. sing. acus., c. directo de *repito.*
se	pron. pers. 3a. pers. sing. acus., c. directo de *precav.*
éste	pron. dem. masc. sing. nom., sujeto de *es.*
el mío.	pron. pos. masc. sing. 2o. nom., predicado nominal de *éste.*

Ejercicios de Aplicación

69• *Poner en la línea un pronombre indefinido.*

_____ por _____ la casa por barrer.

Refrán.

_____ es tan fuerte como la costumbre.

Ovidio.

No hay cosa que a la larga canse más que no hacer _____ .

MONLAU.

Mientras tú sientes mucho y _____ sabes,

Yo, que no siento ya, _____ lo sé.

BÉCQUER.

Pues, señor conde, fuera de mi casa

Verás en las _____ lo que te pasa.

SAMANIEGO.

70• *Señalar con una línea los adjetivos indefinidos, y con dos los pronombres indefinidos.*

Poco daño espanta, y mucho aprovecha.

REFRÁN.

Aprender no es otra cosa que acordarse.

SÓCRATES.

¿Cree usted que nadie sea capaz de persuadirlo?

BELLO.

La sabiduría es más preciosa que todas las riquezas; y cuantas cosas son de desear, no se pueden comparar con ella.

SALOMÓN.

Nada hay que se oponga tanto a la paz como que en una misma república, ciudad o provincia, haya muchas religiones.

MARIANA.

Lo cierto es que a todo héroe le apadrinaron el Valor y la Fortuna, ejes ambos de toda heroicidad.

GRACIÁN.

La censura ajena compone las virtudes propias. Algunos heredaron los trofeos, no las virtudes de sus mayores.

SAAVEDRA.

71• *Subrayar los pronombres e indicar el caso en que están.*

Miau *(fragmento)*

A las cuatro de la tarde, la chiquillería de la escuela pública de la plazuela del Limón salió atrope-
lladamente de la clase, con algazara de mil demonios. Ningún himno a la libertad, entre los muchos
que se han compuesto en las diferentes naciones, es tan hermoso como el que entonan los oprimidos
de la enseñanza elemental al soltar el grillete de la disciplina escolar y *echarse a la calle,* piando y
saltando. La furia insana con que se lanzan a los más arriesgados ejercicios de volatinería, los es-
tropicios que suelen causar a algún pacífico transeúnte, el delirio de la autonomía individual, que
a veces acaba en porrazos, lágrimas, cardenales, parecen bosquejos de los triunfos revoluciona-
rios que en edad menos dichosa han de celebrar los hombres... Salieron, como digo, en tropel; el
último quería ser el primero, y los pequeños chillaban más que los grandes. Entre ellos había uno
de menguada estatura, que se apartó de la bandada para emprender, solo y calladito, el camino
a su casa. Y apenas notado por sus compañeros aquel apartamento, que más parecía huida, fueron tras él, le acosaron con burlas y cuchufletas, no del mejor gusto. Uno le cogía el brazo, otro le
refregaba la cara con sus manos inocentes, que era un dechado completo de cuanta porquería hay
en el mundo; pero él logró desasirse y... ¡pies, para qué los quiero! Entonces dos o tres de los más
desvergonzados tiraron piedras, gritando *Miau,* y toda la partida repitió con infernal zipizape:
Miau, Miau.

BENITO PÉREZ GALDÓS. ESPAÑA.

72• *Hacer frases en las que entre cada uno de los siguientes pronombres.*

Quién.	Aquéllos.	Él.	Éste.
Ése.	Ellos.	Suyos.	Pocos.
Tú.	Nuestros.	Cuyos.	Vuestros.
Suyo.	Que.	Suya.	Mía.
Nuestra.	Algunos.	Nadie.	Aquél.
Cual.	Éstos.	Yo.	Cuyas.
Vuestro.	Alguien.	Vosotros.	Se.

73. *¿Cómo se califica aquél que gusta mucho (o a quien gusta demasiado) ...*

el trabajo?	el juego?	la compañía?	los libros raros?
la inacción?	la paz?	la soledad?	los peligros?
el estudio?	la música?	las aventuras?	el sueño?
el dinero?	los honores?	las alabanzas?	los cambios?
las riquezas?	el arte?	la exactitud?	las ceremonias?
los placeres?	la acción?	la patria?	los pormenores?
la guerra?	las noticias?	los hombres?	el comer?

ANÁLISIS:

El aburrimiento es la enfermedad de los que tienen el alma vacía y la inteligencia sin recursos.

Evaluación sobre el Pronombre

1o. ¿Qué significa la palabra *pronombre*? **2o.** ¿Qué analogía y diferencia se nota entre los pronombres y los adjetivos determinativos? **3o.** ¿Qué formas toman los pronombres *él, ellos*, en dativo y acusativo? **4o.** Ídem *ella, ellas*. **5o.** ¿Cuáles son las formas de los pronombres personales que pueden confundirse con las del artículo determinado? **6o.** ¿Cómo las distinguirá usted? **7o.** ¿De qué suelen ir precedidos los pronombres posesivos? **8o.** Ortográficamente en qué se distinguen los pronombres demostrativos de los adjetivos de la misma denominación? **9o.** ¿A qué se llama *antecedente* de los pronombres relativos? **10o.** ¿Qué palabras son siempre pronombres indefinidos?

La Corrupción de un Ángel *(fragmento)*

II

En tiempos normales, tanto de día como de noche, fluye del interior de un ángel una luz que no permite sombras, pero cuando la muerte se acerca, la luz se debilita de repente y el tiempo se envuelve en tenues sombras...

IV

La mayoría de las veces un ángel como un molinete de fuego, no se detiene ni es asible en lugar alguno, está allí y aquí casi al mismo tiempo, se escabulle, se mueve y escapa pero cuando la muerte se aproxima permanece en un lugar y no puede huir.

YUKIO MISHIMA. JAPÓN.

Verbo

166. **Verbo** es la parte variable de la oración que expresa *esencia, estado, acción* o *pasión*, casi siempre con expresión de tiempo y de persona; por ejemplo: tú *eres* feliz; yo *estoy* contento; tú *copiaste* la lección; la canción *fue cantada* por el niñito.

167. El verbo, por su *significación*, se divide en *copulativo* y *predicativo*.

Algunos autores llaman *sustantivo* al primero, y *adjetivo* o *atributivo* al segundo.

168. **Verbo copulativo** es aquél cuya significación se reduce a la mera cópula o lazo de unión entre el predicado nominal y su sujeto; por ejemplo: Dios *es* omnipotente; el hombre *es* racional; la encina *es* un vegetal.

169. **Verbo predicativo** es el que envuelve la idea de un *predicado*, es decir, de *cualidad* y *atributo,* y expresa siempre un estado, acción o pasión; por ejemplo: yo *duermo,* tú *escribes,* él *es amado.*

170. La palabra u oración que expresa la idea o pensamiento de los cuales se afirma o niega lo que el verbo expresa, se llama **sujeto**; por ejemplo: El *sol* brilla en el firmamento; *tú* no estudias nunca; importa mucho *que aprovechemos el tiempo.*

171. Por su significación, el verbo predicativo se divide el *transitivo, intransitivo, reflexivo* y *recíproco.*

172. **Verbo transitivo** es el verbo cuya acción recae en una persona o cosa expresa o tácita; por ejemplo: *amo* a mis padres; tú *escribes* una carta.

173. La persona o cosa en que recae la acción del verbo transitivo se llama **complemento directo** o término de la acción.[1]

Se conoce que un verbo es transitivo cuando puede preguntarse *qué* o *qué cosa* es objeto de la acción; así: *comer* es transitivo, porque puede preguntarse: ¿*qué cosa* se come?

---

[1]. El verbo admite, además, el *complemento indirecto* (dativo), que representa la persona o cosa interesada en la acción, y el *complemento circunstancial* (ablativo), que expresa alguna circunstancia de lugar, tiempo, compañía, etc.

174. Verbo intransitivo es el verbo cuya acción se completa en sí misma, sin término directo; como: *nacer, morir, andar, salir.*

Algunos verbos intransitivos pueden usarse, accidentalmente, como transitivos, y recíprocamente.

175. Los verbos intransitivos que indican *estado* o *situación*, reciben también el nombre de **neutros**; por ejemplo: *estar, yacer, existir, quedar, constar,* etc.

El número de estos verbos es muy reducido en nuestra lengua.

176. Reflexivo es el verbo cuya acción recae en el mismo sujeto que la ejecuta, y se conjuga con los pronombres: *me, te, se, nos, os y se;* como: yo *me lavo;* tú *te cuidas* demasiado; Sansón *se defendió* de sus enemigos; no *se alaben* tanto; yo *me voy.*

177. Recíproco es el verbo transitivo que expresa una acción verificada entre dos o más sujetos que se corresponden mutuamente, por lo que se conjuga sólo en plural y con los pronombres *nos, os* y *se,* como *complementos;* por ejemplo: Tú y yo *nos carteamos;* tú y Pedro *se visitan;* los amigos *se tutean.*

El verbo admite otras divisiones *(Lección 22).*

Ejercicios de Aplicación

74• *Indicar la naturaleza de los siguientes verbos:*

Venir.	Ser.	Corresponderse.	Pensar.
Ver.	Dormir.	Inscribir.	Esconderse.
Andar.	Jugar.	Europeizar.	Clamar.
Existir.	Hablar.	Catequizar.	Repelerse.
Dar.	Lavarse.	Nacer.	Estar.
Haber.	Quedar.	Llover.	Cavilar.
Amenazar.	Disponer.	Retirar.	Mover.
Pegarse.	Saltar.	Almorzar.	Morir.

75• *Señalar la naturaleza de los verbos.*

El Viento Distante *(fragmento)*

En un extremo de la barraca el hombre fuma, mira su rostro en el espejo, el humo al fondo del cristal. La luz se apaga, y él ya no siente el humo y en la tiniebla nada se refleja.

El hombre está cubierto de sudor. La noche es densa y árida. El aire se ha detenido en la barraca. Sólo hay silencio en la feria ambulante.

Camina hasta el acuario, enciende un fósforo, lo deja arder y mira lo que yace bajo el agua. Entonces piensa en otros días, en otra noche que se llevó un viento distante, en otro tiempo que los separa y los divide como esa noche los apartan el agua y el dolor, la lenta obscuridad.

Para matar las horas, para olvidarnos de nosotros mismos, Adriana y yo vagábamos por las desiertas calles de la aldea. En una plaza hallamos una feria ambulante y Adriana se obstinó en que subiéramos a algunos aparatos. Al bajar de la rueda de la fortuna, el látigo, las sillas voladoras, tuve puntería para abatir con diecisiete perdigones once oscilantes figuritas de plomo. Luego enlacé objetos de barro, resistí toques eléctricos y obtuve de un canario amaestrado un papel rojo que revelaba el porvenir.

Adriana era feliz regresando a una estéril infancia. Hastiada del amor, de las palabras, de todo lo que dejan las palabras, encontramos aquella tarde del domingo un sitio primitivo que concedía el olvido y la inocencia. Me negué a entrar en la casa de los espejos, y Adriana vio a orillas de la feria una barraca sola, miserable.

JOSÉ EMILIO PACHECO. MÉXICO.

76• *Distinguir el sujeto y el complemento directo.*

El sol ilumina la tierra, vivifica las plantas y regocija toda la naturaleza. • El calor del fuego cuece los alimentos. • Los guardias persiguen al criminal. • Cristóbal Colón, que descubrió América, no pudo darle su nombre. • ¿Dónde van esas densas nubes que impulsa el viento? • ¿Qué quieren esos niños? • Cuando la primavera llega, se renueva la naturaleza.

Aquel hombre que pierde la honra por el negocio, pierde el negocio y la honra.

QUEVEDO.

Así como el oro es el espejo donde se mira la codicia, así la lisonja es la tersa superficie donde se refleja la vanidad.

JOSÉ SELGAS.

Con mi llorar las piedras enternecen
Su natural dureza y la quebrantan.

GARCILASO DE LA VEGA.

Cuadro Boliviano

Aquí la selva secular, ornada
De festones de varia enredadera
De bellos y vivísimos colores,
Y la extensa pradera
De fraganciosas flores alfombrada,
Forman el templo augusto que levanta
La creación a Dios, a quien ofrece
Deliciosos perfumes por incienso,
Y por ofrenda el fruto delicado
Que el estival calor ha sazonado.

Como ardiente pasión, arrebatado
El tronador torrente de la roca
Se lanza en el abismo do fenece
Su impetuoso furor, como perece
La ilusión que ha llegado
Del desengaño al terminar funesto.

Más lejos, corre manso el claro río,
Entre flores cruzando la espesura,
Como corre la vida sosegada
Cuando con mano pródiga el destino
La copa del placer nos da colmada

¡Qué bello contemplar bajo este cielo
A la naturaleza en la mañana
Cuando el sol se viste de oro y grana!

MANUEL JOSÉ CORTÉS. BOLIVIA.

Accidentes del Verbo. Modos

178. **Conjugación** es la serie ordenada de las distintas formas que puede tomar el verbo cambiando de desinencias.

179. Los *accidentes gramaticales del verbo,* expresados en la conjugación, son: *voces, modos, tiempos, números* y *personas.* Además deben tomarse en cuenta los verboides: infinitivo, gerundio y participio.

180. El **infinitivo** denota la significacion en abstracto, sin expresar tiempo, número ni persona; como *servir a Dios es reinar; haber corrido.*

El *infinitivo* termina en **-ar**, o en **-er**, o en **-ir**; terminaciones que corresponden a las tres conjugaciones que distinguimos en castellano. Pertenecen a la primera los verbos terminados en **-ar**, como *amar;* a la segunda los terminados en **-er**, como *temer;* y a la tercera los terminados en **-ir**, como *partir.*

181. El infinitivo expresa la idea del verbo. Puede funcionar también como sustantivo al agregársele un artículo (aun cuando éste se encuentre implícito). En el pedir está el dar. (El) soñar no cuesta nada.

182. El **gerundio**, a más de expresar la significación del verbo en abstracto, como el infinitivo, envuelve la idea de *condición, causa, modo, tiempo* y otras circunstancias; por ejemplo: *Habiendo* estudiado jugaré; *corriendo* me rompí una pierna; *trabajando* te ganarás el sustento; *bajando* la escalera me encontré con nuestro amigo.

El *gerundio* termina en **-ando**, o **-iendo**, según pertenezca a verbos de la primera o de la segunda y tercera conjugación; por ejemplo: am**ando** de *amar;* part**iendo** y tem**iendo**, de *partir* y de *temer.*

183. El **participio** equivale a un adjetivo y expresa también vagamente la significación del verbo, y puede denotar *acción o pasión;* por ejemplo: Muéstrate siempre *obediente* a tus superiores; la carta fue *leída* por el hijo mayor.

El *participio* se divide en *activo* y *pasivo.* El *activo* termina en **-ante**, o en **-ente**, o **-iente**, según pertenezca a verbos de la primera o de la segunda y tercera conjugación; como am**ante**, de *amar;* absorb**ente** y crec**iente**, de *absorber* y *crecer;* recurr**ente** y escrib**iente**, de *recurrir* y *escribir.* El pasivo, cuando es regular, acaba en **-ado** en los verbos de la primera conjugación, y en **-ido** en los de la segunda y tercera; como am**ado**, de *amar;* tem**ido** y part**ido**, de *temer* y *partir.*

184. **Voz** es el accidente que denota si la significación del verbo es producida o recibida por el sujeto. En el primer caso se llama *voz activa,* como en *yo amo,* y en el segundo, *voz pasiva,* como en *yo soy amado.*

185. **Modos** son las distintas maneras generales de expresar la significación del verbo.

186. Los modos en castellano son tres: *indicativo, subjuntivo* e *imperativo.*

187. El **indicativo** expresa de una manera absoluta e independiente un hecho real y objetivo; por ejemplo: yo *soy* feliz; Pedro *estuvo* en casa; Dios *premiará* a los buenos.

188. El **subjuntivo** expresa el hecho como subordinado a otro verbo que expresa deseo, temor, voluntad; por ejemplo: Deseo que *vengas;* temo que *llueva;* quiero que *cumplas.*

189. El indicativo y el subjuntivo tienen tiempos simples y tiempos compuestos.

190. El **imperativo** enuncia el hecho como un mandato o ruego; por ejemplo: *Ven* acá; *llévatelo; socórrenos.*

Ejercicios de Aplicación

77 • *Indicar el modo en que se encuentran los verbos.*

Sé padre de las virtudes, y padrastro de los vicios. No seas siempre riguroso ni siempre blando, y escoge el medio entre estos dos extremos, que en esto está el punto de la discreción.

CERVANTES.

Son las caídas hondas de los Cristos del alma, de alguna blasfemia que el destino blasfema.

CÉSAR VALLEJO. PERÚ.

Si los hombres no pudiesen engañarse, ni habría variedad de opiniones, ni sobre ellas habría controversias y disputas.

ALDERETE.

...no pude
hablar y mis ojos fallaron, no estuve
vivo ni muerto, y nada sabía,
mirando dentro del corazón de luz, el silencio.

T.S. ELIOT. ESTADOS UNIDOS.

Yo quiero un pueblo que alegre
Con gracia y con perspicacia,
Que lo que derroche en gracia
Su trabajo lo reintegre.

Yo quiero un pueblo que crea
En Dios y que a Dios adore,
Pero que trabaje e implore
Sin cesar su tarea.

JOSÉ ZORRILLA. ESPAÑA.

78• *Anotar en la línea el verbo correspondiente y explicar sucintamente el significado de estos proverbios.*

En boca cerrada no _____ moscas. • Dios _____ el frío conforme la ropa. • _____ con quién andas y te _____ quién eres. • Con el tiempo _____ las brevas. • A buen entendedor pocas palabras _____. • La sangre sin fuego _____. • Más _____ vergüenza en cara que mancilla en corazón. • Por _____ misa y _____ cebada no se pierde la jornada. • Quien mal anda, mal _____. • Se _____ la boca donde _____ el corazón. • Quien _____ dos liebres a la vez, no _____ ninguna. • Quien a buen árbol se _____ buena sombra le _____. • A caballo regalado no se le _____ el diente. • A hierro caliente, _____ de repente. • A Dios _____ y con el mazo _____ . • Cada uno _____ donde le _____ el zapato.

ANÁLISIS:

¿Quieres penetrar la sociedad? Vete a la soledad. La soledad es el foco que permite mejor la visión.

JOSÉ DE LA LUZ CABALLERO.

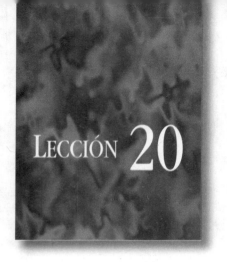

LECCIÓN 20

Tiempos del Verbo

191. Se llama **tiempos** a las distintas formas del verbo que denotan la *época* o *momento* en que sucede o se realiza la significación de aquél.

192. Los tiempos, por su estructura, se dividen en *simples* y *compuestos*; **simples**, cuando expresan su significación con una sola palabra; por ejemplo: *amo*; **compuestos** cuando constan de dos o más palabras; por ejemplo: *he amado, había amado, haber amado.*

193. Tanto los tiempos simples como los compuestos denotan lo expresado por el verbo, como presente, pasado o futuro con relación al momento en que se habla. Por esto, los **tiempos fundamentales** son tres: *presente, pretérito y futuro*; por ejemplo: *amo, amé, amaré.*

194. El presente es indivisible, pero el pretérito y el futuro pueden distar más o menos del presente: de aquí las subdivisiones de dichos tiempos.

El **modo indicativo** tiene cinco tiempos simples y cinco compuestos. Los simples son: el *presente,* el *pretérito,* el *futuro,* el *copretérito* y el *pospretérito.* Los compuestos: el *antepresente,* el *antepretérito,* el *antefuturo,* el *antecopretérito* y el *antepospretérito.*

El **modo imperativo** sólo tiene un tiempo, y es el *presente.*

El **modo subjuntivo** tiene tres tiempos simples, que son: *el presente,* el *pretérito* y el *futuro;* y otros tres compuestos: el *antepresente,* el *antepretérito* y el *antefuturo.*

195. El **presente de indicativo** expresa la acción como no terminada y más o menos duradera, que se realiza en el momento en que uno habla, o lo que dura siempre; por ejemplo: *escribo* a mis padres; *hay calor; la paz es necesaria.*

196. El **antepresente de indicativo** es el presente de la acción terminada, y lo usamos para expresar un hecho que se acaba de verificar en el momento en que hablamos; por ejemplo: *he dicho*; o en una época indeterminada o no completamente pasada; por ejemplo: *He visitado* a mis tíos; este verano *ha llovido* mucho.

197. El **pretérito de indicativo** denota una acción que se realizó en tiempo anterior al momento en que se habla, sin precisar si está o no terminada; por ejemplo: *Estuve* en Roma antes que tú; ayer *fui* a cazar.

198. El **antepretérito de indicativo** es el pretérito de la acción acabada, y denota una acción que se realizó *inmediatamente* antes de otra también pasada; por ejemplo: Luego que *hube concluido,* salí de paseo.

Este tiempo solamente suele usarse después de las locuciones *luego que, así que, después que, en seguida que, no bien, apenas, tan pronto como,* etc.

199. El **futuro de indicativo** indica la acción como no acabada, y expresa que ésta se realizará en tiempo posterior al momento en que se enuncia; por ejemplo: Mañana a las nueve me *embarcaré*; esta tarde *lloverá*; la guerra *cesará*.

200. El **antefuturo de indicativo** es el futuro de la acción terminada, y expresa una acción que se realizará antes que otra también venidera; por ejemplo: Antes de que vuelvas ya *habrán concluido* las obras; ya *habré escrito* la mitad cuando llegue mi padre.

201. El **copretérito de indicativo** es el pasado de la acción no terminada, y denota acción pasada simultánea con otra también pasada; por ejemplo: *Dormía* cuando llamaron a la puerta, *hablábamos* mientras comían.

202. El **antecopretérito de indicativo** es el copretérito de la acción terminada, y expresa una acción que se realizó antes que otra también pasada; por ejemplo: *Habíamos concluido* de comer cuando llegaron los convidados.

203. El **pospretérito de indicativo** denota la acción como no terminada, y expresa la posibilidad de un hecho, ya en el momento en que se habla, ya antes, ya después; por ejemplo: *Tendría* entonces unos treinta años; tú nada *sacarías* con engañarme.

204. El **antepospretérito de indicativo** enuncia la acción como terminada y expresa la posibilidad de una acción en tiempo pasado, pero subordinada a otra; por ejemplo: *Habría leído* el libro si me lo hubieras enviado.

205. El **imperativo** denota una acción presente en cuanto al mandato o ruego, y futura en cuanto a la ejecución; por ejemplo: *Ama* a tus padres; *vayan* mañana al concierto.

206. El **presente de subjuntivo** expresa un deseo presente y a veces futuro; por ejemplo: Deseo que *venga* Luis; quieren o querrán que *parta* cuanto antes.

207. El **antepresente del subjuntivo** expresa un hecho ya concluido y subordinado a tiempo presente o futuro; por ejemplo: No creo que *haya venido* Luis; iremos cuando yo *haya leído* eso.

208. El **pretérito de subjuntivo**, con dos formas, encierra idea de futuro y se subordina a cualquier tiempo pretérito; por ejemplo:

No creí que

No creía que

llegara o *llegase* Luis

209. El **antepretérito de subjuntivo,** con dos formas, expresa un hecho ya concluido y subordinado a otro también pasado; por ejemplo: Convenía que *hubiera* o *hubiese llegado* Luis.

210. El **futuro de subjuntivo** enuncia un hecho como no acabado, y siempre posible, referido ya al presente, ya al futuro; por ejemplo: Si así lo *hicieren*, que Dios se los premie. Si *jurare* que me los ha devuelto, yo se lo perdono o se lo perdonaré.

211. El **antefuturo de subjuntivo**, menos usado que el anterior, denota el hecho como acabado; por ejemplo: Si para fin de año no *hubiere pagado*, le apremias, o aprémiale, o le apremiarás.

CUADRO DE LOS MODOS Y DE LOS TIEMPOS			
1. MODO INDICATIVO		**2. MODO SUBJUNTIVO**	
Presente amo	**Antepresente** he amado	**Presente** ame	**Antepresente** haya amado
Pretérito amé	**Antepretérito** hube amado	**Pretérito** con dos formas amara o amase	**Antepretérito** con dos formas hubiera o hubiese amado
Futuro amaré	**Antefuturo** habré amado	**Futuro** amare	**Antefuturo** hubiere amado
Copretérito amaba	**Antecopretérito** había amado	**3. MODO IMPERATIVO**	
Pospretérito amaría	**Antepospretérito** habría amado	**Presente** ama, amad	
VERBOIDES			
Infinitivo Simple: amar.　　　Compuesto: haber amado			
Gerundio Simple: amando　　　Compuesto: habiendo amado			
Participio amado			

Nota. Esta manera de nombrar los tiempos compuestos, con el mismo nombre de los simples correspondientes, precedido de la partícula *ante*, fue ideada por el gramático venezolano Andrés Bello, nacido en Caracas en 1781 y muerto en Santiago de Chile en 1865.

Tiene este sistema, entre otras ventajas, la de ayudar a retener fácilmente los nombres de los tiempos simples y compuestos de los verbos. La clasificación es distinta a la de la Real Academia de la Lengua Española.

Cuadro Comparativo

De los nombres de los tiempos de los verbos según Bello y según la Academia de la Lengua Española.

BELLO	**ACADEMIA**
MODO INDICATIVO	***MODO INDICATIVO***
Presente	Presente
Pretérito	Pretérito indefinido
Futuro	Futuro imperfecto
Copretérito	Pretérito imperfecto
Pospretérito[1]	*Modo potencial* simple o imperfecto
Antepresente	Pretérito perfecto
Antepretérito	Pretérito anterior
Antefuturo	Futuro perfecto
Antecopretérito	Pretérito pluscuamperfecto
Antepospretérito	*Modo potencial* compuesto o perfecto
MODO SUBJUNTIVO	***MODO SUBJUNTIVO***
Presente	Presente
Pretérito	Pretérito imperfecto
Futuro	Futuro imperfecto
Antepresente	Pretérito perfecto
Antepretérito	Pretérito pluscuamperfecto
Antefuturo	Futuro perfecto
MODO IMPERATIVO	***MODO IMPERATIVO***
Presente	Presente

En Paz *(fragmento)*

Muy cerca de mi ocaso, yo te bendigo Vida,
porque nunca me diste ni esperanza fallida
ni trabajos injustos ni pena inmerecida;
porque veo al final de mi rudo camino
que yo fui el arquitecto de mi propio destino;
que si extraje la miel o la hiel de las cosas,
fue porque en ella puse hiel o mieles sabrosas;
cuando planté rosales coseché siempre rosas.

• • • • •

...Cierto, a mis lozanías va a seguir el invierno;
¡mas tú no me dijiste que mayo fuese eterno!

Hallé sin duda largas las noches de mis penas;
mas me prometiste tú sólo noches buenas;
y en cambio tuve algunas santamente serenas...

• • • • •

Amé , fui amado, el sol acarició mi faz.
Vida, nada me debes! ¡Vida, estamos en paz!

(elevación)

AMADO NERVO

---

(1) De acuerdo con la Academia, el pospretérito y el antepospretérito no pertenecen al modo indicativo sino al potencial. Este modo enuncia la posibilidad de algo, de un hecho, ya en el momento en que se habla, ya antes, ya después.

Ejercicios de Aplicación

79• *Poner los verbos en el tiempo que convenga.*

Licurgo

Hacerse muy apremiante en Esparta la necesidad de una constitución que *deslindar* bien las relaciones entre las tres clases o familias que *componer* el pueblo lacedemonio, *recibir* el encargo de redactarla Licurgo, que *ser* hermano del rey Polidectes, no *querer* reinar y se *contentar* con servir de tutor a su sobrino Carilao, *preferir* el título de legislador al de monarca.

Para *llenar* dignamente su cometido, *viajar* por la isla de Creta, donde se *consevar* por el sabio Minos en toda su pureza las severas costumbres de los dorios, ya perdidas en Esparta; *recorrer* también el Egipto y varios países de Asia, y, de regreso a su patria, *presentar* al pueblo su constitución, *hacer* jurar a los espartanos que la *observar*, por lo menos hasta que él *regresar* de un nuevo viaje que *ir a emprender*; mas *haberse* ausentado no *volver* nunca, y *mandar* al tiempo de morir, que sus cenizas *ser* arrojadas al mar, para que sus compatriotas no *poder* llevarlas a Esparta y creerse así desligados del juramento. De esta manera se *conservar* mucho tiempo y *encarnar* en las costumbres esta constitución famosa que no se *escribir,* sino que se *aprender* de memoria por todos; y para que no *ser* modificada por el ejemplo y la influencia de los otros pueblos, *autorizar* Licurgo la expulsión de los extranjeros, que *ser* peligrosos en este sentido, a cuya ley se *dar* el nombre de Jenelasia.

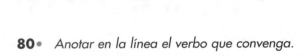

80• *Anotar en la línea el verbo que convenga.*

a) Pone, dispone, suena.

b) Parecen, dando, hay, convierten, conservan.

c) Tengan, decir, sé, dijesen, bastaría.

d) Matar, buscar, curar, afligen.

e) Podrá, aprender, rinde, gasta, vacía.

1o. Dios cuando _____ la hora de la oportunidad, _____ la fuerza a la orden del derecho, y _____ los hechos para el triunfo de las ideas.

M. LAFUENTE.

2o. _____ reputaciones que se _____ a los cadáveres que se _____ enteros en una caja bien cerrada: en _____ les aires se _____ en polvo.

BALMES.

3o. _____ dócil a tus padres, en tal extremo, que ellos no _____ la pena de _____ te con los labios lo que _____ que te _____ con los ojos.

J. M. VERGARA.

4o. _____ el remedio de los males que _____ al cuerpo social fuera de la familia y de la propiedad, es _____ al enfermo para _____ le.

JOSÉ DE LA LUZ CABALLERO.

Ventura o de Akuárhetaru en noviembre
(fragmento de Cenizas)

Estoy -hace cuatro siglos- en Akuárhetaru, un enclave blanco en el mundo purépecha, un caserío fundado por un aventurero criollo sudoroso y sediento.

O estoy caminando centurias atrás, en la Akuárhetaru aborigen, en el legendario Valle de Titiácoro, cuna de un sueño purépecha todavía irredento.

O quizá llegué a caballo en la colonia. ¿No se escucha cuán fuerte retiembla la tierra al golpe de los cascos?

En realidad llegué en automóvil tras recorrer Tocumbo y Santa Inés. Vi Akuárhetaru entonces, tendida en el valle.

Al momento en que miré Akuárhetaru, atisbé mi historia, lo que hoy relato y mucho más que yo no cuento, porque mis ojos quedaron enceguecidos. Además, ya en los archivos se han perdido los libros de bautismo de mis antepasados; sus hojas se están pudriendo, carcomidas, cual si las termitas, los hongos, quisiesen devorar leyendas y dejar a los pueblos sin historia, para que anden por ahí vagando como cualquier mendigo de extraviada memoria; como canosa anciana que ya sólo acaricia su sillón lustroso y ve escaparse por un abismo profundo de memoria.

La memoria fue desde entonces mi placer. Me pasé días y noches hurgando obsesivamente en las vidas de la familia. Busqué los injertos de nuestro híbrido tronco, florecido entre voces de cazcanes, purépechas, andaluces, negros, blancos, congos, vascos y hombres con una flor de loto tatuada sobre la frente.

La memoria es un sueño y cada quien lo recuerda como quiere, sin asirlo nunca: una vela en la tumba; un mendigo que plantica su vida; una flor de terciopelo, un manojo de nubes blancas y pétalos regados de cempasúchil.

PEDRO REYGADAS.

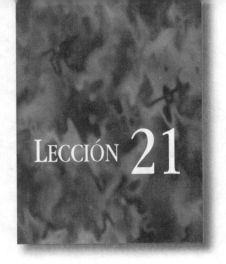

Formación de los Tiempos del Verbo

212. Como se acaba de ver en los cuadros anteriores, los tiempos compuestos se forman de los simples del verbo *haber,* seguidos del participio del verbo que se conjuga.

213. En todo verbo hay que distinguir dos cosas: la *raíz* y las *terminaciones.*

La **raíz** expresa el significado fundamental del verbo, y permanece invariable en toda la conjugación regular; las **terminaciones**, por el contrario, constituyen la parte variable del verbo y sirven para indicar los diversos accidentes gramaticales.

Así, en *am-amos, am-aron, am-aréis, am-asen,* **am-** es la raíz; **-amos, -aron, -aréis, -asen** son las terminaciones. Asimismo, en *tem-er, tem-en, tem-éis, tem-iera,* **tem-** es la raíz y **-er**, **-en**, **-éis**, **-iera** son las terminaciones.

214. Una terminación verbal puede constar de *característica verbal o vocal temática* de *característica temporal* y de *característica personal,* aunque en muchas formas falte alguno o algunos de estos elementos.

215. Llamamos **característica verbal** o **vocal temática** a una vocal que se intercala entre la raíz y la característica temporal o personal.

La primera conjugación tiene **a**; la segunda, **e**; y la tercera, **i**; por ejemplo: am-*á*-bamos, tem-*e*-remos, part-*i*-rán.

216. La raíz con la vocal temática forman el **tema** o **radical**; así, en amábamos es **ama**; en temeremos, **teme**; y en partirán, **parti**.

Este tema se llama *tema verbal* o *general,* porque es común para todo el verbo, pero hay además *temas temporales* que varían para cada tiempo y están formados por el tema verbal seguido de la característica temporal.

Así, en *amábamos,* el tema temporal del copretérito de indicativo es *amaba,* compuesto de *ama* y *ba*; el de *temeremos* y *partirán* es *temeré* y *partirá.*

217. Características temporales son las letras que siguen al tema para indicar el tiempo y el modo.

El *presente* de todos los modos carece de ellas y consta sólo del tema y de las características personales. En el subjuntivo el tema termina en *e* para la primera conjugación, y en *a* para la segunda y tercera.

El *pretérito* de indicativo no tiene característica temporal.

El *copretérito* tiene por características *ba* en la primera conjugación; y en las otras dos, *a*.

El *pretérito* de subjuntivo tiene *ra* y *se*.

Al *futuro* de indicativo puede asignársele *ré* o *rá* pero en realidad este tiempo es perifrástico, pues *amaré, amarás,* etc., equivalen a *amar he, amar has,* etc., poniendo por característica verdadera la *r*. El de subjuntivo tiene *re*.

El *pospretérito* tiene *ría* por característica temporal, aunque en su origen esta forma fue perifrástica, diciendo *amar hía, amar hías,* etc., por *amaría, amarías,* etc.

El *infinitivo simple* tiene *r*; el *gerundio simple, nd*; el *participio d*.

218. Características personales son las letras finales que sirven para indicar la persona y el número; por ejemplo: ama-*mos*, amá-*n*, partirá-*n*, temie-*ron*.

Las características del indicativo y subjuntivo son iguales en todos los tiempos, excepto en el pretérito y en el imperativo, conforme se indica en este cuadro:

Persona	Indic. y Subj.	Pretérito	Imperativo
1a. Singular	carece	carece	–
2a. Singular	s	ste	carece
3a. Singular	carece	carece	carece
1a. Plural	mos	mos	mos
2a. Plural	n	ron	n
3a. Plural	n	ron	n

219. En las formas regulares, los **tiempos simples** constan de la raíz del verbo y de las terminaciones de la conjugación modelo a que pertenecen.

Ejercicios de Aplicación

81• *Descomponer las formas verbales siguientes en sus elementos:* raíz, vocal temática, características temporal *y* personal.

Amar, amamos, cantan, cantaban, hablábamos, amaban, trataron, amarán, amarás, cantasen, cantases, tratarías, traten, trata, partir, partieron, partirían, temieses, vivamos, remitiremos, pertenecen, deberíamos, conjugaste, conjugamos, forman, formes, formarías, precedan, consideres, auxiliaran, exceptuad, prevalecen, concluyan.

82● *Agregar las terminaciones verbales que convengan.*

Sustitu_____ el ocio y el vicio que te hac_____ infeliz, con el trabajo y las virtudes, y se__.__ dichoso, y no pedi_____ al cielo que te libr_____ de unos males cuyo remedio est_____ en tu mano.

ARISTÓTELES.

Más quier_____ busc_____ la muerte d_____ tres pasos adelante, que viv_____ un siglo d_____ uno solo hacia atrás.

GONZALO DE CÓRDOBA.

Haz gala de la humildad de tu linaje y no te desprec_____ de dec_____ que vien_____ de labradores, porque v_____ que no te corr_____, ninguno se pond_____ a corr_____te.

CERVANTES.

Viv_____ los sabios varones ya pas_____, y nos habl_____ cada día en sus eternos escritos ilumin_____ perennemente los venideros.

GRACIÁN.

En tiempo de Pascuas todos entr_____, sal_____ y escrib_____, menos yo que ni escrib_____ ni entr_____ ni salg_____

P. ISLA.

La llave que se us_____ constantemente, reluc_____ como plata; no us_____ la se llen_____ de herrumbre. Lo mismo pas_____ con el entendimiento.

FRANKLIN.

A Dios obedec_____ el rayo y el viento;
Lo anunci_____ los astros, proclám_____lo el mar:
Con un leve soplo pudi_____ su aliento
Hac_____ de la tierra los ejes tembl_____

GERTRUDIS G. DE AVELLANEDA.

Persona. Número. División del Verbo por la Conjugación

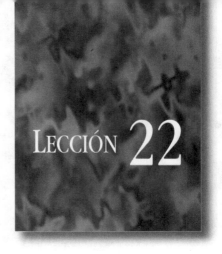

220. **Persona**, en el verbo, es el accidente que especifica el sujeto de la acción o estado que expresa el verbo.

221. Las **personas**, en el verbo, son las mismas de que se trató en el pronombre personal, denominadas **primera**, **segunda** y **tercera**.

El verbo estará en *primera, segunda o tercera persona*, según que el sujeto del mismo sea de *primera, segunda o tercera persona*; por ejemplo: *Yo estudié; tú escribes, él marcha, nosotros hablamos, ellas cantan.*

222. Se conocerá que el verbo está en primera, segunda o tercera persona, por el pronombre que lo acompaña o la terminación de dicho verbo; así, al decir: *yo leía la carta; estudio mucho; trabajamos*, se nota que los tres verbos están en primera persona: *tú corres; escuchas; lees*, están en segunda.

223. **Número**, en el verbo, es el accidente que sirve para indicar la *unidad* o *pluralidad* de sujeto.

224. Los **números** son dos, como en el nombre: *singular* y *plural*. El verbo estará en **singular** cuando se refiera a un solo sujeto, como: *yo leo; tú eres estudioso; Pedro está enfermo.* Estará en **plural** si se refiere a varios sujetos: *nosotros somos libres; ustedes están cansados; los niños hablan.*

225. Por su **conjugación,** los verbos se dividen en *regulares, irregulares, defectivos, pronominales* y *unipersonales.*

226. **Regulares** son los que en todos los tiempos y personas conservan sus raíces y toman las terminaciones de la conjugación a que pertenecen; por ejemplo: *amar, temer, partir.*

227. **Irregulares**, los que se conjugan alterando, ya sus raíces, ya las terminaciones propias de la conjugación regular a que pertenecen, o bien unas y otras, por ejemplo: *jugar, traer, tañer, conducir.*

228. **Defectivos**, los que carecen de algún tiempo o persona, como: *soler, abolir, concernir.*

229. Los verbos **pronominales** se conjugan con dos pronombres personales, empleados el uno como *sujeto* y el otro como *complemento,* o también con un nombre y su correspondiente pronombre de tercera persona, como: *yo me* arrepiento; *tú te* quejas; *Pedro se* duele.

230. Unipersonales son los que sólo se usan en el infinitivo y en la tercera persona de singular de todos los tiempos, por ejemplo: *alborear, nevar, llover,* etc.

Hay otros que siendo por su índole transitivos o intransitivos, se usan algunas veces sin sujeto determinado; por ejemplo: *se dice, cuentan, conviene* aprender, *importa* callar, *hay* flores, *habrá* fruta, etc., a los que llamaremos verbos usados en **construcción impersonal** o **unipersonales impropios.**

Los *unipersonales propios,* no teniendo sujeto expreso, hay que suplirlo por *Dios, el cielo, la naturaleza, el tiempo,* etc.

Los verbos que se refieren a actos propios de algunos animales, como *ladrar, relinchar, maullar, rebuznar, balar, pacer,* etc., no deben calificarse de defectivos ni de unipersonales, ya que pueden emplearse en primera y segunda persona en acepciones metafóricas, y también en sentido recto, si se atribuye a un animal, personificándolo, el don de la palabra.

231. Los verbos *haber* y *ser* se llaman **auxiliares**, por concurrir a la conjugación de los demás verbos.

El verbo *haber* sirve para formar los tiempos compuestos, y el verbo *ser* para la formación de la voz pasiva.

Se usan también como auxiliares los verbos *tener, deber, ir, andar, venir, dejar, estar, llevar, quedar,* etc., cuando entran en la formación de la voz perifrástica o de ciertos tiempos compuestos; por ejemplo: *Tengo* que verlo, *andas* muy acertado, *dejó* encargado, *llevo* entendido.

Al dar a conocer la conjugación de los verbos, empezamos por la del verbo *haber,* como auxiliar indispensable para la formación de los tiempos compuestos, aunque sea irregular y pertenezca a la segunda conjugación.

Ejercicios de Aplicación

83 • *Señalar la persona, número y conjugación de los verbos.*

Los Recuerdos del Porvenir *(fragmento)*

Aquí estoy, sentado en esta piedra aparente. Sólo mi memoria sabe lo que encierra. La veo y me recuerdo, y como el agua va al agua, así yo, melancólico, vengo a encontrarme en su imagen cubierta por el polvo, rodeada por las hierbas, encerrada en sí misma y condenada a la memoria y a su variado espejo. La veo, me veo y me transfiguro en multitud de colores y de tiempos. Estoy y estuve en muchos ojos. Yo sólo soy memoria y la memoria que de mí se tenga.

Desde esta altura me contemplo: grande, tendido en un valle seco. Me rodean unas montañas espinosas y unas llanuras amarillas pobladas de coyotes. Mis casas son bajas, pintadas de blanco, y sus tejados aparecen resecos por el sol o brillantes por el agua según sea en tiempo de lluvias o de secas. Hay días como hoy en los que recordarme me da pena. Quisiera no tener memoria o convertirme en el piadoso polvo para escapar a la condena de mirarme.

Yo supe de otros tiempos: fui fundado, sitiado, conquistado y engalanado para recibir ejércitos. Supe del gozo indecible de la guerra, creadora del desorden y la aventura imprevisible. Después me dejaron quieto mucho tiempo. Un día aparecieron nuevos guerreros que me robaron y cambiaron de sitio. Porque hubo un tiempo en el que yo también estuve en un valle verde y luminoso, fácil a la mano. Hasta que otro ejército de tambores y generales jóvenes entró para llevarme de trofeo a una montaña llena de agua, y entonces supe de cascadas y de lluvias en abundancia. Allí estuve algunos años. Cuando la Revolución agonizaba, un último ejército, envuelto en la derrota, me dejó abandonado en este lugar sediento. Muchas de mis casas fueron quemadas y sus dueños fusilados antes del incendio.

Recuerdo todavía los caballos cruzando alucinados entre mis calles y mis plazas, y los gritos aterrados de las mujeres llevadas en vilo por los jinetes. Cuando ellos desaparecieron y las llamas quedaron convertidas en cenizas, las jóvenes hurañas empezaron a salir por los brocales de los pozos, pálidas y enojadas por no haber participado en el desorden.

ELENA GARRO. MÉXICO.

84• *Indicar la naturaleza de los verbos siguientes.*

Quien tiembla ante el peligro, rara vez perecerá en él. • Los rigores del invierno helaron las cosechas. • Más vale que sepa un hijo adquirir hacienda, que perder la adquirida. • No juzgues ni examines las obras o palabras ajenas y no te metas en lo que no te atañe. • El emperador Constantino abolió el culto de los ídolos. • Nadie suele quejarse más, que quien da mayores ocasiones de queja. • El ratón roe las ropas. • El insensato halla ocasión de crítica en los mismos acontecimientos de la naturaleza: si nieva, porque nieva; si llueve, porque llueve. • No por mucho madrugar amanece más temprano. • Quien mucho abarca, poco aprieta. • Quien dice lo que quiere, oye lo que no quiere.

REFRANES.

El llano en Llamas *(fragmento)*

Estuvimos escondidos varios días: pero los federales nos fueron a sacar de nuestro escondite. Ya no nos dieron paz; ni siquiera para mascar un pedazo de cecina en paz. Hicieron que se nos acabaran las horas de dormir y de comer, y que los días y las noches fueran iguales para nosotros. Quisimos llegar al cañón del Tozín; pero el gobierno llegó primero que nosotros. Faldeamos el volcán. Subimos a los montes más altos y allí, en ese lugar que le dicen Camino de Dios, encontramos otra vez al gobierno tirando a matar. Sentíamos cómo bajaban las balas sobre nosotros, en rachas apretadas, calentando el aire que nos rodeaba. Y hasta las piedras se hacían trizas unas tras otras como si fueran terrones. Después supimos que eran ametralladoras aquellas carabinas con que disparaban ahora sobre nosotros y que dejaban hecho una coladera el cuerpo de uno; pero entonces creímos que eran muchos soldados, por miles, y todo lo que queríamos era correr de ellos.

JUAN RULFO, MÉXICO.

Cuando sepas hallar una sonrisa... *(fragmento)*

Cuando sepas hallar una sonrisa
en la gota sutil que se rezuma
de las porosas piedras, en la bruma,
en el sol, en el ave y en la brisa.

• • • • •

Sentirás en la inmensa muchedumbre
de seres y de cosas tu ser mismo;
serás todo pavor con el abismo
y serás todo orgullo con la cumbre.

ENRIQUE GONZÁLEZ MARTÍNEZ. MÉXICO.

Verbo *Haber*

232. El verbo **haber** puede usarse de tres maneras: como *auxiliar*, como *unipersonal* y como *transitivo*.

233. Como **auxiliar** sirve para formar los tiempos compuestos de los verbos y sólo se conjuga en los tiempos simples; por ejemplo: *He* escrito; *habrás* dado.

234. Como **unipersonal** equivale a *ser, estar* o *existir*; por ejemplo: *Hubo* mucha gente en la iglesia, esto es, *estuvo, existió*. A no haber *habido* tal alboroto en la calle, hubiera llegado más pronto, que quiere decir: a no haber *existido* tal alboroto... *Hay* dos horas de vuelo desde aquí a Monterrey, esto es, *son* dos las horas de...

Usado en la forma *"ha"* significa *hace*; por ejemplo: Muchos años *ha* que sufro esta enfermedad, que equivale a: *hace* muchos años...

235. Como **transitivo** incluye la idea de *tener, poseer, obtener* o *alcanzar*, y se conjuga en todos sus tiempos, números y personas; por ejemplo: No *he* menester tu ayuda, es decir, no *tengo* menester tu ayuda. ¿En dónde *hubiste* tanta gloria?, que significa: ¿en dónde *alcanzaste* tanta gloria? Quienes menos *hayan*, menos perderán al morir, que quiere decir: quienes menos *tengan o posean*, menos perderán al morir.

En este sentido es ya muy poco usado.

Damos a continuación la conjugación del verbo *haber* empleado como transitivo.

236. Conjugación del verbo ***Haber***.

Verbo auxiliar **Haber**

MODO INDICATIVO		**MODO SUBJUNTIVO**	
Tiempos Simples	**Tiempos Compuestos**	**Tiempos Simples**	**Tiempos Compuestos**
Presente	*Antepresente*	*Presente*	*Antepresente*
Yo he	He	Haya	Haya
Tú has	Has	Hayas	Hayas
Él ha	Ha	Haya	Haya
Nos. hemos	Hemos	Hayamos	Hayamos
Uds. han	Han	Hayan	Hayan
Ellos han	Han	Hayan	Hayan

(habido) — (habido)

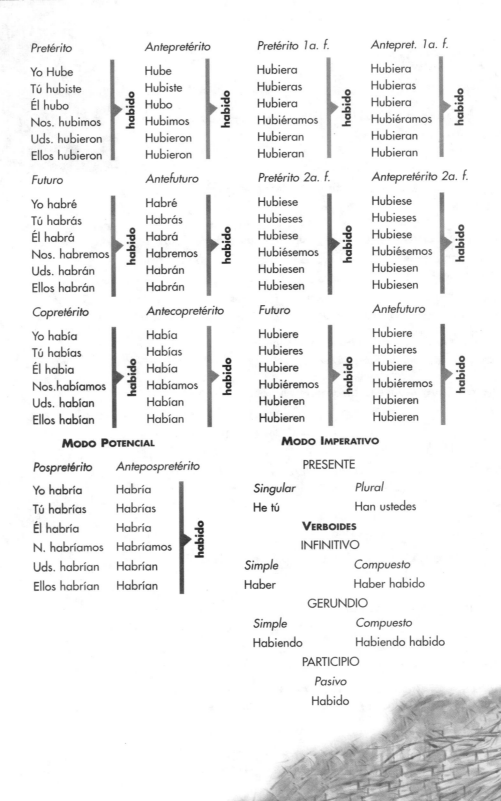

Pretérito	*Antepretérito*		*Pretérito 1a. f.*	*Antepret. 1a. f.*	
Yo Hube	Hube		Hubiera	Hubiera	
Tú hubiste	Hubiste		Hubieras	Hubieras	
Él hubo	Hubo		Hubiera	Hubiera	
Nos. hubimos	Hubimos	habido	Hubiéramos	Hubiéramos	habido
Uds. hubieron	Hubieron		Hubieran	Hubieran	
Ellos hubieron	Hubieron		Hubieran	Hubieran	

Futuro	*Antefuturo*		*Pretérito 2a. f.*	*Antepretérito 2a. f.*	
Yo habré	Habré		Hubiese	Hubiese	
Tú habrás	Habrás		Hubieses	Hubieses	
Él habrá	Habrá		Hubiese	Hubiese	
Nos. habremos	Habremos	habido	Hubiésemos	Hubiésemos	habido
Uds. habrán	Habrán		Hubiesen	Hubiesen	
Ellos habrán	Habrán		Hubiesen	Hubiesen	

Copretérito	*Antecopretérito*		*Futuro*	*Antefuturo*	
Yo había	Había		Hubiere	Hubiere	
Tú habías	Habías		Hubieres	Hubieres	
Él habia	Había		Hubiere	Hubiere	
Nos.habíamos	Habíamos	habido	Hubiéremos	Hubiéremos	habido
Uds. habían	Habían		Hubieren	Hubieren	
Ellos habían	Habían		Hubieren	Hubieren	

MODO POTENCIAL

Pospretérito	*Antepospretérito*	
Yo habría	Habría	
Tú habrías	Habrías	
Él habría	Habría	
N. habríamos	Habríamos	habido
Uds. habrían	Habrían	
Ellos habrían	Habrían	

MODO IMPERATIVO

PRESENTE

Singular	*Plural*
He tú	Han ustedes

VERBOIDES

INFINITIVO

Simple	*Compuesto*
Haber	Haber habido

GERUNDIO

Simple	*Compuesto*
Habiendo	Habiendo habido

PARTICIPIO

Pasivo

Habido

Ejercicios de Aplicación

85. Anotar en la línea una de las formas del verbo *haber* y señalar la naturaleza de dichas formas:

Yo me _____ arrepentido muchas veces de _____ hablado; de _____ callado nunca.

JENÓCRATES.

La fortuna se _____ de temer cuando más se tenga en la mano.

ANTONIO PÉREZ.

Los sucesos de D. Quijote se _____ de celebrar con admiración o con risa.

CERVANTES.

¿Nunca _____ visto los libros de caja, que en una parte está lo que debemos y en otra lo que _____ de _____ por descarga de ello?

JOSÉ ÁNGEL MANRIQUE.

No digáis que agotado su tesoro,
De asuntos falta, enmudeció la lira:
Podrá no _____ poetas, pero siempre
¡Habrá poesía!

BÉCQUER.

86. *Formar un verbo derivado de cada una de las palabras siguientes:*

Tierra	Culpable	Rico	Herencia
Noble	Corpóreo	Duro	Bello
Orgulloso	Gordo	Carne	Cartas
Guerra	Hierro	Paciente	Nuevo
Cifra	Luz	Lejos	Rodilla
Color	Nada	Ignorancia	Barca

ANÁLISIS:
Si no aras en la primavera, no cosecharás en el otoño; si no estudias en la juventud, no sabrás nada en la vejez.

Verbos Regulares. Amar, temer, subir

237. Modelo de la primera conjugación: *Amar.*

MODO INDICATIVO		MODO SUBJUNTIVO	
Tiempos Simples	**Tiempos Compuestos**	**Tiempos Simples**	**Tiempos Compuestos**
Presente	*Antepresente*	*Presente*	*Antepresente*
Am o	He	Am e	Haya
Am as	Has	Am es	Hayas
Am a	Ha	Am e	Haya
Am amos	Hemos	Am emos	Hayamos
Am an	Han	Am en	Hayan
Am an	Han	Am en	Hayan
Pretérito	*Antepretérito*	*Pretérito 1a. f.*	*Antepret. 1a. f.*
Am é	Hube	Am ara	Hubiera
Am aste	Hubiste	Am aras	Hubieras
Am ó	Hubo	Am ara	Hubiera
Am amos	Hubimos	Am áramos	Hubiéramos
Am aron	Hubieron	Am aran	Hubieran
Am aron	Hubieron	Am aran	Hubieran
Futuro	*Antefuturo*	*Pretérito 2a. f.*	*Antepretérito 2a. f.*
Am aré	Habré	Am ase	Hubiese
Am arás	Habrás	Am ases	Hubieses
Am ará	Habrá	Am ase	Hubiese
Am aremos	Habremos	Am ásemos	Hubiésemos
Am aran	Habrán	Am asen	Hubiesen
Am arán	Habrán	Am asen	Hubieran
Copretérito	*Antecopretérito*	*Futuro*	*Antefuturo*
Am aba	Había	Am are	Hubiere
Am abas	Habías	Am ares	Hubieres
Am aba	Había	Am are	Hubiere
Am ábamos	Habíamos	Am áremos	Hubiéremos
Am aban	Habían	Am aren	Hubieren
Am aban	Habían	Am aren	Hubieren

(En los tiempos compuestos se añade: amado)

MODO IMPERATIVO

Pospretérito	Antepospretérito		PRESENTE	
Am aría	Habría		*Singular*	*Plural*
Am arías	Habrías		Am a tú	Am en ustedes
Am aría	Habría	amado	**VERBOIDES**	
Am aríamos	Habríamos		INFINITIVO	
Am arían	Habríamos		*Simple*	*Compuesto*
Am arían	Habrían		Am ar	Haber am ado

GERUNDIO

Simple — *Compuesto*

Am ando — Habiendo am ado

PARTICIPIO

Pasivo

Am ado

238. Modelo de la segunda conjugación: **Temer.**

MODO INDICATIVO		MODO SUBJUNTIVO	
Tiempos Simples	**Tiempos Compuestos**	**Tiempos Simples**	**Tiempos Compuestos**
Presente	*Antepresente*	*Presente*	*Antepresente*
Tem o	He	Tem a	Haya
Tem es	Has	Tem as	Hayas
Tem e	Ha	Tem a	Haya
Tem emos	Hemos	Tem amos	Hayamos
Tem en	Han	Tem an	Hayan
Tem en	Han	Tem an	Hayan
Pretérito	*Antepretérito*	*Pretérito 1a. f.*	*Antepret. 1a. f.*
Tem í	Hube	Tem iera	Hubiera
Tem iste	Hubiste	Tem ieras	Hubieras
Tem ió	Hubo	Tem iera	Hubiera
Tem imos	Hubimos	Tem iéramos	Hubiéramos
Tem ieron	Hubieran	Tem ieran	Hubieran
Tem ieron	Hubieron	Tem ieran	Hubieran
Futuro	*Antefuturo*	*Pretérito 2a. f.*	*Antepretérito 2a. f.*
Tem eré	Habré	Tem iese	Hubiese
Tem erás	Habrás	Tem ieses	Hubieses
Tem erá	Habrá	Tem iese	Hubiese
Tem eremos	Habremos	Tem iésemos	Hubiésemos
Tem erán	Habrán	Tem iesen	Hubiesen
Tem erán	Habrán	Tem iesen	Hubiesen

(amado)

(temido)

Copretérito	Antecopretérito		Futuro	Antefuturo	
Tem ía	Había		Tem iere	Hubiere	
Tem ías	Habías		Tem ieres	Hubieres	
Tem ía	Había	temido	Tem iere	Hubiere	temido
Tem íamos	Habíamos		Tem iéremos	Hubiéremos	
Tem ían	Habían		Tem ieren	Hubieren	
Tem ían	Habían		Tem ieren	Hubieren	

MODO IMPERATIVO

PRESENTE

Pospretérito	Antepospretérito	
Tem ería	Habría	
Tem erías	Habrías	
Tem ería	Habría	temido
Tem eríamos	Habríamos	
Tem erían	Habrían	
Tem erían	Habrían	

Singular	Plural
Tem e tú	Tem an ustedes

VERBOIDES

INFINITIVO

Simple	Compuesto
Tem er	Haber Tem ido

GERUNDIO

Simple	Compuesto
Tem iendo	Habiendo Tem ido

PARTICIPIO

Pasivo

Tem ido

239. Modelo de la tercera conjugación: **Subir.**

MODO INDICATIVO			**MODO SUBJUNTIVO**		
Tiempos Simples	**Tiempos Compuestos**		**Tiempos Simples**	**Tiempos Compuestos**	
Presente	Antepresente		Presente	Antepresente	
Sub o	He		Sub a	Haya	
Sub es	Has		Sub as	Hayas	
Sub e	Ha	subido	Sub a	Haya	subido
Sub imos	Hemos		Sub amos	Hayamos	
Sub en	Han		Sub an	Hayan	
Sub en	Han		Sub an	Hayan	
Pretérito	Antepretérito		Pretérito 1a. f.	Antepret. 1a. f.	
Sub í	Hube		Sub iera	Hubiera	
Sub iste	Hubiste		Sub ieras	Hubieras	
Sub ió	Hubo	subido	Sub iera	Hubiera	subido
Sub imos	Hubimos		Sub iéramos	Hubiéramos	
Sub ieron	Hubieron		Sub ieran	Hubieran	
Sub ieron	Hubieron		Sub ieran	Hubieran	

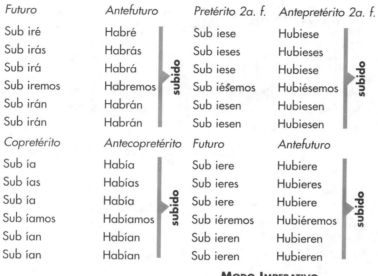

Futuro	Antefuturo	Pretérito 2a. f.	Antepretérito 2a. f.
Sub iré	Habré	Sub iese	Hubiese
Sub irás	Habrás	Sub ieses	Hubieses
Sub irá	Habrá	Sub iese	Hubiese
Sub iremos	Habremos	Sub iésemos	Hubiésemos
Sub irán	Habrán	Sub iesen	Hubiesen
Sub irán	Habrán	Sub iesen	Hubiesen

subido

Copretérito	Antecopretérito	Futuro	Antefuturo
Sub ía	Había	Sub iere	Hubiere
Sub ías	Habías	Sub ieres	Hubieres
Sub ía	Había	Sub iere	Hubiere
Sub íamos	Habíamos	Sub iéremos	Hubiéremos
Sub ían	Habían	Sub ieren	Hubieren
Sub ían	Habían	Sub ieren	Hubieren

subido

MODO IMPERATIVO

PRESENTE

Pospretérito	Antepospretérito	Singular	Plural
Sub iría	Habría	Sub e tú	Sub an ustedes
Sub irías	Habrías		
Sub iría	Habría		
Sub iríamos	Habríamos		
Sub irían	Habrían		
Sub irían	Habrían		

VERBOIDES

INFINITIVO

Simple	Compuesto
Sub ir	Haber sub ido

GERUNDIO

Simple	Compuesto
Sub iendo	Habiendo sub ido

PARTICIPIO

Pasivo

Sub ido

Ejercicios de Aplicación

87 Indicar la conjugación, el modo y el tiempo de los verbos.

Interesaríamos. Cubristes. Hubiesen recogido. Reciban. Llores. Corrieren. Sufra. Leería. Habían percibido. Vivamos. Viajamos. Acarrearías. Escribieras. Dibuje. Hubieron refrescado. Habiendo faltado. Habíamos tosido. Haber atado. Come. Comas.

Cuando llegaron a emparejar con la venta que estaba medio caída y sin gente, iban ya pereciendo de sed.

VICENTE ESPINEL.

No estima la quietud del puerto quien no ha padecido en la tempestad, ni conoce la dulzura de la paz quien no ha probado lo amargo de la guerra.

SAAVEDRA FAJARDO.

Ninguna dolencia social puede combatirse con un remedio solo; pero si se nos pidiere que señaláramos una nada más, aquel que juzgásemos de mayor eficacia, responderíamos sin vacilar: *la instrucción*.

CONCEPCIÓN ARENAL.

¡Patria! te adoro en mi silencio mudo
temo profanar tu nombre santo.
Por ti he llorado y padecido tanto
Como lengua mortal decir no pudo.

MIGUEL ANTONIO CARO.

88 Conjugar en forma negativa los tiempos simples de los verbos: quitar, toser, sufrir.

89 Poner los verbos en los tiempos que convenga.

Quien *deber* y *pagar*, no *deber* nada. *Arar* o no *arar*, renta me pagues. Aprende *llorar*, reirás *ganar*. Como *cantar* el abad, *responder* el sacristán. No *firmar* carta que no leas, ni *beber* agua que no *ver*.

REFRANES.

El amor *amasar* de tal manera los corazones que de dos *hacer* uno.

GRANADA.

Ninguno *desesperar* por más *afligir* que *verse*, pues cuando menos *catarse*, *abrir* Dios las puertas y ventanas de su misericordia y *mostrar* no serle nada imposible.

SANTA TERESA.

90• *Conjugar en forma interrogativa los tiempos compuestos de los verbos:* faltar, deber, aplaudir.

91• *Entresacar los verbos regulares e indicar el sujeto y el complemento directo si lo tienen.*

El Beso de la Mujer Araña *(fragmento)*

— A ella se le ve que algo raro tiene, que no es una mujer como todas. Parece muy joven, de unos veinticinco cuanto más, una carita un poco de gata, la nariz chica, respingada, el corte de cara es... más redondo que ovalado, la frente ancha, los cachetes también grandes pero que después se van para abajo en punta, como los gatos.

— ¿Y los ojos?

— Claros, casi seguro que verdes, los entrecierra para dibujar mejor. Mira al modelo, la pantera negra del zoológico, que primero estaba quieta en la jaula, echada. Pero cuando la chica hizo ruido con atril y la silla, la pantera la vio y empezó a pasearse por la jaula y a rugirle a la chica, que hasta entonces no encontraba bien el sombreado que le iba a dar al dibujo.

— ¿El animal no la puede oler antes?

— No, porque en la jaula tiene un enorme pedazo de carne, es lo único que puede oler. El guardián le pone la carne cerca de las rejas, y no puede entrar ningún olor de afuera, a propósito para que la pantera no se alborote. Y es al notar la rabia de la fiera que la chica empieza a dar trazos cada vez más rápidos, y dibuja una cara que es de animal y también de diablo. Y la pantera mira, es una pantera macho y no se sabe si es para despedazarla y después comerla, o si la mira llevada por otro instinto más feo todavía.

MANUEL PUIG. BRASIL.

Estudio

Jugaré con las casas de Curazao,
podré el mar a la izquierda
y haré más puentes movedizos
¡Lo que diga el poeta!

Estábamos en Holanda y en América
y es una isla de juguetería,
con decretos de reina
y ventanas y puertas de alegría.

Con las cuerdas de la lira
y los pañuelos del viaje,
haremos velas para los botes
que no van a ninguna parte.

La casa de gobierno es demasiado pequeña
para una familia holandesa.

Por la tarde vendrá Claude Monet
a comer cosas azules y eléctricas.

Y por esa callejuela sospechosa
haremos pasar la Ronda de Rembrandt
... pásame el puerto de Curazao
  isla de juguetería!

CARLOS PELLICER. MÉXICO.

Verbos de Irregularidad Aparente

240. No se considera **irregular** un verbo por el simple cambio o la adición de una letra en ciertos casos por razón de la pronunciación, ni tampoco por tener irregular el participio *pasivo*, o en poco uso el *activo*.

241. Esto sucede principalmente con los verbos acabados en *-car, -cer* y *-cir; -gar, -ger* y *-gir*.

Los en **-car** cambian la **c** del radical o tema en **qu**, siempre que la terminación empiece por *e*, a fin de conservar el sonido fuerte de la *c*.

Este cambio se verifica en la primera persona del pretérito de indicativo; en la tercera persona del singular, primera y tercera del plural de imperativo y en todas las del presente de subjuntivo; por ejemplo: mas*qu*é, mas*qu*emos.

Observación: El verbo *delinquir* cambia, por el contrario, la *qu* en *c*, delante de *a* y *o*; por ejemplo: delin*co* o delin*ca*mos.

242. Los en **-cer** y **-cir** mudan la **c** en **z**, siempre que la terminación empiece por *a* u *o*, a fin de conservar el sonido suave de la *c*.

Esto sucede en la primera persona del presente de indicativo; en la tercera de singular, primera y tercera de plural de imperativo y en todo el presente de subjuntivo; por ejemplo: ven*z*o, ven*z*amos.

Observación: Los verbos terminados en **-zar** cambian la *z* en *c*, delante de **e**; por ejemplo: re*c*é, re*c*emos.

243. Los en **-gar** admiten una **u** después de la **g** en las personas cuyas terminaciones empiezan por *e*; por ejemplo: pag*u*e, pag*u*emos.

Observación: El verbo *distinguir*, por el contrario pierde la **u** delante de *a, o*; por ejemplo: *distingo, distingamos*.

244. Los en **-ger** y **-gir** cambian la **g** en **j** en las formas cuyas terminaciones empiecen por *a* u *o*; por ejemplo: prote*j*o, prote*j*a.

Observación: Los en **-guar** mudan la *u* en *ü* delante de *e*; por ejemplo: averi*gü*é, apaci*gü*emos.

245. Algunos verbos acabados en **-aer, -eer,** y **-oer**, como *raer, creer* y *roer*, no son irregulares porque en las desinencias que tienen **i** (vocal)

Sumario. 240. Alteraciones que no constituyen *irregularidad*. 241. En qué verbos sucede. 242. Verbos en *-cer* y *-cir* 243. En *-gar*. 244. En *-ger* y *-gir*. 245. En *-aer, -eer* y *-oer*. 246. Clasificación de los tiempos simples. 247. Primitivos y derivados. 248. Transmisión de una irregularidad.

la muden en **y** (consonante) cuando se una a la vocal siguiente para formar sílaba con ella como creyó, creyera, creyendo; rayó, rayare; royó, royendo.

Observación: Tampoco lo son los verbos *caer, huir, oír,* etc. porque en algunas de sus desinencias mudan la **i** en **y**; por ejemplo: cayó, cayendo; oyó, oyera; huyó, **huyesen,** huyendo; pero lo son en otras formas por los motivos que se dirán después.

246. Para la fácil conjugación de los verbos *irregulares* tengamos presente que los tiempos simples se dividen en *primitivos* y *derivados,* y que la *irregularidad* de los *primeros* pasa siempre a los *segundos.*

247. Los **primitivos** son: el *presente,* el *pretérito* y el *futuro de indicativo.*

Los **derivados** son:

1o. El *presente de subjuntivo* y el *imperativo,* que se derivan del *presente de indicativo.*

2o. El *pretérito* y el *futuro de subjuntivo,* y a veces el *gerundio,* que se derivan del *pretérito de indicativo.*

3o. El *pretérito,* que proviene del *futuro de indicativo.*

248. Observaciones: 1a. Cuando una irregularidad afecta solamente a la *primera persona de singular del presente de indicativo,* sigue la misma en *todo* el presente de subjuntivo e imperativo, menos en las segundas personas de éste; por ejemplo: el verbo *conducir.* Pero si la irregularidad afecta a *todas las personas de singular* y a la *tercera de plural,* tendrán *sólo* esta irregularidad *las mismas personas* en el subjuntivo e imperativo; por ejemplo: el verbo *contar.*

2a. Si el *pretérito de indicativo* fuese tan sólo irregular en *las dos terceras personas,* tendrán esta irregularidad no sólo todas las personas de sus derivados, sino también la primera y segunda personas de plural del *presente de subjuntivo,* primera de plural de *imperativo,* el *gerundio* y el *participio activo;* por ejemplo: el verbo *dormir.*

Ejercicios de Aplicación

92• **1o.** *Subrayar los verbos de irregularidad aparente u ortográfica.* **2o.** *Conjugar dichos verbos en los tiempos en que tienen variación.*

Deber, marcar, delinquir, vencer, dimitir, sumergir, cascar, proteger, pagar, creer, pegar, alargar, azotar, arredrar, merecer, apagar, reducir, indagar, rezar, trabajar, averiguar y rozar.

93• *Señalar el tiempo primitivo o derivado en que se encuentran los siguientes verbos:*

Yo escribo. • Él escribiera. • Ustedes anduvieron. • Tú estudiarás cuando Antonio vuelva. • Éste fue el primero. • Ellos han sido muy aplicados. • ¡Ojalá llueva! • Yo enseñaba a leer mientras tú jugabas. • Si no lloviera, saldríamos. • Después de estudiar jugarán. • Ven acá. • Ellos no vinieron, ni vendrán. • Los niños que no hacen su tarea, deberían reprobar. • Sal y dile que venga. • Si amásemos de veras la paz no haríamos guerras. • Mañana saldremos para Aguascalientes. • Tú comiste, mientras ellos trabajaron. • El internet es una herramienta de comunicación. • Es necesario que los jóvenes respeten a los ancianos.

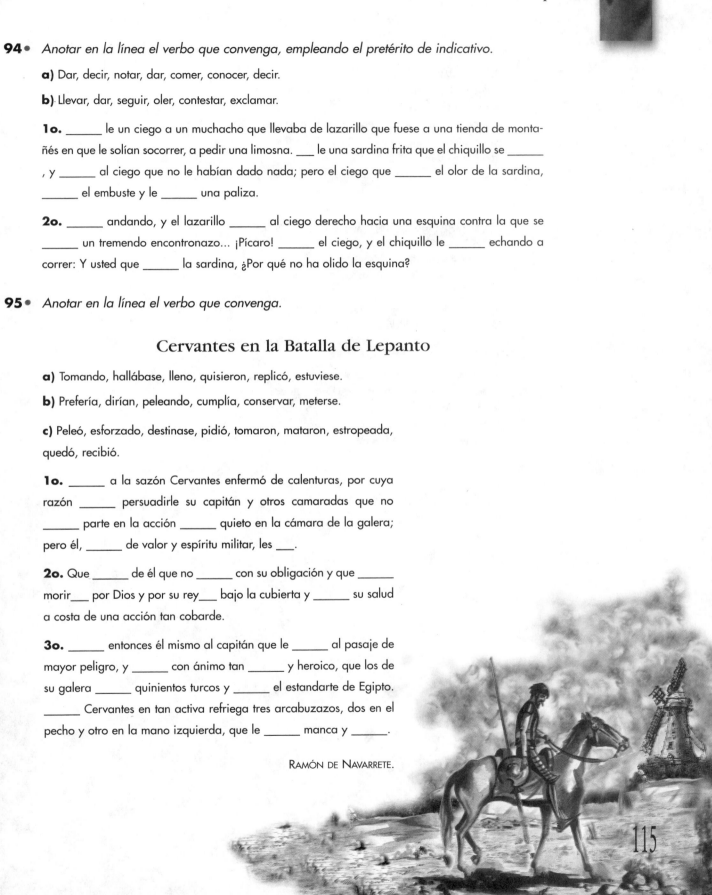

94• *Anotar en la línea el verbo que convenga, empleando el pretérito de indicativo.*

a) Dar, decir, notar, dar, comer, conocer, decir.

b) Llevar, dar, seguir, oler, contestar, exclamar.

1o. _____ le un ciego a un muchacho que llevaba de lazarillo que fuese a una tienda de monta-
ñés en que le solían socorrer, a pedir una limosna. ___ le una sardina frita que el chiquillo se _____
, y _____ al ciego que no le habían dado nada; pero el ciego que _____ el olor de la sardina,
_____ el embuste y le _____ una paliza.

2o. _____ andando, y el lazarillo _____ al ciego derecho hacia una esquina contra la que se
_____ un tremendo encontronazo... ¡Pícaro! _____ el ciego, y el chiquillo le _____ echando a
correr: Y usted que _____ la sardina, ¿Por qué no ha olido la esquina?

95• *Anotar en la línea el verbo que convenga.*

Cervantes en la Batalla de Lepanto

a) Tomando, hallábase, lleno, quisieron, replicó, estuviese.

b) Prefería, dirían, peleando, cumplía, conservar, meterse.

c) Peleó, esforzado, destinase, pidió, tomaron, mataron, estropeada,
quedó, recibió.

1o. _____ a la sazón Cervantes enfermó de calenturas, por cuya
razón _____ persuadirle su capitán y otros camaradas que no
_____ parte en la acción _____ quieto en la cámara de la galera;
pero él, _____ de valor y espíritu militar, les ___.

2o. Que _____ de él que no _____ con su obligación y que _____
morir___ por Dios y por su rey___ bajo la cubierta y _____ su salud
a costa de una acción tan cobarde.

3o. _____ entonces él mismo al capitán que le _____ al pasaje de
mayor peligro, y _____ con ánimo tan _____ y heroico, que los de
su galera _____ quinientos turcos y _____ el estandarte de Egipto.
_____ Cervantes en tan activa refriega tres arcabuzazos, dos en el
pecho y otro en la mano izquierda, que le _____ manca y _____.

RAMÓN DE NAVARRETE.

115

Donde Habite el Olvido

Donde habite el olvido,
en los vastos jardines sin aurora;
donde yo sólo sea
memoria de una piedra sepultada entre ortigas,
sobre la cual el viento escapa a sus insomnios.
Donde mi nombre deje
al cuerpo que designa en brazos de los siglos,
donde el deseo no exista.

En esa gran región donde el amor, ángel terrible,
no esconda como acero
en mi pecho su ala,
sonriendo lleno de gracia aérea mientras crece el tormento.

Allí donde termine este afán que exige un dueño a imagen suya,
sometiendo a otra vida su vida,
sin más horizonte que otros ojos frente a frente.

Donde penas y dichas no sean más que nombres,
cielo y tierra nativos en torno de un recuerdo;
donde al fin quede libre sin saberlo yo mismo,
disuelto en niebla, ausencia,
ausencia leve como carne de niño.

Allá, allá lejos;
donde habite el olvido.

LUIS CERNUDA. ESPAÑA.

Verbos de Irregularidad Común

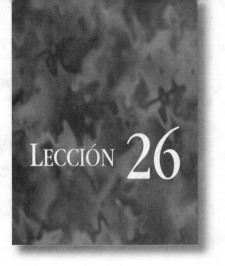

249. Hay dos clases de verbos irregulares: de *irregularidad común* y de *irregularidad especial* o *propia*.

Los verbos de **irregularidad común** pueden reducirse a cinco clases.

La Real Academia los divide en doce clases, las cuales están señaladas en el texto por cifras romanas estre paréntesis.

PRIMERA CLASE

250. Pertenecen a la 1a. clase (I) muchos verbos de la primera y segunda conjugación que tienen una *e* en la penúltima sílaba, y los de la tercera, como concernir y discernir, los cuales diptongan en **ie** dicha **e** en las personas en que es tónica, o sea en las de *singular* y *tercera de plural* del *presente de indicativo* y sus *derivados*; así:

Acertar

Presente de ind.	Acierto, aciertas, acierta ..., aciertan.
Presente de subj.	Acierte, aciertes, acierte ..., acierten.
Presente de imp.	Acierta tú ..., acierten ustedes.

Perder

Presente de ind.	Pierdo, pierdes, pierde ..., pierden.
Presente de subj.	Pierda, pierdas, pierda ..., pierdan.
Presente de imp.	Pierde tú ..., pierdan ustedes.

Discernir

Presente de ind.	Discierno, disciernes, discierne ..., disciernen.
Presente de subj.	Discierna, disciernas, discierna ..., disciernan.
Presente de imp.	discierne tú ..., disciernan ustedes.

Conjúganse como **acertar**: *alentar, apretar, acrecentar, arrendar, calentar, cegar, comenzar, confesar, quebrar, incensar, aterrar, invernar, herrar, temblar, sembrar, empedrar, segar, plegar,* etc.

El verbo *errar* cambia en **y** la **i** del diptongo **ie**; así, decimos: *yerro, yerras, yerres,* etc., por no haber dicción castellana que principie por *ie.* El verbo *aterrar,* en el sentido de causar espanto, es regular.

Se conjugan como **perder**: *entender, encender, ascender, descender, defender, atender, heder, hender, tender, extender, contender, trascender,* etc.

Los verbos compuestos tienen las mismas irregularidades que sus simples: así, *renegar, condescender,* etc., se conjugan como *negar,* y *descender,* respectivamente; sin embargo, *contentar, intentar,* son regulares, aunque no lo sea *tentar.* Asimismo *pretender* no tiene las irregularidades de *tender.*

251. Observaciones:

1a. Los verbos *servir* y todos los terminados en *-ebir, edir, -egir, eguir, -emir, -enchir, -endir, -estir* y *-etir,* como *concebir, pedir, regir, seguir, gemir, henchir, rendir, vestir* y *repetir* (VI) que tienen también una **e** en la penúltima sílaba, en vez de seguir la regla anterior, mudan en **i** dicha **e**, en los dos casos siguientes:

a) Siempre que sobre ella deba cargar el acento (o sea en las de *singular y tercera de plural* del *presente de indicativo y sus derivados*); y **b)** siempre que la terminación empiece por **a** o tenga diptongo (es decir, en *primera y segunda persona de plural* del *presente de subjuntivo, primera de plural de imperativo, terceras del pretérito de indicativo, todas* las del *pretérito y futuro de subjuntivo* y el *gerundio*). Ejemplo:

Pedir

Presente de ind.	Pido, pides, pide ..., piden.
Presente de subj.	Pida, pidas, pida, pidamos.., pidan.
Presente de imp.	Pide tú ..., pidan ustedes.
Pretérito de indic.	Pidió ..., pidieron.
Pretérito de subj.	Pidiera o pidiese, pidieras o pidieses, pidiera o pidiese, pidiéramos o pidiésemos ..., pidieran o pidiesen.
Futuro de subj.	Pidiere, pidieres, pidiere, pidiéremos ..., pidieren.
Gerundio	Pidiendo.

2a. Los verbos *hervir* y *rehervir* y todos los teminados en *-entir, -erir,* y *-ertir* como *sentir, herir* y *divertir* (VIII) al igual de los de la 1a. clase, refuerzan la **e** de la penúltima sílaba diptongándola en **ie**, siempre que sea tónica; y como los que han motivado la observación anterior, la debilitan en **i**, siempre que sea átona y la terminación empiece por **a** o por diptongo. Ejemplo:

Sentir

Presente de ind.	Siento, sientes, siente..., sienten.
Presente de subj.	Sienta, sientas, sienta, sintamos ..., sientan.

Presente de imp.	Siente tú, sienta él, sintamos nos ..., sientan ellos.
Pretérito de ind.	Sintió..., sintieron.
Pretérito de subj.	Sintiera o sintiese, sintieras o sintieses, etc.
Futuro de subj.	Sintiere, sintieres, sintiere, etc.
Gerundio	Sintiendo.

SEGUNDA CLASE

252. Corresponden a la *segunda clase* (II) muchos de los verbos de la 1a. y de la 2a. conjugación en cuya penúltima sílaba entra la **o**, la cual diptongan en **ue** en las mismas personas y en los mismos tiempos en que los de la 1a. clase diptongan la **e** en **ie**. Ejemplo:

Acordar

Presente de ind.	Acuerdo, acuerdas, acuerda..., acuerdan...
Presente de subj.	Acuerde, acuerdes, acuerde..., acuerden.
Presente de imp.	Acuerda tú ..., acuerden ustedes.

Admiten las irregularidades de **acordar**: *almorzar, aprobar, colar, contar, consolar, encontrar, engrosar, moblar, volcar, soldar, tostar, absolver, doler, morder, volver, torcer,* etc.

Los verbos *desosar* y *oler,* además de la irregularidad antes dicha, toman, por regla ortográfica, una **h** antes del diptongo **ue**; por ejemplo: deshueso, deshuesan; huele, huelen.

Los verbos *abrogar, arrogar, interrogar, prorrogar* y *subrogar* no admiten las irregularidades de su simple *rogar.* Tampoco *destronar* y *entronar* se conjugan como *tronar,* pues no se forman de este verbo, sino del sustantivo *trono.*

253. Observación:

Los verbos *dormir* y *morir* (XI) tienen además otra irregularidad: debilitan la **o** en **u** siempre que sea átona y la terminación empiece por **a** o por diptongo. Ejemplo:

Dormir

Presente de ind.	Duermo, duermes, duerme..., duermen.
Presente de subj.	Duerma, duermas, duerma, durmamos, durmáis, duerman.
Presente de imp.	Duerme tú, duerman ustedes.
Pretérito de indic.	Durmió, durmieron.
Pretérito de subj.	Durmiera o durmiese, etc.
Futuro de subj.	Durmiere, durmieres, durmiere, etc.
Gerundio	Durmiendo.
Participio	*Dormir* es regular: *dormido; morir* es irregular: *muerto.*

TERCERA CLASE

254. Pertenecen a la *tercera clase* (III) los terminados en *-acer, -ecer, -ocer* y *-ucir*, los cuales admiten una **z** antes de la **c** radical, siempre que ésta tenga sonido fuerte, o sea en la primera persona de singular del *presente de indicativo* y *derivados*, como *nacer, crecer, conocer, lucir*. Exceptuándose *mecer* y *remecer*, que son regulares; *hacer* y sus compuestos, de irregularidad propia; *placer, yacer, cocer, escocer* y los terminados en *ducir*, que tienen otras irregularidades.

El verbo *cocer* hace en indicativo presente: *cuezo, cueces, cuece..., cuecen*; en subjuntivo presente: *cueza, cuezas, cueza, cozamos, cozáis, cuezan*, y en imperativo: *cuece tú, cuezan ustedes*.

Nacer

Presente de ind.	Nazco.
Presente de subj.	Nazca, nazcas, nazca, nazcamos, etc.
Presente de imp.	Nace *tú* ..., nazcan ustedes.

Admiten las irregularidades de **nacer**: *complacer, pacer, aborrecer, apetecer, agradecer, compadecer, merecer, obedecer, palidecer, perecer, pertenecer, conocer, desconocer, lucir, relucir*, etc.

255. Observación:

Los verbos en *-ducir* (IV), a más de la irregularidad anterior, convierten la **c** en **j** en el *pretérito de indicativo* y sus *derivados*, y carecen de la **i** en las terminaciones regulares: *condujera* y no *conduciera*; además en la primera y tercera persona de singular del pretérito de indicativo tienen las terminaciones **e, o** inacentuadas, en vez de las regulares **í, ió** agudas. Ejemplo:

Conducir

Presente de ind.	Conduzco.
Presente de subj.	Conduzca, conduzcas, conduzca, conduzcamos, conduzcáis, conduzcan.
Presente de imp.	Conduzca él ..., conduzcan ustedes.
Pretérito de indic.	Conduje, condujiste, condujo, condujimos, condujisteis, condujeron.
Pretérito de subj.	Condujera o condujese, etc.
Futuro de subj	Condujere, condujeres, condujere, etc.

CUARTA CLASE

256. Corresponden a la *cuarta clase* (X) los acabados en *-uir*, menos *inmiscuir*, que reciben una **y** después de la **u** ante las vocales **a, e, o** de las terminaciones, o sea en las personas de singular y tercera del plural del *presente de indicativo* y sus *derivados*.

Además, en las terceras personas del *pretérito indefinido* y sus *derivados*, cambian en **y** la **i** de sus terminaciones, lo cual no constituye irregularidad. Ejemplo:

Huir

Presente de ind.	Huyo, huyes, huye..., huyen
Presente de subj.	Huya, huyas, huya, huyamos ..., huyan.
Presente de imp.	Huye tú ..., huyan ustedes.

Se conjugan como huir: *argüir, atribuir, concluir, construir, destruir, disminuir, retribuir, restituir.*

Observación: Delante de la **y**, la *u* de *argüir* pierde su diéresis; por ejemplo: *arguyo, arguyes,* etc.

QUINTA CLASE

257. Los verbos teminados en *-añer, -iñir, -uñir, -eller, -ullir* (V), ofrecen la irregularidad de no tomar la **i** de las terminaciones de la conjugación regular de las terceras personas del *pretérito de indicativo* y en sus *derivados*, así:

Tañer

Pretérito de ind.	Tañó..., tañeron.
Pretérito de subj.	Tañera o tañese, tañeras o tañeses, etc.
Futuro de subj.	Tañere, tañeres, tañere, etc.
Gerundio	Tañendo.

Pertenecen a esta clase: *tañer, retiñir, muñir, bruñir, empeller, bullir, engullir, escabullirse, mullir, tullirse,* etc.

258. Observaciones: 1o. La Real Academia considera los verbos terminados en *-eír* y *-eñir,* como *reír, ceñir, teñir, reñir,* etc., de la VII clase; tales verbos tienen la misma irregularidad que los anteriores, y además cambian en **i** la **e** de la raíz en el *presente de indicativo* y terceras personas del *pretérito de indicativo* y sus *derivados*.

2o. Asimismo considera de la IX clase el verbo *jugar* y los terminados en *-irir,* como *adquirir,* los cuales tienen, el primero **ue** en vez de **u**, y los segundos **ie** en vez de **i**, cuando el acento carga en la penúltima sílaba, o sea en el *presente de indicativo* y sus *derivados*.

3o. Finalmente, constituyen la XII clase de la Real Academia, los verbos *valer* y *salir,* cuya conjugación damos en la siguiente lección.

Ejercicios de Aplicación

96. *Conjugar los verbos siguientes en los tiempos irregulares:*

Confesar	Concluir	Herrar	Convertir
Seguir	Teñir	Errar	Agradecer
Mover	Jugar	Atender	Reducir
Lucir	Consolar	Regir	Morir

122

97 • *Reemplace los infinitivos por los tiempos que convengan:*

Los garbanzos de mi tierra *ser* buenos y sé *cocer* bien. • Si el hecho *ser* cierto, lo *sentir* mucho. • Cuando más *calentar* el sol, *acertar* a pasar la comitiva. • Los alumnos que *oír* atentos la explicación del profesor, *entender* la lección. • El reo se *confesar* y el sacerdote lo *absolver* de todos sus pecados. • El ambicioso se *atribuir* lo que no *ser* suyo. • El goloso *engullir* sin *mirar* por los otros. • Hernán Cortés al llegar a México *mandar* quemar sus naves, para no *poder volver*, y *estar* obligados a *vencer* o *morir*. • El ladrón *huir* y nadie le *dar* alcance.

Quien *sembrar* vientos, *recoger* tempestades. • Quien *cocer* y *amasar*, de todo *pasar*. • Quien *vestirse* de mal paño, dos veces *vestirse* al año. • Más *valer* un toma que dos te *dar*. • Sardina que *llevar* el gato, tarde o nunca, *volver* al plato. • *Dormir*, Juan y *yacer*, que tu asno *pacer*.

ANÁLISIS:

Purificad el templo de vuestra alma si queréis que el ángel de los nobles sentimientos se digne descender a ella.

Setenta Balcones y Ninguna Flor

Setenta balcones hay en esta casa,
Setenta balcones y ninguna flor...
¿A sus habitantes, Señor, qué les pasa?
¿Odian el perfume, odian el color?
La piedra desnuda de tristeza agobia,
¡Dan una tristeza los negros balcones!
¿No hay en esta casa una niña novia?
¿No hay ningún poeta bobo de ilusiones?
¿Ninguno desea ver tras los cristales
una diminuta copia de jardín?
¿En la piedra blanca trepar los rosales,
en los hierros negros abrirse un jazmín?
Si no aman las plantas no amarán el ave,
no sabrán de música, de rimas de amor.
Nunca se oirá un beso, jamás se oirá una clave...
¡Setenta balcones y ninguna flor!

BALDOMERO FERNÁNDEZ MORENO. ARGENTINA.

Verbos de Irregularidad Propia

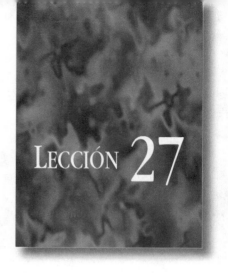

259. Los verbos de **irregularidad propia** o **especial**, en número de veinticuatro, son los siguientes: *dar, andar, estar, caber, caer, haber, hacer, poder, poner, querer, saber, ser, tener, traer, valer, ver, yacer, asir, decir, ir, oír, salir, venir y erguir.*

Su conjugación es como sigue[1]:

260.

	Dar
Presente de ind.	Doy
Pretérito de indic.	Di, diste, dio, dimos ..., dieron
Pretérito de subj.	Diera o diese, dieras o dieses, etc.
Futuro de subj.	Diere, dieres, diere, diéremos, etc.

La 1a. persona del presente de indicativo es irregular por tomar una *y*.

Las personas del pretérito de indicativo y derivados son irregulares por tomar las terminaciones propias de la 2a. y 3a. conjugación, en vez de tomar las de la 1a.

Sumario. 259. Verbos de irregularidad propia. 260 a 280. Conjugación de *dar, andar, saber, caber, poder, poner, tener,* etc.

261.

	Andar
Pretérito de ind.	Anduve, anduviste, anduvo , anduvimos, anduvisteis, anduvieron.
Pretérito de subj.	Anduviera o anduviese, anduvieras o anduvieses, etc.
Futuro de subj.	Anduviere, anduvieres, anduviere, etcétera.

Si bien se examina, las formas irregulares de este verbo se componen de *andar* y *haber:* anduve, proviene de *andar hube,* suprimiendo la terminación *ar* de andar, la *h* de haber (que antiguamente no se ponía) y cambiando la *b* en *v: anduviera,* de *andar hubiera,* etc.

Lo mismo se conjuga su compuesto des*andar.*

---

1. Anotamos tan sólo las personas que tienen alguna irregularidad.

Emilio Marín

262.

Saber

Presente de ind.	Sé...
Presente de subj.	Sepa, sepas, sepa, sepamos ..., sepan.
Imperativo	Sabe tú ..., sepan ustedes.
Pretérito de indic.	Supe, supiste, supo, supimos ..., supieron.
Pretérito de subj.	Supiera o supiese, supieras o supieses, etc.
Futuro de subj.	Supiere, supieres, supiere, etc.
Futuro de ind.	Sabré, sabrás, sabrá, sabremos ..., sabrán.
Pospretérito de ind.	Sabría, sabrías, sabría, etc.

En la 1a. persona de singular del presente de indicativo, la raíz *sab* pierde las letras *a* y *b*, la terminación en vez de ser *o*, es *é*. En los derivados de este tiempo la irregularidad consiste en cambiar la *a* y la *b* radicales por *ep*.

En el pretérito de indicativo y sus derivados la *a* y la *b* radicales se cambian en *u* y *p*. La 1a. y 3a. personas del singular del pretérito de indicativo tienen también irregular la terminación: la primera persona toma una *e* en vez de *i*, y la tercera, *o* en lugar de *ió*.

Esta misma irregularidad tienen los verbos *caber, poder, poner, tener, venir, traer, decir, hacer* y *querer*.

Las formas del futuro de indicativo y su derivado dejan de tomar la *e* inicial en las terminaciones regulares: *sab-ré, sab-ría*, en vez de *saberé, sabería*.

Los verbos *caber* y *poder* tienen esta misma irregularidad.

263.

Caber

Presente de ind.	Quepo...
Presente de subj.	Quepa, quepas, quepa, quepamos ..., quepan.
Imperativo	Cabe tú ..., quepan ustedes.
Pretérito de indic.	Cupe, cupiste, cupo, cupimos ..., cupieron.
Pretérito de subj.	Cupiera o cupiese, cupieras o cupieses, etc.
Futuro de subj.	Cupiere, cupieres, cupiere, etc.
Futuro de ind.	Cabré, cabrás, cabrá, cabremos ..., cabrán, etc.
Pospretérito de ind.	Cabría, cabrías, cabría, etc.

Si la 1a. persona del presente de indicativo fuera regular, se diría *yo cab-o*. Toda la irregularidad está en la raíz, la *a* se cambia en *e* y la *b* en *p*. (Para conservar el sonido fuerte de la *c* y no por irregularidad, se pone *qu* en vez de *c*, siempre que después viene una *e*).

La irregularidad del pretérito de indicativo y sus derivados está en la raíz: la *a* se cambia en *u*, la *b* en *p*.

264.

Poder

Presente de ind.	Puedo, puedes, puede ..., pueden.
Presente de subj.	Pueda, puedas, pueda ..., puedan.
Imperativo	Puede tú ..., puedan ustedes.
Pretérito de indic.	Pude, pudiste, pudo, pudimos ..., pudieron.
Pretérito de subj.	Pudiera o pudiese, pudieras o pudieses, etc.
Futuro de subj.	Pudiere, pudieres, pudiere, etc.
Futuro de ind.	Podré, podrás, podrá, podremos ..., podrán.
Pospret. de ind.	Podría, podrías, podría, etc.
Gerundio	Pudiendo.

La irregularidad de las tres personas de singular y la 3a. de plural del presente de indicativo y sus derivados consiste en diptongar la *o* radical en *ue*.

En el pretérito de indicativo y sus derivados la irregularidad consiste en debilitar la *o radical* en *u*.

265.

Poner

Presente de ind.	Pongo...
Presente de subj.	Ponga, pongas, ponga, pongamos ..., pongan
Imperativo	Pon tú ..., pongan ustedes.
Pretérito de indic.	Puse, pusiste, puso, pusimos ..., pusieron.
Pretérito de subj.	Pusiera o pusiese, pusieras o pusieses, etc.
Futuro de subj.	Pusiere, pusieres, pusiere, etc.
Futuro de ind.	Pondré, pondrás, pondrá, pondremos ..., pondrán
Pospret. de ind.	Pondría, pondrías, pondría, etc.

La irregularidad en la 1a. persona del presente de indicativo y sus derivados, consiste en tomar una *g* después de la *n* radical. En la 2a. persona de singular del imperativo no toma la terminación regular *e*.

Las formas del pretérito de indicativo y sus derivados son irregulares por trocar la *o* y la *n* de la raíz en *u* y en *s*, respectivamente.

Las formas del futuro de indicativo y su derivado toman una *d* en vez de la *e* inicial de las terminaciones regulares: *pondré, pondría,* en vez de *poneré, ponería.*

Está misma irregularidad tienen los verbos *tener, valer, salir* y *venir.*

Los compuesto de *poner*: ante*poner,* com*poner,* de*poner,* etc., se conjugan de la misma manera.

Emilio Marín

266.

Tener

Presente de ind.	Tengo, tienes, tiene..., tienen.
Presente de subj.	Tenga, tengas, tenga, tengamos, tengáis, tengan.
Imperativo	Ten tú ..., tengan ustedes.
Pretérito de indic.	Tuve, tuviste, tuvo, tuvimos ..., tuvieron.
Pretérito de subj.	Tuviera o tuviese, tuvieras o tuvieses, etc.
Futuro de subj.	Tuviere, tuvieres, tuviere, etc.
Futuro de indic.	Tendré, tendrás, tendrá, tendremos ..., tendrán.
Pospret. de indic.	Tendría, tendrías, tendría, etc.

En la 1a. persona de singular del presente de indicativo y sus derivados, la irregularidad consiste en tomar una *g* antes de la terminación. En las demás personas irregulares del presente de indicativo la *e* radical se diptonga en *ie*.

En el pretérito de indicativo y sus derivados la *e* y la *n* radicales se cambian en *u* y *v*, respectivamente.

Los compuestos de tener: *atenerse, contenerse, detenerse*, etc., se conjugan de la misma manera.

267.

Valer y salir

Presente de ind.	Valgo... Salgo...
Presente de subj.	Valga, valgas, valga, valgamos ..., valgan.
	Salga, salgas, salga, salgamos ..., salgan.
Imperativo	Val o vale tú ..., valgan ustedes.
	Sal tú ..., salgan ustedes.
Futuro de ind.	Valdré, valdrás, valdrá, valdremos ..., valdrán.
	Saldré, saldrás, saldrá, saldremos ..., saldrán.
Pospretérito	Valdría, valdrías, valdría, etc.
	Saldría, saldrías, saldría, etc.

Estos dos verbos y sus compuestos constituyen la 12a. clase de verbos irregulares de la Real Academia.

En la 1a. persona de singular del presente de indicativo y derivados se agrega una *g* antes de la terminación.

268.

Venir

Presente de ind.	Vengo, vienes, viene..., vienen.
Presente de subj.	Venga, vengas, venga, vengamos, vengáis, vengan.
Imperativo	Ven tú ..., vengan ustedes.
Pretérito de indic.	Vine, viniste, vino, vinimos, vinisteis, etc.
Pretérito de subj.	Viniera o viniese, vinieras o vinieses, etc.
Futuro de subj.	Viniere, vinieres, viniere, etc.
Futuro de ind.	Vendré, vendrás, vendrá, vendremos, vendréis, vendrán.
Pospret. de ind.	Vendría, vendrías, vendría, etc.
Gerundio	Viniendo.

En la 1a. persona de singular del presente de indicativo y derivados, la irregularidad consiste en tomar una *g* antes de la terminación. En las demás personas del presente de indicativo en que este verbo es irregular, diptonga en *ie* la *e* radical.

En las formas del pretérito de indicativo y sus derivados la *e* radical se cambia en *i*.

Los compuestos de venir: a*venir, con*venir, inter*venir,* etc., se conjugan de la misma manera.

269.

Caer

Presente de ind.	Caigo.
Presente de subj.	Caiga, caigas, caiga, caigamos, caigáis, caigan.
Imperativo	Cae tú ..., caigan ustedes.

En la 1a. persona de singular del presente de indicativo y derivados, este verbo y el siguiente, *traer,* toman una *i* y una *g* después de la *a* radical.

270.

Traer

Presente de ind.	Traigo...
Presente de subj.	Traiga, traigas, traiga, traigamos ..., traigan.
Imperativo	Trae tú..., traigan ustedes.
Pretérito de indic.	Traje, trajiste, trajo, trajimos ..., etc.
Pretérito de subj.	Trajera o trajese, trajeras o trajeses, etc.
Futuro de subj.	Trajere, trajeres, trajere, etc.

En la 1a. persona de singular del presente de indicativo y sus derivados, este verbo toma una *i* y una *g* después de la *a* radical.

127

Emilio Marín

En las formas del pretérito de indicativo y sus derivados se introduce una *j* después de la *a* radical y no tienen la *i* inicial de las terminaciones regulares.

271.

Decir

Presente de ind.	Digo, dices, dice..., dicen.
Presente de subj.	Diga, digas, diga, digamos, digáis, digan.
Imperativo	Di tú ..., digan ustedes.
Pretérito de indic.	Dije, dijiste, dijo, dijimos ..., dijeron.
Pretérito de subj.	Dijera o dijese, dijeras o dijeses, etc.
Futuro de subj.	Dijere, dijeres, dijere, etc.
Futuro de ind.	Diré, dirás, dirá, diremos ..., dirán.
Pospret. de ind.	Diría, dirías, diría, etc.
Gerundio	Diciendo.
Participio	Dicho.

En la 1a. persona de singular del presente de indicativo y sus derivados, la irregularidad consiste en cambiar las radicales *e* y *c* en *i* y *g*. Las demás personas que son irregulares en este tiempo primitivo solamente debilitan la *e* radical en *i*. La 2a. persona de singular del imperativo debilita también la *e* en *i*, y deja de tomar la *c* radical y la terminación regular *e*, que le correspondería.

En las formas del pretérito de indicativo y sus derivados las radicales *e* y *c* se cambian en *i* y *j*, y no toman la *i* inicial en las terminaciones regulares.

Las formas del futuro de indicativo y sus derivados cambian la *e* radical en *i*, pierden la *c* radical y no toman la *i* inicial de las terminaciones regulares: *diré, diría*, en vez de *deciré, deciría*.

Los compuestos de decir: ben*decir,* contra*decir,* mal*decir,* etc., tienen las mismas irregularidades, excepto en el futuro imperfecto de indicativo y su derivado, que son regulares. También se exceptúa la 2a. persona de singular de imperativo: *bendice* tú.

272.

Oír

Presente de ind.	Oigo, oyes, oye..., oyen.
Presente de subj.	Oiga, oigas, oiga, oigamos ..., oigan.
Imperativo	Oye tú ..., oigan ustedes.

En la 1a. persona de singular del presente de indicativo y sus derivados, la irregularidad consiste en tomar, después de la o radical, una *i* y una *g* delante de *o, a*.

En las personas del pretérito de indicativo y sus derivados, el cambio de la *i* inicial de las terminaciones regulares por *y*, no constituye irregularidad.

Los compuestos de oír: *desoír, entreoír,* etc., se conjugan de la misma manera.

273.

Yacer

Presente de ind.	Yazco, yazgo o yago...
Presente de subj.	Yazca, yazga o yaga, yazcas, yazgas o yagas, yazca, yazga o yaga, etc.
Imperativo	Yace o yaz tú..., yazgan o yazcan ustedes.

Este verbo, en los tiempos en los que es irregular, se conjuga de tres maneras distintas y participa de las irregularidades de *nacer,* de *hacer,* y de ambos a la vez. Tomando una *z* antes de la *c* radical: *yazco,* se conjuga como *nacer* (*nazco*); cambiando la *c* en *g*, se asimila al verbo *hacer: yago* (*hago*); y admitiendo una *z* antes de la *c* radical, y trocando esta última letra en *g: yazgo,* participa a la vez de la irregularidad de los dos verbos.

274.

Hacer

Presente de ind.	Hago...
Presente de subj.	Haga, hagas, haga, hagamos..., hagan.
Imperativo	Haz tú..., hagan ustedes.
Pretérito de indic.	Hice, hiciste, hizo, hicimos..., hicieron.
Pretérito de subj.	Hiciera o hiciese, hicieras o hicieses, etc.
Futuro de subj.	Hiciere, hicieres, hiciere, etc.
Futuro de ind.	Haré, harás, hará, haremos..., harán.
Pospretérito	Haría, harías, haría, etc.
Participio	Hecho.

La irregularidad de este verbo en la 1a. persona del presente de indicativo y sus derivados consiste en trocar la *c* radical en *g*. La 2a. persona de singular de imperativo no es irregular por tomar una *z* en vez de *c,* sino por dejar de tomar la terminación *e*.

Las personas del pretérito de indicativo y de sus derivados son irregulares, por trocar la *a* radical en *i*. La *z* de la tercera persona de singular sirve únicamente para conservar el sonido suave de la *c;* no es irregularidad.

En las formas del futuro de indicativo y de su derivado, la irregularidad consiste en dejar de tomar la *c* radical y la *e* inicial de las terminaciones: *ha-ré,* en vez de *haceré,* etc.

Los compuestos de *hacer:* contra*hacer,* des*hacer,* satis*facer,* etc., siguen las mismas irregularidades. *Satisfacer,* tiene dos formas en la segunda persona de singular del imperativo: *satisfaz* y *satisface.*

Es, pues, incorrecto decir satisfaciera, satisfaciese..., satisfaciere..., en vez de satisficiera, satisfi-ciese..., satisficiere.

275.

Asir

Presente de ind.	Asgo
Presente de subj.	Asga, asgas, asga, asgamos..., asgan.
Imperativo	Asga él, asgamos nosotros..., asgan ellos.

La primera persona de singular del presente de indicativo y sus derivados que son de muy poco uso, toman una g después de la s radical.

Su compuesto desasir se conjuga lo mismo.

276.

Querer

Presente de ind.	Quiero, quieres, quiere..., quieren.
Presente de subj.	Quiera, quieras, quiera..., quieran.
Imperativo	Quiere tú ..., quieran ustedes.
Pretérito de indic.	Quise, quisiste, quiso, quisimos..., quisieron.
Pretérito de subj.	Quisiera o quisiese, quisieras o quisieses, quisiera o quisiese, etc.
Futuro de subj.	Quisiere, quisieres, quisiere, etc.
Futuro de ind.	Querré, querrás, querrá, querremos..., querrán.
Pospret. de ind.	Querría, querrías, querría, etc.

Este verbo, en el presente de indicativo y sus derivados, diptonga en algunas personas la e radical en ie.

En el pretérito de indicativo y sus derivados se cambia la e radical en i, y la r en s. En el futuro de indicativo y su derivado la irregularidad consiste en perder la e: quer-ré, en vez de quereré.

Los compuestos de querer: bienquerer y malquerer, se conjugan de la misma manera.

277.

Ir

Presente de ind.	Voy, vas, va, vamos..., van.
Presente de subj.	Vaya.
Imperativo	Ve tú..., vayan ustedes.
Pretérito de indic.	Fui, fuiste, fue, fuimos..., fueron.
Pretérito de subj.	Fuera o fuese, fueras o fueses, etc.
Futuro de subj.	Fuere, fueres, fuere, etc.
Copret. de indic.	Iba, ibas, iba, íbamos..., iban.

Todas las formas de este verbo deben considerarse como irregulares, pues en ningún tiempo ni persona pueden cumplirse las leyes de la derivación regular, por no constar el verbo *ir* sino de las dos letras que forman la terminación de los verbos de la 3a. conjugación.

Erguir

Presente de ind.	*I*rgo o *y*ergo, *i*rgues o *y*ergues, *i*rgue o *y*ergue..., *i*rguen o *y*erguen.
Presente de subj.	*I*rga o *y*erga, *i*rgas o *y*ergas, *i*rga o *y*erga, *i*rgamos o *y*ergamos, *i*rgáis o *y*ergáis, *i*rgan o *y*ergan.
Imperativo	*I*rgue o *y*ergue tú..., *i*rgan o *y*ergan ustedes.
Pretérito de indic.	Él *i*rguió..., ellos *i*rguieron.
Pretérito de subj.	*I*rguiera o *i*rguiese, *i*rguieras o *i*rguieses, etc.
Futuro de subj.	*I*rguiere, *i*rguieres, *i*rguiere, etc.
Gerundio	*I*rguiendo.

Este verbo, que algunos colocan entre los defectivos, lo conjuga la Academia en todos sus tiempos, teniendo en muchos de ellos dos formas distintas. En los tiempos en que la *e* radical se debilita en *i*, este verbo participa de las irregularidades de *pedir*; y cuando toma una *i* cambiada en *y* antes de la *e* radica, se asimila al verbo *sentir*.

279.

Ver

Presente de ind.	Veo, ves, ve, vemos..., ven.
Copret. de ind.	Veía, veías, veía, veíamos..., veían.
Presente de subj	Vea, veas, vea, veamos..., vean.
Imperativo	Ve tú..., vean ustedes.
Participio	Visto.

La irregularidad de este verbo consiste en tomar, en los tiempos aquí indicados, una *e* antes de las terminaciones regulares. Esta *e* era la letra radical en la forma anticuada *veer*, pero ha desaparecido en la moderna *ver*.

Haber, Ser, Estar

Vease la conjugación de estos verbos en las páginas 93, 125 y 126, respectivamente.

Ejercicios de Aplicación

98• *Conjugar los siguientes verbos en el pretérito de indicativo, pretérito de subjuntivo y presente de imperativo.*

Deponer, contrahacer, desdecir, recaer, desandar, malquerer, desasir.

99● *Poner en infinitivo, gerundio y participio* (**formas simples**) *los verbos que a continuación se expresan.*

Sale, vieron, escribiré, fueron de paseo, yacemos, anduvieron, irán, vio, sabremos, tendrán, vé y tráeme una flor, ve aquella flor, cabía, hizo, oímos, valía, bendijeron, desharemos, consentirá, contraponía.

100● *Anotar en la línea el verbo que convenga.*

a) Deben, dijo, preguntando, sean, lleguen, aprender, ser.

b) Cobrar, dejan, criados, tendrían.

c) Nacidos, son, traer, subido, pudiera, cansaran.

d) Incurrieres, dependas, des, perdona, ocultes, cuenta, ha visto.

e) Llegar, desespere, trae, cansado, tenga, verá.

f) Surge, muere, brota, viven, mueren, dicen.

1o. _____ Aristipo qué cosas _____ _____ los mancebos _____ : "Las que les _____ provechosas cuando _____ a _____ hombres."

ERASMO.

2o. Los cuerpos y aun los ánimos, enternecidos en delicadezas y regalos, _____ de _____ las fuerzas naturales que _____ si fuesen _____ en rudos y honestos ejercicios.

LUIS VIVES.

3o. Innumerables _____ aquellos que de baja estirpe _____ han _____ a la suma dignidad pontificia e imperatoria, y desta verdad te _____ _____ tantos ejemplos que te _____ .

CERVANTES.

4o. No _____ entrada a la primera falta, pero si en ella _____ , no la _____ a la persona de quien _____ , y confiésasela a Dios, porque Él no _____ lo que _____ sino lo que se le _____ .

J.M. VERGARA.

5o. Quién tan rastrera _____ la esperanza,

_____ _____ a tal estado,

Que, aunque _____ de sí más confianza,

Al fin _____ que en vano se ha _____ .

FERNANDO DE HERRERA.

60. De la flor que se _____

_____ semilla

Que de la muerte siempre

_____ la vida.

Por eso _____ :

Cuando los cuerpos _____

Las almas _____ .

DOLORES RODRÍGUEZ DE TIÓ.

101• *Poner los verbos en el tiempo que convenga.*

— Juanito, ¿*tener* padre?

— No, señor.

— ¿Y madre? —Tampoco

— ¿Quién te *traer* a Saltillo?

— Nadie... Yo me *venir* solo, *seguir* unos arrieros.

102• *Completar los refranes siguientes:*

Al ojo del amo...

Hombre prevenido vale...

El que tiene tienda...

El pan ajeno...

Obras son amores...

Piensa el ladrón que...

A palabras necias...

No por mucho madrugar...

Quien mucho abarca...

Del dicho al hecho...

Muerto el perro...

Lo mal ganado...

La cabra siempre...

A perro flaco...

Hasta los gatos...

A quien madruga...

ANÁLISIS:

Quien a buen árbol se arrima, buena sombra le cobija.

133

LECCIÓN 28

Verbos *Ser* y *Estar*

280. El verbo **ser** puede usarse:

1o. Como *copulativo*, y sólo hace referir el predicado al sujeto; por ejemplo: La música *es* un arte; el espacio *es* inmenso.

El verbo **ser** se usa como copulativo:

a) Cuando el predicado es un sustantivo o un infinitivo; por ejemplo: La música *es* un arte; Luis *es* pintor; eso *es* perder el tiempo.

b) Cuando el predicado es adjetivo calificativo y expresa una cualidad que concebimos permanente en el sujeto; por ejemplo: Dios *es* la verdad; la oveja *es* mansa; ese joven *es* cubano.

c) Cuando el predicado es un adjetivo determinativo, un pronombre posesivo o un sustantivo con la preposición *de*, siempre que esta locución sea equivalente a un adjetivo o a una expresión en que mentalmente suplimos un sustantivo o un adjetivo; por ejemplo: Su riqueza *es* mucha; las potencias del alma *son* tres; el cuaderno *es* mío; el reloj *es* de Juan (donde puede suplirse la palabra *propiedad*); estas uvas *son* de California (donde se sobreentiende el adjetivo *originarias*).

2o. Como *auxiliar*, y sirve para formar la voz pasiva de los verbos transitivos; por ejemplo: Dios *es* amado de los ángeles.

3o. Como *neutro*, y denota estado y acción, y equivale a *existir*. Sirva de ejemplo aquella expresión de Cervantes: No *fue* en el mundo tal señora. Lo que significa: No *existió* en el mundo tal señora.

4o. Como *unipersonal,* y se usa sólo en la tercera persona de singular de cada tiempo, sin sujeto expreso; por ejemplo: *Es* tarde, *era* de noche, *será* temprano.

281. El verbo **estar**, como *copulativo*, se diferencia del verbo *ser* en que la cualidad significada por el predicado sólo conviene al sujeto de un modo accidental y transitorio; así, decimos: El cielo *está* nublado; el agua *está* fría. Pero si la cualidad es permanente, decimos: El cielo *es* hermoso; el hielo *es* frío.

El verbo *ser* puede construirse indistintamente entre dos nombres, o entre un nombre y un adjetivo; el verbo *estar,* sólo entre un nombre y un adjetivo, nunca entre dos nombres; así diremos: Juan *es* médico, y no: Juan *está* médico.

También se usa el verbo *estar* entre un nombre y otro precedido de preposición; por ejemplo: Mi hermano *estaba* de pie a su lado; mi padre *estuvo* con calentura.

282. El verbo **estar** tiene carácter de *neutro* cuando se usa con la significación de *permanecer* o *hallarse en*; por ejemplo: *Estuve* en Puebla doce años; esto es: *permanecí* en Puebla. *Estaré* en Londres el 28 del corriente; que equivale a: Me *hallaré* en Londres.

283. El verbo **estar** seguido de *gerundio* tiene el mismo significado que el verbo del gerundio, en el tiempo en que está aquél; en tal caso, denota una acción que puede prolongarse durante cierto tiempo; por ejemplo: Estuve escribiendo, equivale a *escribí*; estaré estudiando, a *estudiaré*.

284. Según se deduce de su significado, no podemos valernos de tal forma para indicar acciones instantáneas. Así no podrá decirse: mi hermano *estuvo cayéndose*; sino que deberá decirse: mi hermano *se cayó*.

Ejercicios de Aplicación

103• *Hágase notar la diferencia que existe entre:*

Ser bueno y estar bueno.　　　　Ser claro y estar claro.

Ser callado y estar callado.　　　Ser verde y estar verde.

Ser perfecto y estar perfecto.　　Ser aplicado y estar aplicado.

Ser tranquilo y estar tranquilo.　Ser joven y estar joven.

Ser malo y estar malo.　　　　　Ser agrio y estar agrio.

Ser delicado y estar delicado.　　Ser serio y estar serio.

Ser sordo y estar sordo.　　　　Ser alegre y estar alegre.

Ser alto y estar alto.　　　　　　Ser empleado y estar empleado.

Ser de un parecer y estar de un parecer.　Ser triste y estar triste.

285• Conjugación del verbo *Ser.*

Verbo auxiliar **Ser**

MODO INDICATIVO		**MODO SUBJUNTIVO**	
Tiempos Simples	**Tiempos Compuestos**	**Tiempos Simples**	**Tiempos Compuestos**
Presente	*Antepresente*	*Presente*	*Antepresente*
Yo soy	He	Sea	Haya
Tú eres	Has	Seas	Hayas
Él es	Ha	Sea	Haya
Nos. somos	Hemos	Seamos	Hayamos
Uds. son	Han	Sean	Hayan
Ellos son	Han	Sean	Hayan
Pretérito	*Antepretérito*	*Pretérito 1a. f.*	*Antepret. 1a. f.*
Yo fui	Hube	Fuera	Hubiera
Tú fuiste	Hubiste	Fueras	Hubieras
Él fue	Hubo	Fuera	Hubiera

(Tiempos Compuestos: **sido**)

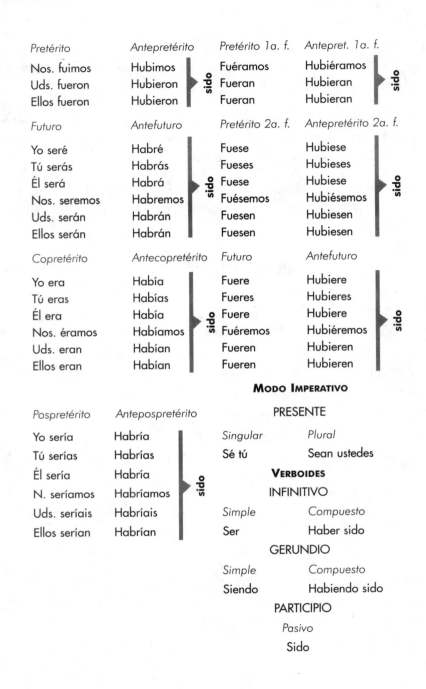

Pretérito	Antepretérito	Pretérito 1a. f.	Antepret. 1a. f.
Nos. fuimos	Hubimos	Fuéramos	Hubiéramos
Uds. fueron	Hubieron	Fueran	Hubieran
Ellos fueron	Hubieron	Fueran	Hubieran

(sido / sido)

Futuro	Antefuturo	Pretérito 2a. f.	Antepretérito 2a. f.
Yo seré	Habré	Fuese	Hubiese
Tú serás	Habrás	Fueses	Hubieses
Él será	Habrá	Fuese	Hubiese
Nos. seremos	Habremos	Fuésemos	Hubiésemos
Uds. serán	Habrán	Fuesen	Hubiesen
Ellos serán	Habrán	Fuesen	Hubiesen

(sido / sido)

Copretérito	Antecopretérito	Futuro	Antefuturo
Yo era	Había	Fuere	Hubiere
Tú eras	Habías	Fueres	Hubieres
Él era	Había	Fuere	Hubiere
Nos. éramos	Habíamos	Fuéremos	Hubiéremos
Uds. eran	Habían	Fueren	Hubieren
Ellos eran	Habían	Fueren	Hubieren

(sido / sido)

MODO IMPERATIVO

PRESENTE

Singular	Plural
Sé tú	Sean ustedes

Pospretérito	Antepospretérito
Yo sería	Habría
Tú serías	Habrías
Él sería	Habría
N. seríamos	Habríamos
Uds. seríais	Habríais
Ellos serían	Habrían

(sido)

VERBOIDES

INFINITIVO

Simple	Compuesto
Ser	Haber sido

GERUNDIO

Simple	Compuesto
Siendo	Habiendo sido

PARTICIPIO

Pasivo

Sido

286. Conjugación del verbo **Estar**.

VERBOIDES

FORMAS SIMPLES		FORMAS COMPUESTAS	
Infinitivo	Estar	Infinitivo	Haber estado
Gerundio	Estando	Gerundio	Habiendo Estado
Participio	Estado		

MODO INDICATIVO		**MODO SUBJUNTIVO**		
Presente	*Antepresente*	*Presente*	*Antepresente*	
Estoy	he estado	esté	haya	estado
estás	has estado	estés	hayas	estado
está	ha estado	esté	haya	estado
estamos	hemos estado	estemos	hayamos	estado
están	han estado	estén	hayan	estado
están	han estado	estén	hayan	estado
Pretérito	*Antepretérito*	*Pretérito 1a. f.*	*Antepret. 1a. f.*	
estuve	hube estado	estuviera	hubiera	estado
estuviste	hubiste estado	estuvieras	hubieras	estado
estuvo	hubo estado	estuviera	hubiera	estado
estuvimos	hubimos estado	estuviéramos	hubiéramos	estado
estuvieron	hubieron estado	estuvieran	hubieran	estado
estuvieron	hubieron estado	estuvieran	hubieran	estado
Futuro	*Antefuturo*	*Pretérito 2a. f.*	*Antepretérito 2a. f.*	
estaré	habré estado	estuviese	hubiese	estado
estarás	habrás estado	estuvieses	hubieses	estado
estará	habrá estado	estuviese	hubiese	estado
estaremos	habremos estado	estuviésemos	hubiésemos	estado
estarán	habrán estado	estuviesen	hubiesen	estado
estarán	habrán estado	estuviesen	hubiesen	estado
Copretérito	*Antecopretérito*	*Futuro*	*Antefuturo*	
estaba	había estado	estuviere	hubiere	estado
estabas	habías estado	estuvieres	hubieres	estado
estaba	había estado	estuviere	hubiere	estado
estábamos	habíamos estado	estuviéremos	hubiéremos	estado
estaban	habían estado	estuvieren	hubieren	estado
estaban	habían estado	estuvieren	hubieren	estado

VERBOIDES

Pospretérito	*Antepospretérito*		PRESENTE	
estaría	habría	estado	está	*tú*
estarías	habrías	estado	estén	*ustedes*
estaría	habría	estado		
estaríamos	habríamos	estado		
estarían	habrían	estado		
estarían	habrían	estado		

104• *Anotar en la línea la forma del verbo* **ser** *o* **estar** *que corresponda.*

Tu discurso _____ escrito en la frente: lo he leído antes de que hables.

MARCO AURELIO.

No hay cosa que _____ imposible al hombre trabajador.

A. DE BARROS.

No _____ grande quien no tuviere grande tolerancia.

P. NIEREMBERG.

El más poderoso hechizo para _____ amado, _____ amar.

GRACIÁN.

No _____ culpa de nuestra estrella, sino de nosotros mismos, el que _____ subalternos.

SHAKESPEARE.

Un genio _____ una fábrica, un erudito _____ un almacén.

BALMES.

En los peligros grandes, la osadía

Merece _____ de todos estimada;

El miedo _____ natural en el prudente

Y el saberlo vencer, _____ valiente.

ERCILLA.

La belleza, la gala y compostura

De toda la montaña _____ admirable;

La varia y hermosísima espesura

No puede _____ más linda y agradable:

La eterna y fertilísima verdura

_____ en extremo dulce y deleitable:

Hasta los riscos ásperos y yertos

_____ de flores y árboles cubiertos

CRISTÓBAL DE VIRUÉS. *EL MONSERRATE.*

105• *Anotar en la línea una forma de los verbos* **ser**, **estar** *y* **haber**, *y completar otros verbos como convenga.*

Carta del Padre Isla a su Cuñado

Zaragoza, 8 de febrero de 1757.

Amado hermano y amigo: _____ a los pies de la Vigen del Pilar desde el día 5; consentí morir hel _____, ahog _____ y ahorc _____ , porque _____ consultado para estos tres géneros de muerte. De todos me sac _____ Dios, pero conden _____ me al de las visitas, que no me sofoc _____menos. No me dej _____ respir _____, y en poco más de 24 horas _____ concurrido tanta gente, me parece el aposento y el colegio jubileo de la Porciúncula. Mantend_____ me en él hasta el lunes de carnestolendas, en que me retira _____ al hospital. En medio de todo, _____ tan robusto como si no _____ salido de mi *tabulino*. Aquí me esper _____ tu carta del día 29 del pas_____. Ya _____ dicho a la Virgen del Pilar todo lo que se me _____ ofrecido. Memorias a todos, oraciones de todos. Viv_____ como _____ menester. Tu amante hermano y amigo. JHS.

JOSÉ FRANCISCO DE ISLA.

139

LECCIÓN 29

Verbos Defectivos. Su Conjugación

287. **Verbos defectivos** *(288)* son los que carecen de algún tiempo o persona por rechazarlo su *estructura* o su *significado*.

Según esto, los verbos defectivos se dividen en defectivos por su *estructura* y defectivos por su *significado*.

288. Son defectivos por su *estructura* los que no se usan en ciertos tiempos o personas a causa del ingrato sonido que producirían; como resultaría si de *soler* usáramos *soleré, solerás*; de *abolir, abuelo, abueles...,* de *aguerrir, aguirro, aguirres...,* etc.

289. Entre otros, son de esta clase los siguientes:

Soler

Se usa en el *presente* y *copretérito* de indicativo y *presente* de subjuntivo: *suelo, sueles,* etc.; *solía, solías,* etc.; *suela, suelas,* etc.; también se emplean, aunque con menos frecuencia, el *pretérito de indicativo* y el *antepresente de indicativo: solí, soliste,* etc.; *he solido,* etc. El *infinitivo* presente no se emplea en el lenguaje, sólo sirve para nombrar el verbo.

Raer

Se usa en todas sus formas, excepto en la *primera* persona del *presente* de indicativo, y en todo el *presente* de subjuntivo. Sin embargo la Real Academia admite *raigo* y *rayo* en el indicativo, *raiga* y *raya* en el subjuntivo, siendo preferibles las formas *raigo* y *raiga* a las otras, *rayo* y *raya*, para que no haya confusión con el verbo *rayar*.

Roer, Loar, Incoar

El verbo *roer* hace *roo, roigo* o *royo*, en indicativo; *roa, roiga* o *roya; roas, roigas* o *royas,* etc., en subjuntivo, siendo preferible la primera forma. También usan las forma *loo, incoo,* de los verbos *loar* e *incoar*, escritores como Peñalver y Rengifo.

Placer

Aunque muchos lo consideran como defectivo, la Real Academia dice que se puede conjugar en todos sus modos, tiempos, números y personas como *complacer* y *desplacer*. En algunas terceras personas pueden tomar las raíces **pleg** o **plug**, particularmente cuando se emplea el verbo en construcción impersonal.

Presente de subj.	Plega, plegue o plazca.
Pretérito de ind.	Plugo o plació; pluguieron o placieron.
Pret. de subj.	Pluguiera o placiera; pluguiese o placiese.
Fut. de subj.	Pluguiere o placiere.

Abolir, Aguerrir, Arrecirse, Aterirse, Despavorir, Embair, Empedernir, Garantir, Manir

Estos verbos y quizá algunos más, se emplean sólo en las personas cuya desinencia comienza por *i*.

290. Son verbos defectivos por su *significado* los que no se pueden conjugar en todas las personas, por no permitirlo la idea se expresan dichos verbos; por ejemplo: *atañer, concernir.*

Atañer

Se emplea sólo en las terceras personas. Las más usadas son las del *presente* de indicativo: *atañe, atañen.*

Concernir

Se usa en las *terceras* personas del *presente* y *copretérito* de indicativo y *presente* de subjuntivo, en el *participio activo* y *gerundio: concierne, conciernen; concernía, concernían; concierna, conciernan; concerniente* y *concerniendo.*

Los verbos **unipersonales** también se pueden considerar como defectivos por su significado, ya que no se conjugan en todas las personas; por ejemplo: *amanecer, llover, se cuenta, dicen, hubo fiesta.* Sin embargo, en sentido figurado se usan en todas las personas, por ejemplo: Puede ser que *amanezcas* y no *anochezcas.*

Ejercicios de Aplicación

106• *Anotar en la línea uno de los verbos defectivos siguientes:* Atañer, abolir, raer, embair, arrecirse, garantir, soler, yacer, aterirse, empedernir.

_____ es preservar o proteger una cosa contra la acción de otra. • Se considera _____ una ley cuando, pasado mucho tiempo, se halla sin vigor y está olvidada. • _____ es embelesar, ofuscar, hacer creer lo que no es. • _____ es quitar, como cortando y raspando la superficie, pelos, barba, vello, etc., de una cosa.

Esas alabanzas y encarecimientos mejor le _____ y tocan a usted.

A la mañana amanecimos _____.

ESTEBANILLO GONZÁLEZ.

Estaba _____ en su rebeldía.

ALFONSO DE OVALLE.

Por lo general los hombres _____ ser juguetes de las circunstancias.

VALERA.

Aquí _____ un contador
Que jamás erró una cuenta...
A no ser a su favor,
Aquí _____ un cortesano
Que se quebró la cintura
Un día de besamanos.

MARTÍNEZ DE LA ROSA.

Grillos de escarcha y cárceles de hierro,
Tiranizaban la _____ España.

JÁUREGUI.

107• *¿Quién era para los antiguos griegos...*

el padre de los dioses?   la reina del Olimpo?
el dios del cielo?   la diosa de la sabiduría?
el dios de los infiernos?   la diosa de la belleza?
el dios del tiempo?   la diosa de la cacería?
el dios del fuego?   la diosa de la guerra?
el dios del sol y de la luz?   la diosa de la juventud?

ANÁLISIS:
La más bella diadema que puede orlar las sienes del hombre es la del sudor del trabajo.

Verbos Pronominales. Su Conjugación

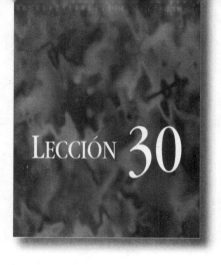

291. Los verbos **pronominales** *(299)* se dividen en *esencialmente pronominales* y *accidentalmente pronominales.*

292. Son **esencialmente pronominales**, los que no pueden conjugarse sin el concurso de dos pronombres personales, pues carecerían de sentido, como: *refugiarse, arrepentirse, quejarse, atenerse.* Así no puede decirse: *yo refugio, yo arrepiento,* **sino** *yo me refugio, yo me arrepiento.*

293. Son **accidentalmente pronominales**, los que se conjugan ya en forma *común,* ya en forma *pronominal,* **según sea su significación**; por ejemplo: *lavar;* **se puede decir:** *yo lavo* y *yo me lavo.*

294. Los verbos reflexivos y recíprocos *(176 y 177),* son verbos pronominales.

Los que no pueden dejar de ser reflexivos o recíprocos, son los llamados esencialmente pronominales; por ejemplo: *quejarse, cartearse.*

Los que pueden dejar de serlo son los accidentalmente pronominales; por ejemplo: *golpear* o *golpearse.*

FORMA COMÚN	FORMA PRONOMINAL
Luis *mató* un ave.	Judas se *mató* (refl.).
La madre *tutea* a sus hijos.	Los niños se *tutean* (recíp.).
Los niños *ríen* mucho.	Tú te *ríes* de todo.
El reo *confesó* su crimen.	Yo me *desayuno*[1].

---

1. Nótese que este verbo, según la Real Academia, es siempre nominal.

295. Modelo de verbo pronominal.

Arrepentirse

VERBOIDES

Formas simples			Formas compuestas		
Infinitivo	Arrepentirse		*Infinitivo*	Haberse	arrepentido
Gerundio	Arrepintiéndose		*Gerundio*	Habiéndose	arrepentido
Participio	Arrepentido				

MODO INDICATIVO

Presente

Yo	me	arrepiento
Tú	te	arrepientes
Él	se	arrepiente
Nos.	nos	arrepentimos
Vos.	os	arrepentís
Uds.	se	arrepienten
Ellos	se	arrepienten

Antepresente

Yo	me	he	arrepentido
Tú	te	has	arrepentido
Él	se	ha	arrepentido
Nos.	nos	hemos	arrepentido
Uds.	os	habéis	arrepentido
Uds.	se	han	arrepentido
Ellos	se	han	arrepentido

Pretérito

Yo	me	arrepentí
Tú	te	arrepentiste
Él	se	arrepintió
Nos.	nos	arrepentimos
Vos.	os	arrepentisteis
Uds.	se	arrepintieron
Ellos	se	arrepintieron

Antepretérito

Yo	me	hube	arrepentido
Tú	te	hubiste	arrepentido
Él	se	hubo	arrepentido
Nos.	nos	hubimos	arrepentido
Uds.	os	hubisteis	arrepentido
Uds.	se	hubieron	arrepentido
Ellos	se	hubieron	arrepentido

Futuro

Yo	me	arrepentiré
Tú	te	arrepentirás
Él	se	arrepentirá
Nos.	nos	arrepentiremos
Vos.	os	arrepentiréis
Uds.	se	arrepentirán
Ellos	se	arrepentirán

Antefuturo

Yo	me	habré	arrepentido
Tú	te	habrás	arrepentido
Él	se	habrá	arrepentido
Nos.	nos	habremos	arrepentido
Uds.	os	habréis	arrepentido
Uds.	se	habrán	arrepentido
Ellos	se	habrán	arrepentido

Copretérito

Yo	me	arrepentía
Tú	te	arrepentías
Él	se	arrepentía
Nos.	nos	arrepentíamos

Antecopretérito

Yo	me	había	arrepentido
Tú	te	habías	arrepentido
Él	se	había	arrepentido
Nos.	nos	habíamos	arrepentido

Copretérito

Vos.	os	arrepentíais
Uds.	se	arrepentían
Ellos	se	arrepentían

Antecopretérito

Uds.	os	habíais	arrepentido
Uds.	se	habían	arrepentido
Ellos	se	habían	arrepentido

Pospretérito

Yo	me	arrepentiría
Tú	te	arrepentirías
Él	se	arrepentiría
Nos.	nos	arrepentiríamos
Vos.	os	arrepentiríais
Uds.	se	arrepentirían
Ellos	se	arrepentirían

Antepospretérito

Yo	me	habría	arrepentido
Tú	te	habrías	arrepentido
Él	se	habría	arrepentido
Nos.	nos	habríamos	arrepentido
Uds.	os	habríais	arrepentido
Uds.	se	habrían	arrepentido
Ellos	se	habrían	arrepentido

MODO SUBJUNTIVO

Presente

Yo	me	arrepienta
Tú	te	arrepientas
Él	se	arrepienta
Nos.	nos	arrepintamos
Vos.	os	arrepintáis
Uds.	se	arrepientan
Ellos	se	arrepientan

Antepresente

Yo	me	haya	arrepentido
Tú	te	hayas	arrepentido
Él	se	haya	arrepentido
Nos.	nos	hayamos	arrepentido
Uds.	os	hayáis	arrepentido
Uds.	se	hayan	arrepentido
Ellos	se	hayan	arrepentido

Pretérito 1a. fa.

Yo	me	arrepintiera
Tú	te	arrepintieras
Él	se	arrepintiera
Nos.	nos	arrepintiéramos
Vos.	os	arrepentierais
Uds.	se	arrepientieran
Ellos	se	arrepientieran

Antepretérito 1a. fa.

Yo	me	hubiera	arrepentido
Tú	te	hubieras	arrepentido
Él	se	hubiera	arrepentido
Nos.	nos	hubiéramos	arrepentido
Vos.	os	hubierais	arrepentido
Uds.	se	hubieran	arrepentido
Ellos	se	hubieran	arrepentido

Pretérito 2a. fa.

Yo	me	arrepintiese
Tú	te	arrepintieses
Él	se	arrepintiese
Nos.	nos	arrepintiésemos
Vos.	os	arrepintieseis
Uds.	se	arrepintiesen
Ellos	se	arrepintiesen

Antepretérito 2a. fa.

Yo	me	hubiese	arrepentido
Tú	te	hubieses	arrepentido
Él	se	hubiese	arrepentido
Nos.	nos	hubiésemos	arrepentido
Vos.	os	hubieseis	arrepentido
Uds.	se	hubiesen	arrepentido
Ellos	se	hubiesen	arrepentido

145

Futuro			**Antefuturo**			
Yo	me	arrepintiere	*Yo*	me	hubiere	arrepentido
Tú	te	arrepintieres	*Tú*	te	hubieres	arrepentido
Él	se	arrepintiere	*Él*	se	hubiere	arrepentido
Nos.	nos	arrepintiéremos	*Nos.*	nos	hubiéremos	arrepentido
Vos.	os	arrepintiereis	*Vos.*	os	hubiereis	arrepentido
Uds.	se	arrepintieren	*Uds.*	se	hubieren	arrepentido
Ellos	se	arrepintieren	*Ellos*	se	hubieren	arrepentido

MODO IMPERATIVO

Presente

Arrepiéntete	*tú*
Arrepentíos	*vosotros*
Arrepiéntanse	*ustedes*

Ejercicios de Aplicación

108• *Entresacar los verbos pronominales e indicar su naturaleza.*

Aburrirse es fastidiarse, cansarse de alguna cosa, tomarle tedio. Enfurecerse es irritarse, entrar en furor. Corresponderse es atenderse y amarse recíprocamente. El éter se volatiliza. El agua y el fuego se repelen.

No trabes amistad con el hombre iracundo, ni te asocies jamás con los viciosos.

SALOMÓN.

No se mueve la hoja del árbol sin la voluntad de Dios.

CERVANTES.

El talento se cultiva en la soledad; el carácter se forma en las tempestuosas oleadas del mundo.

GOETHE.

Si en esto para el ocio y los regalos
Al trabajo me atengo y los palos.

SAMANIEGO.

Morirme será mejor
O ausentarse, de manera
Que por mi mano no muera.

LOPE DE VEGA.

146

109• *Conjugar los siguientes verbos, primero oralmente, y uno de ellos por escrito:*

Atenerse, quejarse, desprenderse, deshacerse, tutearse, deleitarse, reprenderse mutuamente.

Agonía Fuera del Muro

Miro las herramientas,
el mundo que los hombres hacen, donde se afanan,
sudan, paren, cohabitan.

El cuerpo de los hombres prensado por los días,
su noche de ronquido y de zarpazo
y las encrucijadas en que se reconocen.
Hay ceguera y el hambre los alumbra
y la necesidad, más dura que metales.

Sin orgullo (¿qué es el orgullo? ¿una vértebra
que todavía la especie no produce?)
Los hombres roban, mienten,
como animal de presa olfatean, devoran
y disputan a otro la carroña.

Y cuando bailan, cuando se deslizan
o cuando burlan una ley o cuando
se envilecen, sonríen,
entornan levemente los párpados, contemplan
el vacío que se abre en sus entrañas
y se entregan a un éxtasis vegetal, inhumano.

Yo soy de alguna orilla, de otra parte,
soy de los que no saben ni arrebatar ni dar,
gente a quien compartir es imposible.

No te acerques a mí, hombre que haces mundo,
déjame, no es preciso que me mates.
Yo soy de los que mueren solos, de los que mueren
de algo peor que la vergüenza.
Yo muero de mirarte y no entender.

ROSARIO CASTELLANOS. MÉXICO.

147

LECCIÓN 31

Conjugación Pasiva y Perifrástica

296. La **voz pasiva** de los verbos transitivos se forma con el tiempo correspondiente del verbo *ser* y el *participio pasivo* del verbo que se conjuga.

Así, por ejemplo, los verbos transitivos *amar* y *estimar* forman la voz pasiva con el auxilio del verbo *ser*; y se dice: *ser amado, ser estimado.*

Observación: Únicamente los verbos *transitivos,* o empleados como tales, pueden ponerse en la forma *pasiva.*

Según esto, una oración *transitiva* o *primera de activa,* que es aquella cuyo verbo transitivo tiene un término directo de la acción que expresa, puede convertirse en *primera de pasiva,* sin que cambie el sentido; por ejemplo: Colón *descubrió* un nuevo continente (oración transitiva); un nuevo continente *fue descubierto* por Colón (oración primera de pasiva). Del ejemplo se deduce la regla siguiente:

297. *Para convertir una primera de activa en primera de pasiva,* se pone por sujeto paciente (nominativo) el complemento directo (acusativo) de la activa, el verbo en voz pasiva concertando con él, y el sujeto de la activa se pone en ablativo con las preposiciones *por* o *de,* según los casos; por ejemplo:

Luis **estudia** *la lección* (oración primera de activa).

La lección **es estudiada** *por Luis* (oración primera de pasiva).

298. *Para convertir una oración de pasiva en transitiva* se sigue una marcha opuesta; es decir, se pone por sujeto el ablativo agente, el verbo en voz activa concertando con él, y el sujeto pasivo llega a ser complemento directo (acusativo); por ejemplo:

El mentiroso **es aborrecido** *de todos* (oración de pasiva).

Todos *aborrecen al mentiroso* (oración transitiva).

Cuando un verbo transitivo carece de sujeto determinado, al convertir la oración activa en pasiva, ésta carecerá, por la misma razón, de ablativo agente; por ejemplo: *Me aman* o *aman a mí* (oración transitiva). Yo *soy amado* (oración de pasiva).

Observación: Existe en nuestra lengua otra manera de volver una oración activa en pasiva sirviéndose del pronombre indefinido *se,* el cual desempeña únicamente el oficio de *signo de voz pasiva (146)*; **por ejemplo:** *Luis* estudia *la lección* (oración transitiva). *La lección* se estudia *por Luis* (oración de pasiva).

299. Se entiende por **conjugación perifrástica** una manera particular de conjugar un verbo, de modo que encierre al mismo tiempo la idea de obligación y mandato, por lo que se da también a esta conjugación el nombre de *tiempos de obligación.*

La conjugación perifrástica de un verbo consta de las partes siguientes: **1o.,** del tiempo correspondiente del verbo *haber* en forma simple; **2o.,** de la preposición *de;* **3o.,** de la *forma simple de infinitivo* del verbo que se conjuga, para los tiempos simples, y de la *forma compuesta de infinitivo* del mismo verbo para los tiempos compuestos; por ejemplo: *yo había de escribir; yo había de haber escrito.*

300. También se forma la conjugación perifrástica con el verbo *tener,* la conjugación *que* y la *forma simple o compuesta de infinitivo* del verbo que se conjuga; por ejemplo: *tengo que aprender; tenías que estudiar; teníamos que haber estudiado,* etc.

El verbo *tener* no se conjuga con la preposición *de* sino en 1a. persona de presente de indicativo y en tono de amenaza; por ejemplo: *tengo de avergonzarte.*

301. Conjugación del verbo **amar** en voz pasiva.

VERBOIDES

Formas Simples		**Formas Compuestas**	
Infinitivo	ser amado	*Infinitivo*	haber sido amado
Gerundio	siendo amado	*Gerundio*	habiendo sido amado
Participio	sido amado		

MODO INDICATIVO

Presente

Yo	soy	amado
Tú	eres	amado
Él	es	amado
Nos.	somos	amados
Vos.	sois	amados
Uds.	son	amados
Ellos	son	amados

Antepresente

Yo	he	sido	amado
Tú	has	sido	amado
Él	ha	sido	amado
Nos.	hemos	sido	amados
Vos.	habéis	sido	amados
Uds.	han	sido	amados
Ellos	han	sido	amados

Pretérito

Yo	fui	amado
Tú	fuiste	amado
Él	fue	amado
Nos.	fuimos	amados
Vos.	fuisteis	amados
Uds.	fueron	amados
Ellos	fueron	amados

Antepretérito

Yo	hube	sido	amado
Tú	hubiste	sido	amado
Él	hubo	sido	amado
Nos.	hubimos	sido	amados
Vos.	hubisteis	sido	amados
Uds.	hubieron	sido	amados
Ellos	hubieron	sido	amados

Futuro

Yo	seré	amado
Tú	serás	amado
Él	será	amado
Nos.	seremos	amados
Vos.	seréis	amados
Uds.	serán	amados
Ellos	serán	amados

Antefuturo

Yo	habré	sido	amado
Tú	habrás	sido	amado
Él	habrá	sido	amado
Nos.	habremos	sido	amados
Vos.	habréis	sido	amados
Uds.	habrán	sido	amados
Ellos	habrán	sido	amados

Copretérito

Yo	era	amado
Tú	eras	amado
Él	era	amado
Nos.	éramos	amados
Vos.	erais	amados
Uds.	eran	amados
Ellos	eran	amados

Antecopretérito

Yo	había	sido	amado
Tú	habías	sido	amado
Él	había	sido	amado
Nos.	habíamos	sido	amados
Vos.	habíais	sido	amados
Uds.	habían	sido	amados
Ellos	habían	sido	amados

Pospretérito

Yo	sería	amado
Tú	serías	amado
Él	sería	amado
Nos.	seríamos	amados
Vos.	seríais	amados
Uds.	serían	amados
Ellos	serían	amados

Antepospretérito

Yo	habría	sido	amado
Tú	habrías	sido	amado
Él	habría	sido	amado
Nos.	habríamos	sido	amados
Vos.	habríais	sido	amados
Uds.	habrían	sido	amados
Ellos	habrían	sido	amados

MODO SUBJUNTIVO

Presente

Yo	sea	amado
Tú	seas	amado
Él	sea	amado
Nos.	seamos	amados
Vos.	seáis	amados
Uds.	sean	amados
Ellos	sean	amados

Antepresente

Yo	haya	sido	amado
Tú	hayas	sido	amado
Él	haya	sido	amado
Nos.	hayamos	sido	amados
Vos.	hayáis	sido	amados
Uds.	hayan	sido	amados
Ellos	hayan	sido	amados

Pretérito 1a. fa.

Yo	fuera	amado
Tú	fueras	amado
Él	fuera	amado
Nos.	fuéramos	amados

Antepretérito 2a. fa.

Yo	hubiera	sido	amado
Tú	hubieras	sido	amado
Él	hubiera	sido	amado
Nos.	hubiéramos	sido	amados

Pretérito 1a. fa.

Vos.	fuerais	amados
Uds.	fueran	amados
Ellos	fueran	amados

Antepretérito 2a. fa.

Vos.	hubierais	sido	amados
Uds.	hubieran	sido	amados
Ellos	hubieran	sido	amados

Futuro

Yo	fuere	amado
Tú	fueres	amado
Él	fuere	amado
Nos.	fuéremos	amados
Vos.	fuereis	amados
Uds.	fueren	amados
Ellos	fueren	amados

Antefuturo

Yo	hubiere	sido	amado
Tú	hubieres	sido	amado
Él	hubiere	sido	amado
Nos.	hubiéremos	sido	amados
Vos.	hubiereis	sido	amados
Uds.	hubieren	sido	amados
Ellos	hubieren	sido	amados

MODO IMPERATIVO

Presente

Sé	tú	amado
Sed	vosotros	amados
Sean	Uds.	amados

Nota. Para la formación del femenino se dice : Yo soy amada, tú eres amada, ella es amada, nosotras somos amadas, ustedes son amadas, vosotras sois amadas, ellas son amadas, etc.

302. Conjugación del verbo **estudiar** en forma perifrástica.

Infinitivo	Simple	Haber de estudiar.
	Compuesto	Haber de haber estudiado.
Gerundio	Simple	Habiendo de estudiar.
	Compuesto	Habiendo de haber estudiado.
Participio	Carece.	
Indicativo	Presente	Yo **he de estudiar**, *tú* has de estudiar...
	Antepresente	Yo **he de haber estudiado**, *tú* has de haber estudiado...
	Pretérito	Yo **hube de estudiar**, *tú* hubiste de estudiar...
	Antepretérito	Yo **hube de haber estudiado**, *tú* hubiste de haber estudiado...
	Futuro	Yo **habré de estudiar**, *tú* habrás de estudiar...
	Antefuturo	Yo **habré de haber estudiado**, *tú* habrás de haber estudiado...
	Copretérito	Yo **había de estudiar**, *tú* habías de estudiar...
	Antecopretérito	Yo **había de haber estudiado**, *tú* habías de haber estudiado...
	Pospretérito	Yo **habría de estudiar**, *tú* habrías de estudiar...
	Antepospretérito	Yo **habría de haber estudiado**, *tú* habrías de haber estudiado...
Imperativo	Carece	

Emilio Marín

Subjuntivo	*Presente*	Yo haya de estudiar, *tú* hayas de estudiar...
	Antepresente	Yo haya de haber estudiado, *tú* hayas de haber estudiado...
	Pretérito	Yo hubiera o hubiese de estudiar...
	Antepretérito	Yo hubiera o hubiese de haber estudiado, *tú* hubieras o hubieses de haber estudiado...
	Futuro	Yo hubiere de estudiar, *tú* hubieres de ...
	Antefuturo	Yo hubiere de haber estudiado, *tú* hubieres de haber estudiado...

Ejercicios de Aplicación

110 • *Conjugar perifrásticamente las expresiones siguientes en los tiempos que indique el profesor.*

Haber de aplicarse en sus estudios. Tener que ganar el sustento. No haber de buscar malas compañías. Tener que ser reprendido.

111 • *Volver a pasivas las oraciones activas y por activas las pasivas.*

El gato caza los ratones. • El cultivador labraba su campo. • Las nubes están formadas por los vapores que se desprenden del mar. • El menor ruido alarma la conciencia culpable. • La sabiduría es alabada. • Ercilla escribió *La Araucana*. • El poema *Os Lusiadas* fue compuesto por Camoens.

Don Pelayo ganó la batalla de Covadonga en 716. • Orán fue conquistado por el cardenal Cisneros en 1,509. • Vasco de Gama dobló el Cabo de Buena Esperanza en 1497. • Juan Díaz de Solís descubrió el Río de la Plata en 1515; poco después fue asesinado por los indios del Uruguay • Hernán Cortés conquistó a México en 1521. • Lima fue fundada por Francisco Pizarro en 1535; Bogotá, por Gonzalo Jiménez de Quesada en 1538; Santiago de Chile, por Pedro Valdivia en 1541. • El mariscal Sucre fue asesinado en la montaña de Berruecos en 1829.

112 • *¿Qué vocablos corresponden a las expresiones siguientes?*

El voraz elemento.	El médico de las almas.
Las lágrimas de la aurora.	El discípulo de Baco.
La última morada.	El zorro del desierto.
La morada celestial.	Los hijos de Marte.
Lágrimas de cocodrilo.	El príncipe de ese reino.
La reina de las aves.	El ocaso de la vida.
La primavera de la vida.	El padre de la medicina.

ANÁLISIS:

Procure ser, en todo lo posible,
El que ha de reprender, irreprensible.

SAMANIEGO.

La Veleta y el Tiempo

— ¡Válgame Dios! — con razón
Dijo al viento la veleta —
¿Querrás dejarme estar quieta
En alguna posición?
Ora miro al Septentrión...
Al Sur hoy, si al Norte ayer...
— Así place a mi poder —
Repuso el viento ya dicho.

Quien obedece al capricho
Víctima suya ha de ser.

ALFONSO E. OLLERO.

El Sueño de la Inocencia

Soñé que comulgaba, que brumas espectrales
envolvían mi pueblo, y que Nuestra Señora
me miraba llorar y anegar su Santuario.

Tanto lloré, que al fin mi llanto rodó afuera
e hizo crecer las calles como en un temporal;
y los niños echaban sus barcos papeleros,
y mis paisanas, con la falda hasta el huesito,
según me dice la moda en la provincia,
cruzaban por mi llanto con vuelos insensibles,
y yo era ante la Virgen, cabizbaja y benévola,
el lago de las lágrimas y el río del respeto...

Casi no he despertado de aquella maravilla
que enlazara mis Últimos óleos con mi Bautismo;
un día quise ser feliz por el candor,
otro día, buscando mariposas de sangre,
mas revestido ya con la capa de polvo
de la santa experiencia, sé que mi corazón
hinchado de celestes y rojas utopías,
guarda aún su inocencia, su venero de luz:
¡el lago de las lágrimas y el río de respeto!

RAMÓN LÓPEZ VELARDE. MÉXICO.

153

Observaciones Acerca del Participio Pasivo

303. Los participios pasivos son *regulares* e *irregulares*. **Regulares** son los que tienen su terminación en *-ado* o en *-ido*, como: *pagado, leído, partido*; **irregulares**, los que terminan en *-to, -cho, -so*, como los siguientes: *abierto, cubierto, muerto, escrito, puesto, resuelto, visto, vuelto, dicho, hecho, impreso*, **y sus compuestos, como** *contrahecho, inscrito, depuesto, revuelto*, **etc., excepto** *bendecido* y *maldecido*.

304. Hay verbos que tienen dos participios pasivos, uno *regular* y otro *irregular*. Tales son:

Atender…	**Atendido**	**Atento**
Bendecir…	**Bendecido**	**Bendito**
Confesar…	**Confesado**	**Confeso**
Confundir…	**Confundido**	**Confuso**
Convertir…	**Convertido**	**Converso**
Despertar…	**Despertado**	**Despierto**
Excluir…	**Excluido**	**Excluso**
Elegir…	**Elegido**	**Electo**
Insertar…	**Insertado**	**Inserto**
Sujetar…	**Sujetado**	**Sujeto**
Suspender…	**Suspendido**	**Suspenso**
Sustituir…	**Sustituido**	**Sustituto**
Teñir…	**Teñido**	**Tinto**
Torcer…	**Torcido**	**Tuerto**

y muchos otros que enseñará la práctica.

305. Hay participios con terminación *pasiva* que tienen significación *activa* refiriéndose a persona, como:

Agradecido…	El que tiene gratitud.
Atrevido…	El que se atreve.
Callado…	El que se calla o sabe callar.
Descreído…	El que no cree.
Disimulado…	El que se disimula.
Fingido…	El que finge.
Porfiado…	El que acostumbra a porfiar.

Recatado...	El que tiene recato.
Resuelto...	El que obra con resolución.
Sentido...	El que se siente.
Valido...	El que tiene valimiento.

306. Se usa el **participio pasivo**:

1o. Como mero *adjetivo*, concertando en género y número con el sustantivo que acompaña; por ejemplo: hombre *atrevido*, fortuna *perdida*.

2o. Como *sustantivo*; por ejemplo: los *tejidos* eran finos; los *condenados* solicitaron el perdón.

3o. Unido al verbo *haber* para formar los tiempos compuestos, y en este caso siempre es invariable, por ejemplo: He *visitado* a Mérida; hemos *visitado* las mejores ciudades yucatecas.

Los participios pasivos irregulares, a excepción de *frito, preso, provisto* y *roto*, sólo se usan como adjetivos, y nunca en la formación de tiempos compuestos; así decimos: *he tenido, confesado, bendecido*, etc., y no *he atento, confeso, bendito*, etc.; en cambio, decimos: *he frito, preso, provisto* y *roto*, en vez de *he freído, prendido, proveído* y *rompido*.

4o. Con el verbo *ser* para formar la voz pasiva, admitiendo los mismos accidentes de género y número que el sujeto; otro tanto sucede cuando se junta con los verbos *dejar, estar, llevar, quedar, tener*, etc., por ejemplo: La lección fue *recitada* por el alumno; dejó *encomendada* mucha aplicación; tenía *sabidas* todas las reglas.

5o. En forma absoluta, es decir, equivaliendo a un ablativo absoluto o periodo compuesto, y en este caso admite accidentes; por ejemplo: *Escrita* la carta la llevé al correo; que equivale a: luego que escribí, o que hube escrito la carta, etc.

307. Al analizar el *participio* debe decirse:

1o. *La especie:* si es activo, pasivo, regular o irregular; **2o.** *la naturaleza:* el verbo de que se deriva y los accidentes que tenga; **3o.** *el oficio:* si es sustantivo, adjetivo o mero participio.

Ejemplo: El *escribiente* tiene *redactada* la carta que le había *pedido* el *sirviente*.

escribiente	part. act. del v. *escribir*, usado como sust. masc. sing.
redactada	part. pas. reg. de *redactar*, usado como adj. fem. s.
pedido	part. pas. reg. de *pedir*, usado como part. invariable.
sirviente	part. act. del verbo *servir*, usado como sust., masc. sing.

308. Para analizar el verbo se ha de indicar:

1o. *La persona:* si es de 1a., 2a., o 3a.

2o. *El número:* si está en singular o plural.

3o. *El tiempo:* presente, pretérito, etc.

4o. *El modo:* indicativo, potencial, subj., imperativo.

5o. *Su conjugación:* si es de la 1a., 2a. o 3a., y si es regular o irregular.

6o. *Su especie:* si es copulativo, predicativo, transitivo, intransitivo, pronominal, etc.

7o. *Su oficio:* un verbo en infinitivo puede ser sujeto, atributo y complemento.

Ejemplo: *Sigue* tu cuento, Sancho, *dijo* Don Quijote, y del camino que *hemos de seguir déjame* a mí el cuidado.

sigue	2a. persona del sing. del imp. del verbo *seguir;* 3a. conjugación, irregular, transitivo.
dijo	3a. pers. de sing. del pretérito (modo indic.) del verbo *decir;* 3a. conj., irregular, transitivo.
hemos de seguir	1a. pers. de plural del pres. de indicativo del verbo perifrástico *haber de seguir,* irregular, transitivo.
déjame	2a. pers. de sing. de imperativo del verbo *dejar;* 1a. conj.; regular, transitivo.

309. **Observación**: Los verbos *pronominales* se analizan con el pronombre que necesariamente los acompaña, para que no pierdan su naturaleza, cuidando de analizar, antes o después, dicho pronombre separado.

310. **Cuadro sinóptico del verbo**

EL VERBO SE DIVIDE

por su significación en:

Copulativo: Significa mera cópula o lazo de unión entre el predicado nominal y su sujeto.

Predicativo: Envuelve la idea de *cualidad o predicado.* Puede ser:

Transitivo: Si la acción que indica *recae en algo.* Se clasifica en:

Nominal: Si el complemento directo es un *nombre.*

Pronominal: Si el complemento directo es un *pronombre.* Puede ser:

Reflexivo: Si la acción *recae en el mismo sujeto que la ejecuta* (puede ser *esencial* o *accidentalmente* reflexivo).

Recíproco: Si la acción *la reciben mutuamente los mismos sujetos* que la ejecutan (casi todos los que son recíprocos lo son accidentalmente).

Intransitivo: Si la acción que se indica *se complementa en sí misma* y no recae en ninguna persona o cosa. Los intransitivos que indican estado, se llaman generalmente neutros.

por su conjugación en:

Completo: Se conjuga en *todos* los modos, tiempos, números y personas.

Defectivo: No se conjuga en todos los modos, tiempos, números y personas, puede serlo: Por su *significado*

Personal: Se conjuga en todas las personas.

Unipersonal: Se conjuga tan sólo en el infinitivo y en la tercera persona de singular de todos los tiempos. Es, al mismo tiempo, *defectivo* por su significado.

Regular: Si toma las terminaciones propias de la conjugación modelo, sin modificar la raíz.

Irregular: Si se aparta de la conjugación modelo, no tomando las terminaciones correspondientes o alterando la raíz. Puede ser: de irregularidad *común.* de irregularidad *propia.*

Ejercicios de Aplicación

113• *Distinguir los participios e indicar su naturaleza y el sentido en que están usados.*

Más vale un mal pintado que un buen empapelado. • El dicho no ha sido desmentido. • Pertenecemos al club militante. • He visto al preso convicto y confeso. • El lugar está todavía distante. • Las palabras concernientes a lo dicho. • Estaba inquieto porque no había escrito a su amigo, ni cumplido los encargos que le tenían hechos. • El escrito fue revisado por el escribiente antes de poner el "visto bueno". • El hombre obediente cantará victoria. • El herido ha sido curado; pero ¿cuándo fue herido? • Debemos ser amantes del deber. • Buscan al estudiante presunto autor del crimen cometido ayer. • Se ha puesto a sus órdenes incondicionalmente. • Por lo visto, no le ha gustado el puesto que ocupé. • Fue muerto por una corriente eléctrica. • Éste es el escribiente de mi tío. • A caballo regalado no se le ve el colmillo.

114• *Indicar el participio o participios pasivos de los verbos siguientes:*

Callar	Andar	Oprimir	Torcer
Abstraer	Ir	Pretender	Despertar
Contar	Fijar	Resolver	Poseer
Inscribir	Sepultar	Prender	Soltar
Conversar	Escribir	Recluir	Proveer
Hartar	Incluir	Freír	Teñir
Corregir	Juntar	Manifestar	Concluir
Difundir	Maldecir	Romper	Decir
Hacer	Morir	Enjugar	Salvar

115• *Anotar cuatro complementos directos a cada uno de los verbos que a continuación se expresan:*

Acabar	Leer	Respetar	Defender
Recibir	Poner	Pedir	Relatar
Esconder	Abrir	Oír	Seguir
Visitar	Arrastrar	Ver	Escribir

116• *Buscar un verbo derivado de cada una de las siguientes palabras:*

Europa	Aplauso	Ojo	Manso
Blanco	Completo	Competición	Negro
Agujero	Hambre	Lluvia	Fin
Verde	Dulce	América	Libertad
Pelea	Noche	Pintura	Voz
Grande	Suave	Fácil	Dictamen

117• *Completar los verbos.*

Influencia de la Música

Cuando, yen _____ por la calle, acert _____ a pas _____ una música militar, los pies sig _____ maquinalmente el ritmo de la composición musical; tenem _____ que hac _____ nos violencia a ten _____ que and _____ muy absortos y distraídos, para seg _____ un paso distinto del que señal _____ la música. Hasta el niño en los brazos de la niñera, sig _____ con los suyos tiernecitos, y con los ojos, y con el cuerpo, todo el movimiento del compás. La banda y la chiquillería, y la turba, y los soldados, y los caballos, todo parec _____ empuj _____ por una fuerza secreta que todo lo arrastr _____ , y todo sig _____ un concert _____ movimiento que la vara del tambor mayor va describ _____ ufanamente en el aire.

COLL Y VEHÍ.

Evaluación sobre el Verbo

1o. ¿Qué es el verbo? **2o.** ¿Cómo se divide por su significación? **3o.** ¡Ídem por su conjugación? **4o.** ¿Cuáles son los accidentes del verbo? **5o.** ¿A qué se llama modos personales y cuáles son? **6o.** ¿Cómo se dividen los tiempos por su estructura? **7o.** El antepresente de indicativo ¿es simple o compuesto? **8o.** ¿Cómo se forma el presente de imperativo? **9o.** Íd del antefuturo de subjuntivo. **10o.** ¿Cuándo se ha de usar el pretérito, el antepretérito o el antepresente de indicativo? **11o.** ¿Son perfectamente sinónimas las dos formas del pretérito de subjuntivo? **12o.** ¿Cómo se llaman los verbos que en su conjugación no siguen las reglas de los verbos modelos? **13o.** ¿Qué irregularidades tienen los verbos terminados en -ducir? **14o.** Ídem en -entir. **15o.** Ídem el verbo *salir*. **16o.** Conjugar el pretérito de subjuntivo, 1a. y 2a. forma, de los verbos *ir* y *ser*. **17o.** ¿Qué son verbos unipersonales? **18o.** Conjugar el verbo *relinchar*. **19o.** Íd. el verbo *amanecer*. **20o.** ¿Cómo se conoce si un verbo es reflexivo o recíproco? **21o.** Conjugar el imperativo del verbo *refugiar*. **22o.** ¿Qué es sujeto de un verbo? **23o.** Íd. complemento circunstancial. **24o.** Citar una oración en donde entre un complemento directo y otro circunstancial. **25o.** Íd. complemento indirecto. **26o.** ¿Qué es participio? **27o.** ¿Qué terminaciones tiene el participio activo? **28o.** ¿Son participios activos las palabras *diente* y *poniente*? **29o.** ¿Tienen todos los verbos participio activo? **30o.** ¿Cómo se llaman los terminados en -to, -cho, -so? **31o.** ¿Cuál es el participio pasivo de *hacer, decir* y *ver*? **32o.** Íd. de *prender, excluir* y *suspender*. **33o.** ¿Qué diferencia se nota entre el sentido de los participios que entran en las expresiones *niño amado* y *niño agradecido*? **34o.** Citar dos ejemplos en que el participio pasivo haga oficio de sustantivo. **35o.** Íd. de adjetivo. **36o.** ¿Cuándo admite accidentes el participio pasivo? **37o.** ¿Cuándo permanece invariable?

Adverbio

311. **Adverbio** es una parte invariable de la oración que sirve para calificar o determinar la significación del verbo o la del adjetivo, y a veces la de otro adverbio.

Así, en las locuciones "pasear *bien*" y "*tristemente* célebre", las palabras *bien* y *tristemente* califican la primera al verbo pasear y la segunda al adjetivo célebre: al paso que en "*muy* alegre" y "*bastante* pronto", los vocablos *muy* y *bastante* determinan el primero al adjetivo *alegre* y el segundo al adverbio *pronto*.

312. Los adverbios son, pues, los adjetivos del verbo y de toda otra palabra que tenga sentido calificativo o atributivo, y, como el adjetivo, se dividen en *calificativos* y *determinativos*. Los primeros califican al verbo o al adjetivo, como éste califica al nombre; por ejemplo: pasear *bien* y paseo *bueno*; *tristemente* célebre y *triste* celebridad. Los segundos determinan al verbo o al adjetivo, como éste determina al sustantivo; por ejemplo: *muy* hermoso y *mucha* hermosura; *muchos* paseos y paseamos *mucho*.

313. Como los pronombres, los adverbios pueden ser *correlativos* y se dividen como aquéllos en *interrogativos, demostrativos* y *relativos*. Los primeros sirven para preguntar; por ejemplo: ¿*dónde* está la pluma?; los demostrativos para responder; por ejemplo: *aquí, allá*, etc., y los relativos, para referir al demostrativo un concepto atributivo, por ejemplo: *donde* tú la dejaste.

He aquí el cuadro general de los adverbios correlativos:

CONCEPTO	INTERROGATIVOS	DEMOSTRATIVOS	RELATIVOS
Lugar	¿Dónde? ¿dó?	Aquí, ahí, allí, etc.	Donde, do.
Tiempo	¿Cuándo?	Entonces, ahora, hoy, etc.	Cuando.
Modo	¿Cómo?	Así, bien, mal, etc.	Como.
	¿Cuál?	Tal.	Cual.
Cantidad	¿Cuánto? ¿Cuán?	Tanto, tan poco, mucho.	Cuanto, cuan.
Duda	¿Si?	Sí.	Si.

Hay, además, los demostrativos indefinidos *en alguna parte, alguna vez, así así, algo, nada, quizá*; y los relativos, también indefinidos, *dondequiera, doquiera, doquier; cuando quiera, cuando quier; como quiera, como quier* y *cuanto quiera*.

159

Nota. Recuérdese la observación del *No. 164.*

314. Atendida su *forma* o *estructura,* los adverbios se dividen en *simples, compuestos, adverbios-frase* y *adverbios-oración.*

Simples, cuando constan de una sola palabra; por ejemplo: *ayer, aquí, nunca, bien, más.*

Compuestos, cuando constan de dos o más palabras; por ejemplo: *anteayer, encima, también, además.*

Adverbios-frase, cuando constan de dos o más palabras que juntas hacen oficio de adverbio; por ejemplo: *a sabiendas, de cuando en cuando, a hurtadillas.*

Adverbios-oración, si constan de un conjunto gramatical con algún verbo en modo personal; por ejemplo: lo sé *como me lo enseñaron,* vino *después que cenó.*

315. Atendida su *significación* o las circunstancias que expresan, los adverbios determinativos son principalmente de *lugar,* de *tiempo,* de *modo,* de *cantidad,* de *orden,* de *afirmación,* de *negación* y de *duda.*

316. Son de **lugar**: *aquí, acá, ahí, allí, allá, cerca, lejos, dentro, fuera, debajo, delante, detrás,* **etc.**

De **tiempo**: *hoy, ayer, mañana, tarde, temprano,* **etc.**
De **modo**: *bien, mal, así, buenamente, malamente, acertadamente,* **etc.**
De **cantidad**: *más, menos, mucho, poco, muy, tan, tanto, cuan, cuanto, bastante,* **etc.**
De **orden**: *primeramente, últimamente, finalmente,* **etc.**
De **afirmación**: *sí, cierto, ciertamente, verdaderamente, seguramente,* **etc.**
De **negación**: *no, ni, tampoco, nunca, jamás,* **etc.**
De **duda**: *acaso, quizás, si,* **etc.**

317. Llamamos **expresión** o **modo adverbial** a dos o más palabras que juntas hacen oficio de adverbio, por ejemplo: *a sabiendas, a pie juntillas, a tientas, a obscuras, entre dos luces, sin más ni más, en efecto, de nuevo, en un santiamén, por último, por alto,* **etc.**; abundan en nuestra lengua y reciben también el nombre de *frases adverbiales* o *adverbios-frase.*

318. Los adverbios se distinguen fácilmente unos de otros con sólo fijarse en la circunstancia que expresan. Se conocen los de *lugar,* preguntando *dónde;* los de *tiempo, cuándo;* los de *modo, cómo;* y los de *cantidad, cuánto.*

319. La mayor parte de los adjetivos calificativos se convierten en adverbios de *modo,* añadiendo a su terminación femenina la palabra *mente;* así, diremos *malamente, atrozmente, cruelmente, grandísimamente.*

320. Cuando han de ir seguidos varios adverbios acabados en *mente,* sólo el último conserva esta terminación; así: Pedro habla *clara, concisa* y *elegantemente.*

321. Hay adverbios que ofrecen alguna particularidad que conviene notar; tales son:

Donde se refiere a *lugar,* en sentido general; por ejemplo: ¿*Dónde* vives? o (*en qué* lugar). Precede casi siempre a los verbos a que se refiere y va, comúnmente, acompañado de las preposiciones *a, en, de, por, hacia, hasta*; **por ejemplo:** ¿dónde trabajas?, ¿a dónde vas?, ¿en dónde vives?, ¿de dónde vienes?

Entre los adverbios *donde* y *adonde* existe la diferencia de que el primero envuelve la idea de reposo, y el segundo, la de movimiento.

Tanto tiene por correlativo a *cuanto*, que alguna vez cambia en *como*, y ambos preceden a los verbos que acompañan; por ejemplo: *Tanto* se atesora *cuanto* se ahorra; *tanto* daña la gula *como* la peste. Los dos pierden su última sílaba si preceden inmediatamente a un adjetivo, adverbio o participio; por ejemplo: ¡*tan* útil es el trabajo!; ¡*cuán* nociva es la ociosidad!; vives *tan* lejos que...; ¡*cuán* mal se porta!; ¡*cuán* perseguido fue!; ¡fue *tan* perseguido!

Aquí, allí, acá, allá, aunque los cuatro sean adverbios de lugar, pueden en ciertos casos expresar tiempo; por ejemplo: De *aquí* a poco tiempo; *allá* por los tiempos de Maricastaña; de ayer *acá*. Los dos primeros adverbios suelen usarse como sinónimos de los dos últimos; no obstante se diferencian en que *aquí* y *allí* envuelven la idea de reposo y se refieren a un lugar más determinado, mientras que *acá* y *allá* tienen significación más vaga, y van, generalmente, en oraciones que envuelven idea de movimiento; por ejemplo: Vengan ustedes *acá*; ve tú *allá*; quédese Ud. *aquí*; pongámonos *allí*. Podemos decir *más acá*, *más allá*; pero nunca *más aquí*, *más allí*.

322. Varias veces los adverbios se toman en sentido abstracto, y entonces van acompañados del artículo *lo*; por ejemplo: *lo lejos* que vives; *lo mal* que cantas; *lo poco* que comes. También se dice: El *sí* ya lo tienes seguro. Algunos adverbios de *lugar* van acompañados de preposición; así decimos, *por allí*, *desde arriba*, *hacia abajo*.

Muchos adverbios admiten, como los adjetivos, los grados de comparación; por ejemplo: de *bien*, comparativo *mejor*, superlativo *muy bien*; de *lejos*, comparativo *más lejos*, superlativo *lejísimo o muy lejos*.

323. Al analizar el adverbio se ha de indicar:

1o. Su *naturaleza*: si es simple, compuesto, frase u oración, y a qué clase pertenece.

2o. Su *oficio*: a qué verbo, adjetivo o adverbio modifica:

Ejemplo:

Aquí enterraron de balde
Por *no* hallarle una peseta...
– *No* sigas, era poeta.

MARTÍNEZ DE LA ROSA. ESPAÑA.

Aquí	adv. de lugar, mod. a *enterraron*.
de balde	expr. adv. de modo. mod. a *enterraron*.
no	adv. de neg. mod. *hallar*.
no	adv. de neg. mod. *sigas*.

Ejercicios de Aplicación

118• *Distinguir los adverbios y expresiones adverbiales, e indicar su naturaleza.*

No dejes para mañana lo que puedes hacer hoy. • Corrimos mucho; por eso estamos tan cansados. • Los dos se portaron muy bien. • Aquí llovió muy poco ayer. • Poquito a poco hila la anciana el rebozo. • Me escribe de cuando en cuando, pero unas cartas muy cortas. • Últimamente no he sabido nada de él. • Pasamos cerca de la cerca, pero ellos no nos vieron. • Yo tampoco entendí lo que dijo ese señor, porque habló muy bajo. • Quizá mañana tenga tiempo de ir a verte, aunque sea a la carrera. • ¿Dónde vives? • Vivo muy cerca de ti, a media cuadra de tu casa. • Tanto se atesora cuanto se ahorra. • Nunca hubiera creído que fuera tan cobarde. • Estábamos detrás y por eso no veíamos bien. • Mañana será demasiado tarde; hazlo hoy mismo. • Andábamos a tientas, porque estaba muy obscuro.

119• *Designar un adverbio para cada uno de los nombres siguientes:*

Año	Industria	Fervor	Frescura
Audacia	Costumbre	Obscuridad	Cristiano
Heroísmo	Ironía	Traición	Falsedad
Fruto	Ardor	Silencio	Seguridad
Evidencia	Constancia	Necedad	Suficiencia
Ceguera	Franqueza	Dolor	Alegría
Elegancia	Precio	Cuidado	Depravación
Violencia	Intrepidez	Felicidad	Procesión

120• *Anotar en la línea el adverbio que convenga.*

Quien _____ duerme, _____ aprende.

_____ por _____ madrugar amanece _____ temprano.

REFRANES.

La locución latina *Hodie mihi, cras tibi* equivale a la frase castellana: _____ por mí y _____ por ti.

La virtud _____ teme la luz; antes desea _____ venir a ella, porque es hija de ella y criada para resplandecer y ser vista.

FR. LUIS DE LEÓN.

_____ hermoso parece el soldado muerto en batalla, que sano en la huida.

CERVANTES.

Preposición

324. Preposición es una partícula llamada impropiamente parte de la oración, que no tiene valor de por sí en el habla; sirve para enlazar dos palabras e indicar la relación que hay entre ellas.

Es tan íntima la conexión entre la preposición y el nombre que junto con ella sirve de complemento a otro vocablo, que la mente la concibe como formando un solo concepto con dicho nombre, y al expresarlo lo hace como si las dos palabras —preposición y nombre— fuesen una sola. Y así decimos *de palacio, a palacio, en palacio*, sin dar valor prosódico a las partículas, y pronunciándolas como si se escribiese *depalacio, apalacio, enpalacio*. Por esta razón son proclíticas todas las preposiciones y desempeñan en nuestra declinación el mismo oficio que los sufijos en la declinación latina.

325. Hay dos clases de preposiciones: *propias* e *impropias*. Las **propias** o *separables*, se usan, ya separadas de las dicciones que acompañan, ya unidas en ellas para formar palabras compuestas.

Ejemplos: **Separadas:** Voy *a* México; vengo *de* Roma; vivo *con* los niños; estoy *entre* dos problemas.

Unidas: *A*traer, *de*ducir, *en*contrar, *con*discípulo, *entre*vista.

326. Las preposiciones **impropias** o *inseparables* tienen su forma y origen latinos, y van siempre unidas a otras dicciones para su composición; como *ad*verbio, *ex*traño, *sub*rayar, *inter*locutor, *in*dócil.

327. Las preposiciones **propias** son: *a, ante, bajo, cabe, con, contra, de, desde, en, entre, hacia, hasta, para, por, según, sin, so, sobre, tras*.

Las impropias son: *ad, des, ex, in, inter, infra, per, sub, super, trans,* y otras; por ejemplo: *Ad*junto, *des*honra, *ex*poner, *in*capaz, *inter*poner, *infra*octava, *per*durable, *sub*director, *super*fino, *trans*parente.

328. Cada preposición puede denotar diversas relaciones entre las palabras que une, lo cual, a veces, dificulta su buen uso. Así, la preposición *de* puede denotar:

Posesión; por ejemplo: la casa *de* Pedro.
Cualidad; por ejemplo: niño *de* talento.
Materia; por ejemplo: casa *de* piedra.
Procedencia; por ejemplo: vengo *de* Querétaro.
Asunto o materia de que se trata; por ejemplo: Libro *de* Matemáticas.

329. La preposición *a* indica.

1o. El término indirecto de la acción en los verbos transitivos, y muchas veces el directo; por ejemplo: doy pan *a* los pobres; amo *a* Dios.

2o. El término circunstancial de la acción en los verbos de movimiento; por ejemplo: voy *a* Oaxaca.

3o. El lugar y el tiempo en que sucede una cosa; por ejemplo: pagaré *a* la cosecha; lo apresaron *a* la puerta.

4o. El precio de las cosas; por ejemplo: *a* veinte pesos.

330. *Con,* denota:

1o. Compañía; por ejemplo: va *con* sus hijos.

2o. Medio o instrumento; por ejemplo: *con* la fe se alcanza el cielo; lo mató *con* la pistola.

3o. El modo como se ejecuta la acción; por ejemplo: trabaja *con* celo, come *con* ansia.

331. *En* indica:

1o. Tiempo; por ejemplo: estamos *en* invierno.

2o. Lugar; por ejemplo: está *en* el colegio.

3o. Modo o manera; por ejemplo: contestó *en* francés; salió *en* mangas de camisa.

332. *Para,* significa:

1o. El destino de las cosas o el fin que nos proponemos; por ejemplo: papel *para* cartas; estudia *para* médico.

2o. Movimiento; por ejemplo: salgo *para* Europa.

3o. Proximidad de algún hecho; por ejemplo: está *para* llover.

4o. El tiempo en que ha de suceder algo; por ejemplo: lo dejaré *para* el año próximo.

333. *Por,* denota:

1o. La persona agente en las oraciones de pasiva; por ejemplo: América fue descubierta por Cristobal Colón.

2o. Lugar; por ejemplo: ando *por* el bosque.

3o. Modo; por ejemplo: obedece *por* temor.

4o. Precio o cuantía; por ejemplo: trabajó *por* poco dinero; vendió un canario *por* cinco pesos.

5o. Favor o reemplazo; por ejemplo: abogar *por* los pobres; asisto a la reunión *por* mi hermano.

6o. En algunos casos tiene carácter de distributivo; por ejemplo: el cinco *por* ciento; los pagaban a trescientos pesos *por* mes.

334 Llámase **expresión prepositiva** a dos o más palabras que juntas hacen oficio de una preposición simple; por ejemplo: *fuera de, antes de, para con, en cuanto a,* etc.

335. Al analizar la preposición se ha de indicar:

1o. Su *naturaleza:* si es propia, impropia, o expresión prepositiva.

2o. El *caso* que denota, si es separada: *genitivo, dativo,* **etc.**

3o. Las palabras que enlaza.

Ejemplo: Ya viene Juan *con* dos calderos *desde* la fuente *a* la obra, hace el mortero *en medio de* la calle y carga *sobre* el hombro la artesilla.

CONCHA ESPINA.

con	prep. propia, enlaza *calderos* **con** *viene.*
desde	prep. propia, enlaza *fuente* **con** *viene.*
a	prep. propia, enlaza *obra* **con** *viene.*
en medio de	expr. prepositiva, enlaza *calle* **con** *hace.*
sobre	prep. propia, enlaza *hombro* **con** *carga.*

Ejercicios de Aplicación

121• *Anotar en la línea la preposición que se requiera.*

Lo que está encerrado _____ el corazón _____ un niño, como los tiernos pétalos _____ un capullo, florece después _____ los hábitos y las obras _____ los hombres.

SALOMÓN.

Los que velan _____ la paz y las libertades públicas merecen que la Patria los coloque _____ el templo _____ la inmortalidad.

CONDE DE ARANDA.

Un hombre _____ pereza es un reloj _____ cuerda.

_____ orden no hay obediencia _____ las leyes, y _____ obediencia no hay libertad, porque la verdadera libertad consiste _____ ser esclavo _____ la ley.

BALMES.

El talento _____ el buen sentido es como una música _____ buenos tonos y bellas melodías, pero _____ compás.

FERNÁN CABALLERO.

Emilio Marín

122• *Anotar en la línea una de las preposiciones que a continuación se expresan, de modo que resulte una palabra: a, ab, ad, anfi, anti, co, con, circum, des, entre, epi, equi, ex, extra, hiper, in, infra, inter, meta, o, peri, por, pos, pre, pro, re, sin, sos, sub, super, re, vice, viz, trans, ultra.*

____ dermis	____ jurar	____ tejer	____ interés
____ dulía	____ mirar	____ traer	____ teniente
____ aptitud	____ tumba	____ razón	____ puesto
____ poner	____ usar	____ enganche	____ tirar
____ morfosis	____ caer	____ polar	____ portar
____ metro	____ fino	____ posición	____ escrito
____ heredero	____ mar	____ hermano	____ religioso
____ muros	____ formar	____ hora	____ claro
____ data	____ suelo	____ conde	____ atlántico
____ fijar	____ cargar	____ distante	____ almirante
____ teatro	____ nombre	____ venir	____ tener

123• *Señalar la diferencia de sentido por el cambio de preposición.*

Caer *a* la calle tal	Dar crédito	Ir *con* alguno
Caer *en* la calle tal	Dar *a* crédito	Ir *sobre* alguno
Comunicar *a* uno	Dar *la* mano	Pasar *de* cruel
Comunicar *con* uno	Dar *de* mano	Pasar *por* cruel
Contar *a* fulano	Dar *en* manos	Poner *con* cuidado
Contar *con* fulano	Dar *a* uno	Poner *en* cuidado
Convenir *a* uno	Dar *sobre* uno	Volver *a* la razón
Convenir *con* uno	Hacerse *a* una cosa	Volver *con* razón
Cumplir *con* alguien	Hacerse *con* una cosa	Volver *en* razón de
Cumplir *por* alguien	Hacerse *para* una cosa	Volver *por* la razón

Evaluación sobre el Adverbio y la Preposición

1o. ¿Qué es adverbio? **2o.** ¿Cómo se dividen los adverbios según su forma? **3o.** ¿Íd. según su significación? **4o.** Nombre usted algunos de lugar. **5o.** ¿A qué pregunta responden? **6o.** ¿Íd. los de tiempo? **7o.** Cite algunos adverbios de tiempo. **8o.** ¿Cuáles son los principales adverbios de modo y a qué pregunta responden? **9o.** ¿Cómo se escriben los adverbios interrogativos *como, donde, cuando, cual y cuanto*? **10o.** ¿Qué se debe advertir sobre los adverbios terminados en *mente*, cuando en una misma frase hay varios seguidos? **11o.** ¿Cómo se forman dichos adverbios? **12o.** ¿Qué es una expresión adverbial? **13o.** Cite usted algunas. **14o.** ¿Qué es preposición? **15o.** ¿Qué son preposiciones *propias separadas*? **16o.** ¿Y *unidas*? **17o.** Dé usted un ejemplo en que entre una o más preposiciones propias separadas y una o más unidas. **18o.** ¿En qué se diferencian las preposiciones *unidas* de las *impropias*? **19o.** ¿Qué es una expresión prepositiva? **20o.** ¿Qué suele expresar la preposición inseparable *in* unida a una palabra? **21o.** ¿Íd. la preposición *ex*?

ANÁLISIS:
Tesoros de saber el sabio encierra; su vista abarca el mar y la tierra.

Parábola

Había un hombre que tenía una doctrina.
[Una gran doctrina que llevaba en el pecho
  [[Junto al pecho, no dentro del pecho),
una doctrina escrita que llevaba en el bolsillo interno
                                    [del chaleco.

La doctrina creció. Y tuvo que meterla en un arca, en un
                        arca como la del Viejo Testamento.
Y el templo creció. Y se comió el arca, al hombre y a la
  [doctrina escrita que guardaba en el bolsillo interno del
                                    [chaleco.

Luego vino otro hombre que dijo: El que tenga una
  [doctrina que se la coma, antes de que se la coma
                                    [el templo;
que la vierta, que la disuelva en su sangre, que la
                        [haga carne de su cuerpo...

y que su cuerpo sea

bolsillo,

arca

y templo.

LEÓN FELIPE. ESPAÑA.

LECCIÓN 35

Conjunción

336. **Conjunción** es la parte invariable de la oración que sirve para unir dos oraciones entre sí, o dos palabras de la misma naturaleza, expresando, a la vez, la relación que entre ellas existe; por ejemplo: No pude salir *porque* estaba enfermo. Antonio *y* Pedro serán profesores *o* ingenieros.

337. **Expresión conjuntiva** es la locución que tiene el valor o significado de conjunción; por ejemplo: *con objeto de, a fin de que, no obstante.*

338. Por la *relación* que expresan, las conjunciones se dividen en *copulativas, disyuntivas, adversativas, ilativas, causales, determinativas, condicionales, finales, continuativas, concesivas, comparativas* y *temporales.*

339. Las **copulativas** unen simplemente las oraciones y son: *y, e, ni, que.*

340. Las **disyuntivas** denotan *separación, diferencia* o *alternativa*, **y son:** *o, u, ya, bien, sea, que, ora*

341. Las **adversativas** denotan la *contrariedad* o *contraposición* **que** hay **entre** dos **oraciones, y son:** *más, pero, empero, sino, sin embargo, no obstante, aunque, al contrario, antes, antes bien, siquiera, a pesar de,* **etc.**

342. Las **ilativas,** llamadas también *consecutivas,* expresan la *ilación* o *consecuencia* **entre una oración y lo anteriormente expuesto, y son:** *conque, luego, pues, por consiguiente, así que, por lo tanto, ahora bien,* **etc.**

343. Las **causales** preceden a oraciones en que se anuncia la *causa* o *razón* de lo que se trata, y son: *que, pues, porque, pues que, ya que, en razón de que, puesto que, supuesto que.*

344. Conjunciones **determinativas** son las que acompañan a las oraciones sustantivas o completivas. Tales son las conjunciones *que* y *como* en casos como éstos: sé *que* eres veraz; sabrás *como* hemos llegado bien.

345. Las **condicionales** indican alguna *condición* o *circunstancia* **con** que debe verificarse la acción, y son: *si, con tal que, siempre que, dado que, como, ya que, en caso que, a* **seguida de infinitivo.**

346. Las **finales** indican el *fin* u *objeto* de la acción, y son: *para que, a fin de que, con objeto de.*

347. Las **continuativas** denotan que se continúa o confirma lo dicho en la oración anterior, y son: *pues, así pues, además, así que.*

348. Las **concesivas** unen dos oraciones, en una de las cuales se concede lo significado, no obstante la contrariedad que en la otra se afirma; tales son: *si, así, si bien, siquiera, que, aunque, por más que, bien que, mal que;* por ejemplo: no cede, *así* lo ahorques; a mí me hizo llorar, *que* no suelo ser muy llorón. *(Quijote I, 52).*

349. Las **comparativas** denotan *comparación* entre unas oraciones y otras, y son: *como, como que, así, así como, tal como,* etc.

350. Las **temporales** son las que, al unir dos oraciones envuelven la idea de *tiempo;* tales son: *después que, tan luego, mientras que, cuando, antes que,* etc.

351. También se clasifican las conjunciones según la naturaleza de las oraciones que enlazan, en *coordinativas* y *subordinativas.*

Se llaman **coordinativas** las que unen oraciones independientes, es decir, principales con principales, o subordinadas con subordinadas; tales son *las copulativas, disyuntivas, adversativas, ilativas* y algunas *causales;* estas últimas pueden ser también *subordinativas* (como veremos en la Sintaxis).

Llámanse **subordinativas** las que enlazan una oración subordinada con su principal.

352. Al analizar la conjunción se ha de decir:

1o. *Su especie:* si es conjunción o expresión conjuntiva y a qué clase pertenece.

2o. *Su oficio:* las oraciones o miembros compuestos que enlaza.

Ejemplo:

> Partimos cuando nacemos,
> Andamos mientras vivimos,
> Y llegamos
> Al tiempo que fenecemos;
> Así que, cuando morimos
> Descansamos.
>
> JORGE MANRIQUE. ESPAÑA.

cuando	Conj. temp., enlaza *nacemos* con *partimos.*
mientras	Conj. temp., enlaza *vivimos* con *andamos.*
y	Conj. cop., enlaza *llegamos al tiempo que fenecemos* con todo lo que antecede.
al tiempo que	Expr. conj. temp., une *fenecemos* con *llegamos.*
así que	Expr. conj. ilativa, que enlaza *cuando morimos descansamos* con todo lo que precede.
cuando	Conj. temp., enlaza *descansamos* con *morimos.*

Ejercicios de Aplicación

124• *Anotar en la línea la conjunción que pida el sentido e indicar su especie.*

La verdadera poesía no es frívola ___ retozona, ___ contemplativa ___ profunda. ___ era una tarde cruda de invierno, ___ el frío los molestaba. ___ ___ lo sentían ___ ___ arrostraban con gusto la intemperie. • Los griegos, ___ inferiores en número, vencieron ___ ___ a los persas en Salamina. • Sufre la pena, ___ cometiste la culpa, ___ Dios no te castigue en la otra vida ___ mereces. • Tiene más riqueza ___ la que se figuran. • Decíamos ___ , ___ nadie puede excusarse de la muerte; ___ sea rey, ___ sea papa, ___ todos a ella fuimos condenados por la desobediencia de nuestros primeros padres.

125• *Analizar las conjunciones.*

El Recurso del Método *(fragmento)*

"... y hubo fusilamientos fingidos y fusilamientos de verdad, salpicaduras de sangre y plomo de máuseres en las paredes de reciente construcción, aún olientes amezclas d albañil; y hubo defenestraciones, estrapadas, enclavamientos y gente transladada al Gran Estadio Olímpico donde había mejor espacio para ametrallar en masa -evidentemente así, la pérdida de tiempo que significaba la formación de pelotones y piquetes de ejecución; y hubo también aquellos que metidos en grandes cajas rectangulares fueron recubientos de cemento, en tal forma que los bloques acabaron por alinearse al aire libre, a un costado de la carcel, tan numerosos que pensaron los vecinos que se trataba de materiales de cantería destinados a las futuras ampliaciones del edificio..."

ALEJO CARPENTIER. CUBA.

126• *¿Qué vocablo corresponde a la expresión...*

la Ciudad de la Eterna Primavera?   el azote de Dios?

la capital del orbe católico?   el héroe de la guerra de Troya?

la Ciudad Luz?   el Centauro del Norte?

el padre de la Patria?   la silla de Pedro?

la perla tapatía?   el Príncipe de Asturias?

Interjección.
Figuras de Dicción

353. **Interjección** es toda voz que expresa repentina e impremeditadamente algún sentimiento intenso.

La interjección, pues, mejor que una parte de la oración, debe considerarse como un signo de emoción, que generalmente forma por sí sola una oración completa; un *¡oh!* equivale a *"estoy admirado"*.

354. Podemos clasificar las interjecciones en *propias* e *impropias*. Las *propias* se llaman así porque nunca dejan de serlo, a diferencia de las *impropias,* que no son sino *sustantivos, adjetivos, verbos, adverbios,* etc., usados como interjecciones.

355. Son interjecciones **propias:** *¡oh!, ¡ah!, ¡uh!, ¡uha!, ¡ay!, ¡bah!, ¡ca!, ¡cáspita!, ¡caramba!,* etc.

356. Como **impropias** hay: *¡anda!, ¡calla!, ¡vaya!, ¡fuego!, ¡silencio!, ¡ánimo!, ¡bueno!, ¡bravo!,* etc.

357. Para dar más expresión al sentimiento algunas se suelen usar repetidas; por ejemplo: *¡fuego, fuego!, ¡bravo, bravo!, ¡dale, dale!,* etc.

358. Dada la gran variedad de sentimientos que pueden afectarnos y la imposibilidad de emplear para cada uno distintas interjecciones, ha sido necesario usar una misma para expresar diversos afectos, como *alegría, dolor, espanto,* etc., por lo que sólo las distinguiremos por la entonación, gestos y ademanes que las acompañen y en el escrito, por lo que les anteceda o les siga.

359. Como la interjección no desempeña oficio alguno en la oración, para analizarla basta decir qué sentimiento expresa y si es propia, impropia o locución interjectiva.

Ejemplo: Mi padre, *¡oh, qué dicha!*, ha salido ileso. *¡Uf!,* ¡qué calor!

¡Oh, qué dicha!	expr. interj., expresa *alegría*
¡uf!	interj. prop., expresa *sofocación.*

360. Se llaman **figuras de dicción** o *metaplasmos,* las alteraciones que experimentan ciertas palabras en su estructura.

171

361. Son de tres clases: por a*dición,* **por** *supresión* **y por** *transposición* de letras.

362. Metaplasmos por *adición:*

Prótesis, o adición al principio; por ejemplo: *aqueste,* por *este; atambor* por *tambor.*

Epéntesis, o adición en medio por ejemplo: *corónica* **por** *crónica; Ingalaterra* **por** *Inglaterra.*

Paragoge, o adición al fin; por ejemplo: *felice por feliz; huéspede* **por** *huésped.*

363. Metaplasmos por *supresión:*

Aféresis, o supresión al principio, por ejemplo: *norabuena* **por** *enhorabuena; os* **por** *vos.*

Síncopa, o supresión en medio; por ejemplo: *Navidad* **por** *Natividad; párrafo* **por** *parágrafo.*

Apócope, o supresión al fin; por ejemplo: *un, algún, ningún,* **por** *uno, alguno, ninguno.*

364. La tercera clase, por *transposición,* **está en desuso; es la metátesis,** que consiste en alterar el orden de las letras de un vocablo; por ejemplo: *crocodilo* **por** *cocodrilo; perlado* **por** *prelado; Grabiel* **por** *Gabriel; dentrífico* **por** *dentífrico.*

365. Llamamos **contracción** a una figura por la cual de dos vocablos se forma uno solo, omitiendo la vocal en que acaba o empieza uno de ellos; así: *del* en vez de *de él; al, estotro, esotro* en lugar de *a él, este otro* o *esto otro, ese otro* o *eso otro.*

366. Del análisis de cada parte de la oración (de que hemos tratado ya), se deduce que el *análisis analógico de una oración* o *periodo* se hace indicando:

1o. Qué parte de la oración es para cada palabra, y la clase de ella, dentro del grupo gramatical al que pertenece.

2o. Los accidentes gramaticales de cada palabra variable.

3o. Las figuras de dicción.

Ejemplo: *Anselmo es feliz.*

Anselmo	nombre propio, masc., sing., nominativo, sujeto de *es.*
es	tercera persona de singular del presente de indicativo del verbo copulativo *ser;* 2a conjugación irregular.
feliz	adj. calif., simple, primitivo; masc., sing., califica a *Anselmo.*

Otro ejemplo: *El hombre cuerdo obra prudentemente.*

El	art. determ., masc., sing.; se refiere a *hombre.*
hombre	nombre común; masc., sing.: nominativo, sujeto de *obra.*
cuerdo	adj. calif., masc., sing., simple, primitivo y grado positivo; calif a *hombre.*
obra	tercera persona de sing., del pres. de indic. del verbo predicativo *obrar;* intransitivo, 1a. conjug., regular.
prudentemente	adv. de modo. Está compuesto del adj. calif. *prudente* y de la terminación *mente;* modif, a *obra.*

Ejercicios de Aplicación

127• *Distinguir las interjecciones e indicar el sentimiento que expresan.*

Cuidado ¡eh! no te vayas a caer. • ¡Uf! salgamos pronto de aquí. • ¡Ea, amigos, adelante! ¡No perdamos tiempo tan precioso! • ¡Por mi vida que la pagarás cara! • ¡Dios mío! ¡quién lo hubiera dicho! • ¡Ah, tus bondades!…¡ésas son más funestas que los suplicios del sangriento Sila! • Por tu gloria inmortal abdica, ¡oh César! • ¡Ánimo!, ya queda poco que andar • ¡Caramba!, respondió, de buena me escapo; viviré, en adelante, sobre aviso. • ¡Ah! sí, ya lo recuerdo, es verdad, yo lo dije. • ¡Hombre!, tú por aquí, ¿y a estas horas? • ¡Cuán pobres y cuán ciegos ¡ay! nos dejas! • ¡Qué! ¿temes la salida? • ¡Ah! ¡si pudiera yo tener un niño como tú! • ¡Oh! ¡no me rehuséis ese insigne honor! • ¡Ay, Dios! ¡cuánto tarda! ¿Qué le pasará? • ¡Ay de ti! si al Carpio voy • ¡Ah! ¡qué desgracia es la nuestra! • ¡Uf! ya no podía dar un paso más. • ¡Diantre! ¡si he perdido el reloj! • ¡Huy!, ¡qué horrible espectáculo es aquél! • ¡Chist! ¡silencio! ¡no hagan ruido que despertarán al niño! • ¡Señor! ¿rosas en invierno? • ¡Vamos! acabe usted pronto. • ¡Bravo, bravo!, que se repita. • ¡Ay! ¡ay de aquel que abandonado llora!…

128• *Indicar las figuras de dicción que se hayan cometido.*

En las márgenes del caudaloso Nilo vense numerosos crocodrilos; cuando el hambre los acosa semejan derramar copiosas lágrimas mezcladas de alaridos. • Este transeunte va a visitar la hermosa catredal de la ciudad, para ganar indulgencias que el Perlado ha concedido. • Felice el hombre que sabe cumplir los preceptos divinos, e infelice el que los quebranta. • La Navidad es una gran fiesta, la cual se celebra siempre con suma alegría en toda la cristiandad. • Estotro día fuimos a paseo y nos asentamos junto a una fresca fuente. • Se juzga seguro en su altiveza. Doquiera que los ojos inquieto torno en cuidadoso anhelo. • El tercer párrafo de las corónicas del reinado del rey don Juan. • En Catalañazor, Almanzor, perdió su atambor.

129• *Analizar las palabras invariables que están en cursivas.*

Donde las dan las toman. *Si* quieres *que* te siga el can dale pan. *Poco a poco* hila la vieja el copo. Nadie muere *hasta que* Dios quiere.

REFRANES.

Si el galardón ha de durar *mientras* Dios reine *en* el cielo, ¿*por qué no* quieres tú *que* el servicio dure *siquiera mientras* tú vivieres *en* la tierra?

GRANADA.

La Patria —la Patria grande, la Patria chica— es una abstracción que *no* tiene *más* realidad *que* la suma de abnegaciones. La Patria *no* existe *sin* el amor de sus hijos… La Patria, *como* Dios, está *siempre delante* y *siempre con* nosotros.

ANTONIO MAURA.

Cuando la tarde se inclina
Sollozando *en* Occidente,
Corre una sombra doliente
Sobre la pampa argentina;
Y cuando el sol ilumina,
Con luz brillante *y* serena,
Del ancho campo la escena,
La melancólica sombra
Huye, besando su alfombra
Con el afán *de* la pena.

RAFAEL OBLIGADO.

130 • *Distinguir los adverbios, preposiciones y conjunciones.*

Sábados de Mayo

Avanzamos al altar, llevando un ramo de flores; mas la Virgen estaba en un sitio muy alto, para que nosotros, pequeñuelos, pudiéramos estampar un beso en sus pies y depositar nuestros pobres dones en los floreros.

Así fue que, arrodillados, le elevamos nuestra oración, y después de dejar las flores en el suelo, salimos del templo. Cuando regresamos por la tarde, ya una mano compasiva había levantado nuestro ramo, colocándolo en un florero. En el tiempo que ha transcurrido desde entonces, ¡cuántas flores se han marchitado en nuestras manos! ¡Cuántas otras hemos depositado en ese mismo altar, humedecidas con lágrimas! Muchas, muchas, en verdad, y, no obstante, cuando volvemos los ojos al camino que hemos recorrido, allá, a lo lejos, vemos todavía aunque muy seco, ese ramo de flores cortadas a orillas de nuestro patrio río en un sábado de mayo. ¡Recuerdo de nuestra infancia, recuerdo de nuestra inocencia!

MIGUEL MORENO Y HONORATO VÁZQUEZ. ECUADOR.

Evaluación sobre la Conjunción, Interjección y Figuras de Dicción

1o. ¿Qué es conjunción? **2o.** ¿En qué se diferencia de la preposición? **3o.** Atendiendo a la naturaleza de las oraciones que enlazan, ¿cómo se dividen las conjunciones? **4o.** ¿Cuáles son las coordinativas? **5o.** ¿Cómo se distinguirá la palabra *sino* de *si no*? **6o.** ¿Íd. la conjunción *mas*, del adverbio de igual forma? **7o.** ¿Cuáles son los diferentes oficios de la palabra *que*? **8o.** ¿Qué es interjección? **9o.** ¿A qué interjecciones llamamos impropias? **10o.** ¿Cómo se distinguirá la naturaleza de las interjecciones? **11o.** ¿A qué llamamos *metoplasmos*? **12o.** ¿Cuál de las figuras de dicción es la más usada? **13o.** ¿Qué es la contracción? **14o.** ¿Es lícito usar de estas figuras? **15o.** ¿Cómo se hace el análisis analógico de una oración o periodo?

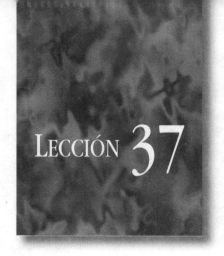

Parte Segunda
PROSODIA

Elementos de la Palabra. Las Letras

367. La **Prosodia** da reglas para la recta pronunciación y acentuación de las letras, sílabas y palabras.

368. Los elementos de la *palabra* son dos: el *ideológico* y el *fonético.* El *ideológico* lo constituye la idea representada, y el *fonético* el conjunto de sonidos que la forman.

369. Los signos representativos de los sonidos se llaman *letras,* cuyo conjunto, en un orden convencional, constituyen el *alfabeto* o *abecedario,* compuesto de las veintiocho letras siguientes: *a, b, c, ch, d, e, f, g, h, i, j, k, l, ll, m, n, ñ, o, p, q, r, s, t, u, v, x, y, z.*

En la actualidad, la Real Academia de la Lengua Española no toma en cuenta la *ch* y la *ll* como letras independientes. (Nota del editor).

Llámase **alfabeto** por derivarse de las dos letras griegas *alfa* y *beta,* que corresponden a la *a* y la *b,* y **abecedario** porque empieza por las letras *a, b, c, d.*

370. Las letras se dividen: **1o.** en *mayúsculas* y *minúsculas,* atendiendo a su forma y tamaño; **2o.** en *vocales* y *consonantes,* por razón del sonido.

371. Son **mayúsculas** las que, en un mismo escrito, tienen mayor tamaño, tales son: *A, B, C;* **minúsculas,** las que son pequeñas, como: *a, b, c.*

372. Letras **vocales** son las que pueden pronunciarse solas, y son: *a, e, i, o, u.*

Se clasifican en fuertes: *a, e, o,* y débiles, *i, u.*

La *y* puede considerarse como vocal, cuando va sola o al fin de dicción, como en: Pedro *y* Juan, re*y,* le*y;* y como consonante, al principio de la sílaba; por ejemplo: *y*eso, arro*y*o.

175

Por el órgano bucal que las produce se denominan: *a* gutural, *i* palatina, *u* labial, *e* intermedia gutur-paladial, *o* gutur-labial.

El sabio filósofo y políglota valenciano Orchell explica gráficamente estas subdivisiones mediante un triángulo que lleva su nombre.

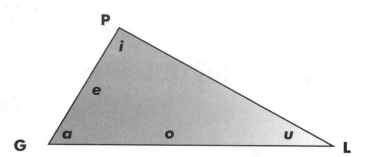

El triángulo G.P.L. representa la cavidad bucal; designando por G la garganta, P el paladar y la L de los labios, la *a* se produce emitiendo el sonido sobre la garganta mediante una abertura bucal, la *i* sobre el paladar y la *u* sobre los labios; la *e* es un sonido intermedio entre la garganta y el paladar, y la *o* entre la garganta y los labios.

Los sonidos se originan en las cuerdas vocales; luego, como en todo instrumento de lengüeta, serán más fuertes los más próximos, y los más débiles los más distantes; siendo la *i* y la *u* los más lejanos, constituyen las vocales débiles; y *a, e, o,* que están más próximos, las vocales fuertes.

373. Las letras **consonantes** no pueden pronunciarse sino con el auxilio de las vocales, y son: *b, c, ch, d, f, g, h, j, k, l, ll, m, n, ñ, p, q, r, s, t, v, x, y, z.*

374. Las consonantes, según su estructura, se clasifican en *sencillas* si constan de un solo signo, como *r, b, d;* y *dobles* si constan de dos, tales son: *ch, ll, rr.*

Hay consonantes de un solo sonido; por ejemplo: *b, p, t;* y otras de dos, uno suave y otro fuerte; por ejemplo; *c, g, r.*

Por fin, según los órganos de la voz que las producen, las consonantes se clasifican en:

Guturales, si se pronuncian con la *garganta: j, g, k, q, c, (ca, co, cu).*

Linguales, si se pronuncian con la *lengua: r, rr.*

Dentales, si se pronuncian con los *dientes: s.*

Labiales, si se pronuncian con los *labios: b, m, p.*

Nasales, si se pronuncian con la *nariz: n, ñ.*

Linguo-dentales, si se pronuncian con la *lengua* y los *dientes; d, t, z, c, (ce, ci).*

Linguo-paladiales, si se pronuncian con la *lengua* y el *paladar: l, ll, ch, y.*

Dento-labiales, si se pronuncian con los *dientes* y los *labios: f, v.*

La *x* es una consonante compuesta del sonido de *k* y de *s,* es *gutural* y *dental* al mismo tiempo. Sin embargo en México suena como *ch* (Xola), *j* (México).

Ejercicios de Aplicación

131• **1o.** *Indíquense oralmente las vocales, haciendo notar cuáles son las fuertes y cuáles las débiles.*
2o. *Señálense las consonantes diciendo qué denominación se atribuye a cada una atendiendo al órgano de la voz que las produce.*

Lo que cuesta el placer

Mil gotas de rocío
    vierte la aurora,
para que el valle
    brote una rosa.

Así a las almas
siempre un placer le cuesta
miles de lágrimas.

JOSÉ ROSAS MORENO. MÉXICO.

132• *Sustituir los puntos por las vocales o consonantes que convengan para formar una palabra del idioma.*

M.r	C.d	P.nz.s	A.a.d	P.rsp.c.z	Jo.	D.s.h.ci..
P.z	C.nc	C.sn.	H.r.e	T.rr.r	Vo.	Per..ech..
Tr.j.	R.n	T.rn.	C.u.	Az.h.r	D..	..iqui..aq..
F.z	R.m.	M.íz	.oz	Aj.d..z	P.n	.at.rr.
L.z	R.d.	Ra.l	.er	P.s.tón	C.e.o	Pe.si.n.r.
B.j.	M.tr.	To.ll.	.al	C.nc.av.	.ap.l	.tl.nt.c.
S.d	Cr.n	P.r.nn.	.ro.	C.h.t.	.ahi.o	L.n.ani.id.d

Ejercicios de Lexicología

Familias de Palabras

Las palabras derivadas se forman de las primitivas, añadiéndoles partículas que se llaman **afijos**.

Si el afijo está al principio de la palabra, como en *in*-justo, *pre*-ceder, recibe el nombre de **prefijo**; si se halla al fin de palabra, como en joven-*cito*, cart-*ero*, se llama **sufijo**.

Los sustantivos pueden originar, por derivación, otros sustantivos, adjetivos y verbos; los adjetivos pueden formar sustantivos, otros adjetivos, verbos, etc. El conjunto de una palabra primitiva y de todas las derivadas de que de ella se pueden formar se denomina **familia de palabras o campo semántico**.

La familia de la palabra *tierra*, por ejemplo: comprende más de treinta palabras, como lo indica el cuadro siguiente:

Tierr	—a,	—aplén,	—aplenar,	—áqueo,	—azgo,	—emoto. —enal,
	—eno,	—eo,	—estre,	—itorial,	—itorio,	—ón. —osidad,
	—oso,	—uño.				
A – **terr**	—ar,		—amiento,	—onar,	—izar,	—izaje.
En – **terr**	—ar,		—amiento,	—(i)o,	—ador.	

177

Des	– **terr**	—ar,	—(i)o.	
Desen	– **terr**	—ar.	—amiento, —(i)o,	—ador.
Medi	– **terr**	—áneo.		
Sub	– **terr**	—áneo,	—áneamente.	

En este ejemplo se ve que, añadiendo a la raíz tierr– o terr–, los sufijos —a, —aplén, aplenar, —áqueo, etc., se tienen las palabras *tierra, terraplén, terraplenar, terráqueo*, **etc.;** que, haciendo preceder a **–terr,** los prefijos a–, en–, des–, etc., y añadiendo los sufijos —ar, amiento, (i)—o, —ador, etc., tenemos *aterrar, aterramiento, enterrar, entierro, enterrador,* etc.

133 • *Enumerar cinco palabras de la familia de cada uno de los vocablos siguientes:*

Alto	Casa	Fiesta	Mina
Ánimo	Centro	Fondo	Paja
Año	Claro	Frente	Señor
Arma	Día	Guerra	Sudar
Bárbaro	Diente	Humo	Tiempo

Los Dos Conejos

Por entre unas matas
seguido de perros
(no diré corría)
volaba un conejo.

De su madriguera
salió un compañero,
y le dijo: "tente,
amigo: ¿qué es esto?

"¿Qué ha de ser -responde-
sinb aliento llego...
dos pícaros galgos
me vienen siguiendo"

"Sí, -replica el otro-;
por allí los veo;
pero no son galgos."
"¿Pues qué son?" "Podencos".

"¿Qué? ¿Podencos dices?
Sí; como mi abuelo,
Galgos y más galgos:
bien vistos los tengo".

"Son podencos: vaua,
que yo no entiendo de eso."
"Son galgos, te digo."
"Digo que podencos."

En esa disputa
llegando los perros,
pillan descuidados
a mis dos conejos.

Los que por cuestiones
de poco momento
dejan lo que no importa
llévense este ejemplo.

Sílaba

375. Las letras se unen para formar *grupos, diptongos, triptongos* y *sílabas.*

Proceden los *grupos* de la reunión de las consonantes; los *diptongos* y *triptongos* de la unión de las vocales; y las *sílabas* de unas y otras.

376. Prescindiendo de las letras *ch, ll* y *rr, dobles en el signo* y de la *x,* que lo es en la *pronunciación* y *equivalencia,* en español, sólo las *líquidas l* y *r* se unen a otras, llamadas *licuantes,* formando con ellas un todo indisoluble en la pronunciación y en la escritura.

La *b, c, f, g, p, t,* forman grupo con la *l* y *r: blando, obligar, brazo, abrazar; clavo, inclinación, cruel, acrecentar; flojo, afligir, fragua, infringir, gloria, iglesia, gracia, agrupar; plaga, aplicación, prensa, aprisionar; Tlalpan, Atlántico, trueno, atraer.*

La *d* sólo con la *r: dragón, adrede.*

En las palabras hispanolatinas compuestas de preposición y de voz latina que empiece por *s* líquida, exige la fonética española y manda la Real Academia, se una la **s** a la preposición y *no* a la letra siguiente, como en latín, pudiéndose originar los grupos *bs, ns, rs;* por ejemplo: *obscuro, instituto, cons-tar, pers-picaz.*

377. Diptongo es la unión de dos vocales que se pronuncian en una misma emisión de voz. Todo diptongo puede constar, o de dos vocales *débiles,* o de una *débil* y una *fuerte;* mas nunca de dos *fuertes.* Así es que habrá diptongo sólo en las combinaciones siguientes:

FUERTE CON DÉBIL	DÉBIL CON FUERTE
ai como *airado,* hay	**ia** como *sería*
au como *cauto*	**ie** como *tiene*
ei como *reyna,* ley	**io** como *temió*
eu como *feudo*	**ua** como *pascua*
oi como *sois,* doy	**ue** como *muelle*
ou como *bou*	**uo** como *arduo*

DOS DÉBILES
iu como *viuda*
ui como *Luis*

179

La combinación **uu** no existe en castellano; y la **ii**, que se encuentra el pi*í*simo, no forma diptongo.

En los diptongos que hayan de llevar acento, lo mismo prosódico que ortográfico, ha de recaer éste en la vocal fuerte; y si las dos son débiles, en la última; de lo contrario las dos vocales no forman diptongo.

Así, hay diptongo:

en *ley*, y no en *leí*	en *continuó*, y no *continúo*
en *tenia*, y no en *tenía*	en *fuimos*, y no en *fluído*.

378. Se llama **triptongo** a la reunión de tres vocales pronunciadas en una sola emisión de voz. Para que tres vocales españolas formen triptongo, es necesario que sean débiles dos de ellas, y la otra fuerte, acentuada y esté colocada entre las débiles.

Sólo hay cuatro triptongos españoles:

iái como acaric*iái*s,

iéi como acaric*iéi*s,

uái como atestig*uái*s, Parag*uay*,

uéi como atestig*üéi*s, b*uey*.

uau en palabras mexicanas: C*uau*tla, C*uau*htémoc.

379. Sílaba es una o más letras que se pronuncian en una sola emisión de voz.

Una sílaba puede constar de una a cinco letras y de una a tres vocales; por ejemplo: *a, ba, das, tras, trans, doy, buey.*

380. Las sílabas se clasifican, por el número de letras que se componen, en *monolíteras, bilíteras, trilíteras*, etc., según consten de una, dos, tres, etc.; en general, se llaman *polilíteras* cuando constan de varias.

Por la combinación y número de vocales y consonantes las sílaba se llaman: *simples*, si constan de una sola vocal, como *a, ma, in, pin*; y *compuestas*, si constan de varias, por ejemplo: *au, cau, ción; incomplejas* si tienen una sola consonante, como *ma, in, cau, so*; y *complejas*, si tienen varias, por ejemplo: *cons, tor, tru, ins.*

Las sílabas también se llaman: *directas*, si empiezan por consonante y terminan por vocal, como *ma, tra, nau, gió; inversas*, en el caso contrario, por ejemplo: *ins, al , or, as*; y *mixtas* si tienen una o más vocales entre dos consonantes, como *Blas, Juan, cons, ción.*

Finalmente, se llaman *líquidas* o *contractas* cuando constan de una o más vocales a las que preceden dos consonantes fundidas en un solo sonido, por ejemplo: *Blas, brio, tra, ble, glo, gri.*

381. Para **dividir las palabras en sílabas** se deben observar las reglas siguientes:

1a. Una consonante entre dos vocales va con la última; por ejemplo: *a-mor.*

2a. Si hay dos consonantes, cada una se junta con la vocal inmediata, excepto cuando forman grupo, o sea, cuando la segunda es *l* o *r* y la primera *b, c. d, f, g, p, t*; pues entonces, las dos, fundidas en un solo sonido, van con la siguiente; por ejemplo: *al-co-ba, can-to*; pero se dice *ta-bla, a-gra-da-ble, A-tlán-ti-co.*

3a. Si hay tres consonantes entre dos vocales, las dos primeras van con la vocal que las precede y la otra con la siguiente, a menos que, como en el caso anterior, la tercera sea *l* o *r* y la segunda alguna de las citadas *b, c, d, f, g, p, t,* en cuyo caso las dos últimas van con la vocal que las sigue; por ejemplo: *cons-ti-tu-ción, ins-tan-te, in-tru-so, sim-ple.*

4a. Si hay cuatro consonantes entre dos vocales, las dos primeras van con la vocal que las precede, y las otras dos con la siguiente; por ejemplo: *ins-tru-men-to, cons-truc-ción.*

5a. Las consonantes dobles *ch, ll* y *rr,* no se descomponen, por ser simples en el sonido, aunque no en la forma; por ejemplo: *ca-rro, co-che, mue-lle.*

6a. La sílaba *des* no se descompone; por ejemplo: *des-ha-cer,* lo mismo sucede con *vos* y *nos* en *vosotros* y *nosotros,* y los *diptongos* y *triptongos;* por ejemplo: *dió-le, a-pre-ciáis.*

7a. En las palabras compuestas se dividirán los elementos componentes, como *ex-tra-er,* a menos que el segundo elemento empiece por *s,* en cuyo caso no se agregará dicha letra a la vocal anterior, por no haber sílaba castellana que empiece por *s líquida;* por ejemplo: *cons-tan-cia.*

382. Las palabras, atendiendo al número de sílabas de que constan, pueden ser: *monosílabas,* si constan de una; *bisílabas,* si tienen dos; *trisílabas,* si tienen tres; *cuadrisílabas,* si tienen cuatro, y, en general, *polisílabas,* si constan de más de una; por ejemplo: *Dios, de-dal, i-gle-sia, sa-cra-men-to, mi-se-ri-cor-dia.*

Ejercicios de Aplicación

134• *Descomponer en sílabas las palabras del trozo siguiente y subrayar los diptongos.*

El Ombú

Cada comarca en la tierra
Tiene un rasgo prominente;
El Brasil, su sol ardiente;
Minas de plata el Perú;
Montevideo, su cerro;
Buenos Aires, patria hermosa,
Tiene su pampa grandiosa;
La pampa tiene el ombú…
¡El ombú! —Ninguno sabe
En qué tiempo, ni qué mano
En el centro de aquel llano
Su semilla derramó.
Mas su tronco tan nudoso,
Su corteza tan roída,
Bien indican que su vida
Cien inviernos resistió…

LUIS L. DOMÍNGUEZ.

135• *¿Qué clases de sílabas son las que componen las siguientes palabras?*

Álveo	Estalactita	Pipirigallo	Uruguay
Presbítero	Transiberiano	Alcohol	Pamplina
Petimetre	Tlaxcalteca	Argonauta	Extramuro
Metamorfosis	Congruente	Instrumento	Execrable
Diadema	Intruso	Patraña	Equinoccio
Bacalao	Conspiración	Deshacer	Cuadrático
Anécdota	Cucurucho	Cuchillo	Consistorio
Alfeñique	Atrancar	Istmo	Construir
Etcétera	Cocodrilo	Nosotros	Desinterés

136• *Clasifique las palabras del ejercicio anterior según el número de sílabas de que constan.*

137• *Dígase si hay o no diptongo o triptongo en las siguientes palabras:*

Aula	Peor	Ázoe	Tuétano
Clueca	Judía	Vizcaíno	Bueyes
Cruel	Real	Cabrío	Fraile
Espurio	Violín	Caimán	Paraguay
Reliquia	Poesía	Balaustre	Apreciéis
Vaina	Abigaíl	Bajío	Amaríais
Viruela	Petróleo	Gloria	Conjugáis
Ciudad	Esaú	Comedia	Argüíais
Maíz	Vergüenza	Diente	Guayabo
Baúl	Atrio	Prueba	Guay
Crujía	Patio	Ciruela	Averigüéis
Polainas	Porciúncula	Apoplejía	Despreciaríais

Ejercicios de Lexicología

Familia de Palabras

Entre las diversas especies de palabras que componen una familia lexicológica, se encuentran frecuentemente un nombre, un verbo, un adjetivo, un adverbio. Este último es siempre derivado: en cuanto al nombre, verbo y adjetivo, pueden ser, a su vez, primitivos.

138• *Señalar un verbo, un adjetivo y un adverbio de la misma familia de cada uno de los nombres siguientes:*

Ánima	Fama	Honor	Luz
Brevedad	Familia	Ira	Madre
Cabeza	Forma	Isla	Máquina
Crimen	Gracia	Juez	Peso

Culpa	Gloria	Letra	Razón
Daño	Hijo	Ley	Vista

139• *Señalar un nombre, un adjetivo y un adverbio de la misma familia de cada uno de los verbos siguientes:*

Amar	Dar	Imitar	Razonar
Arder	Doler	Instruir	Saciar
Burlar	Dudar	Labrar	Separar
Cerrar	Extremar	Malear	Tener
Correr	Favorecer	Ordenar	Unir
Cortar	Hacer	Preocupar	Verificar

Yo Soñaba en Clasificar

Yo soñaba en clasificar
el Bien y el Mal, como los sabios
clasifican las mariposas:

Yo soñaba en clavar el Bien y el Mal
en el oscuro terciopelo
de una vitrina de cristal...

Debajo de la mariposa
blanca, un letrero que dijera: "EL BIEN".

Debajo de la mariposa
negra, un letrero que dijera: "EL MAL".

Pero la mariposa blanca
no era el bien, ni la mariposa negra
era el mal... ¡Y entre mis dos mariposas,
volaban verdes, áureas, infinitas,
todas las mariposas de la tierra!...

DULCE MARÍA LOYNAZ. CUBA.

LECCIÓN 39

Acento. Cantidad. Figuras Prosódicas

383. **Acento prosódico** es la mayor elevación de voz con que se pronuncia una de las sílabas de una palabra.

En determinados casos se pone una rayita oblicua sobre la vocal en que carga el acento prosódico: esta rayita se llama acento **ortográfico.**

La sílaba sobre la cual carga el acento prosódico se denomina sílaba *tónica* o *dominante.*

384. Las palabras, por razón del acento, se dividen en **átonas** (o sin acento), **tónicas** (cuando llevan acento) y **ditónicas** (o si llevan dos acentos).

385. Las átonas o atónicas se subdividen *proclíticas* y *enclíticas.*

386. Las voces **proclíticas** se han de pronunciar sin ningún acento, como si formaran parte de la palabra siguiente.

Son **proclíticas** las preposiciones, menos según; las conjunciones, menos siquiera, *antes,* (adversativa) y pues (continuativa); los adverbios *tan, cuan, aún, donde, mientras, medio* (equivaliendo a *casi*), *más* (sólo cuando en las sumas sustituye a *y*), *menos* (significando *excepto*), *cuando, como,* (a no ser que alguno de ellos sea interrogativo o admirativo); los relativos *que, quien, cuyo, cual* (cuando sea correlativo de *tal*), *cuanto* (equivalente a *todo,* y correlativo de *tanto);* los artículos; los pronombres cuando anteceden al verbo, y algunos adjetivos y sustantivos; por ejemplo: con él, hasta aquí, para con Dios; porque vino; si quieres; tan grande; mientras escribes; como piensas; el niño que viste, y cuyo trabajo te gustó; haz cuanto puedas; cual sea la vida así será nuestra muerte; te supli co que me lo tra igas; cada ho mbre; mi li bro; cuarenta y cinco mi l; fray Die go, don Pa blo.

387. Se llaman **enclíticas** las palabras que se deben pronunciar sin ningún acento, como formando parte de la palabra anterior, a la que se unen.

Son **enclíticos:** los pronombres *me, te, se, nos, os, le, lo, la, les, las;* por ejemplo: dámelo, dícese, dígaselo, tráenos, daos prisa.

388. Las palabras tónicas se subdividen en *agudas, graves* o *llanas* y *esdrújulas.*

184

389. Se llaman **agudas** aquéllas cuyo acento prósodico carga en la última sílaba, como: *papá, amor, corazón, clavel.*

Son agudas por su naturaleza:

1o. Todas las palabras monosílabas.

2o. Todas las palabras de dos o más sílabas que terminen en vocal débil; por ejemplo: *temí, frene-sí, Perú*; excepto: *casi, espíritu, tribu, cursi.*

3o. En general, las terminadas en consonante que no sea la *n* o la *s*, pues las que con ellas terminan son *llanas* en su mayoría. Ofrécense muchas excepciones en una y otra regla.

390. Palabras **graves** o **llanas** son las que llevan el acento en la penúltima sílaba; por ejemplo: *la-na, aman, lunes, cárcel, débil.*

Comúnmente son de esta clase las palabras que terminan en una de las vocales fuertes, o bien en diptongo; por ejemplo: *perro, amanece, remedio*; se exceptúan algunos adverbios, como: *allá, acu-llá, acá*, algunas personas del futuro de indicativo y del pretérito de indicativo que son agudas, por ejemplo: *amaré, amarás, amará, amarán, amé, amó.*

391. Las palabras *esdrújulas* tienen el acento en la antepenúltima sílaba, como: *apóstoles, epístola, cí-tara, público.*

No puede ser esdrújula ninguna palabra cuyas dos últimas vocales tengan interpuestas dos conso-nantes, excepto si es líquida la segunda o si se trata de un verbo con sufijo; por ejemplo: *décuplo, cátedra, llámenme, quiérenlo, dícente.*

Tampoco puede ser esdrújula ninguna palabra entre cuyas dos últimas vocales se interpongan las consonantes *ch, j, ll, ñ, rr, v, z*, excepto *póliza, Écija, Órgiva, Álava.*

Tampoco lo sería si terminase en diptongo, excepto algunos adjetivos de origen latino, como *ventrí-locuo, grandílocuo*, etc.

392. Con personas de verbo y con gerundios y participios seguidos de dos o tres pronombres enclíti-cos resultan vocablos con acento en la cuarta o en la quinta sílaba, contados de derecha a iz-quierda: dichos vocablos se llaman **sobreesdrújulos;** por ejemplo: *habiéndosete, oblíguesele, castíguesemele.*

393. Son **ditónicas** todos los adverbios en *mente*, pues todos ellos deben pronunciarse con dos acentos, como si fueran dos palabras distintas; por ejemplo: *fácilmente, rápidamente, cariño-samente.*

394. Atendiendo a sus sonidos finales o *cadencias,* dos o más palabras pueden ser entre sí **conso-nantes,** si tienen las mismas letras finales desde la vocal acentuada inclusive, como paja*rillo* y tom*illo*, *lla*ma e in*fla*ma, a*posento* y mo*mento*; **asonantes,** si tienen idéntica la vocal acentua-da y la vocal final; por ejemplo: silb*ido* y gat*illo*, b*lu*sa y c*intu*ra, ap*lau*do y enc*erra*do, hid*algo*s y cá*ndi*do; y **disonantes,** cuando tienen cadencias enteramente distintas, como pap*el* y m*esa*, am*or* y sentim*iento*.

395. Cantidad prosódica es el tiempo que se emplea en la pronunciación de una sílaba. Según la cantidad, las sílabas pueden ser *largas* y *breves*. En la pronunciación de las primeras se invierte doble tiempo que en la de las segundas, sirviendo de unidad para ello la sílaba directa simple.

396. En una palabra se consideran como sílabas largas:

1o. Las que llevan diptongo o el acento prosódico; como *pei*-na-*rí*-a, b*uey*, *cí*-ta-ra, *me*-sa.

2o. Aquellas cuya vocal va seguida de dos o más consonantes, de las cuales una o más se juntan con dicha vocal, como: *tran*-si-*ción*, *in*- *ter*-**pre**-ta-*ción*.

3o. La primera de las palabras *bisílabas* que llevan el acento en la última; por ejemplo: *o*-ír, *ca*-er, *me*-són.

4o. Según algunos gramáticos, las sílabas que tienen una vocal seguida de una de las consonantes dobles: *ch, ll, ñ, rr, x,* y las sílabas en que entran dichas consonantes; por ejemplo: *cu-cha*-ra, *pe-ñas*-co, *te-rre*-no, *e-xa*-men.

Observacion. Todas la sílabas que siguen a la que lleve el acento prosódico son breves.

397. Figuras prosódicas son ciertas licencias autorizadas por el uso, referentes a la pronunciación de algunas palabras. Se consideran como tales la *diéresis, sinéresis* y *sinalefa*.

Consiste la **diéresis** en la descomposición de un diptongo en dos sílabas, como *sü-a* ve- por sua-ve, *rü-i*-do por rui-do; y la **sinéresis**, en la reunión de dos vocales en una sola sílaba formando diptongo hasta con dos vocales fuertes; por ejemplo: *León* por Le-ón, Bil-*bao* por Bil-ba-o.

398. La **sinalefa** es la reunión de dos, tres y hasta cuatro vocales pronunciadas en una emisión de voz, lo que resulta del enlace prosódico en dos palabras; por ejemplo:

Éstos, Fabio, ¡ay dolor! que ves ahora...
¡Qué descansada vida
La del que huye el mundanal ruido,
Y sigue la escondida
Senda, por donde han ido
Los pocos sabios que en el mundo han sido!

399. El **análisis prosódico** comprende:

1o. La descomposición de una oración en palabras y la clasificación de éstas atendiendo a la acentuación y al número de sílabas.

2o. La descomposición de cada palabra en sílabas y la clasificación de éstas por la cantidad prosódica, número de vocales y consonantes y su combinación.

3o. La descomposición de las sílabas en letras y su división por este concepto; la clasificación de las vocales por su sonoridad y órgano bucal que las produce; y la división de las consonantes por el órgano articulado y por el esfuerzo.

Ejemplo: *Anselmo es cantor.*

Esta oración consta de tres palabras.

Anselmo, palabra trisílaba, llana; la sílaba *an* es larga, bilítera, simple, incompleja e inversa; la letra *a* es vocal gutural, fuerte; la *n* es consonante linguo-paladial, nasal, débil; la sílaba *sel* es larga, trilítera, simple, compleja y mixta; la *s,* consonante linguo-paladial, silbante; *e,* vocal fuerte, gutur-paladial; *l,* consonante linguo-paladial; *mo,* sílaba bilítera, breve, simple, incompleja y directa; *m,* consonante labial, débil; *o,* vocal fuerte, gutur-labial.

Es, palabra monosílaba, bilítera; sílaba inversa, simple e incompleja; *e,* vocal ya analizada; *s,* consonante ya analizada.

Cantor, palabra bisílaba, aguda; *Can,* sílaba trilítera, larga, simple, compleja y mixta; *c,* consonante gutural fuerte; *a* vocal ya analizada; *n,* consonante ya analizada; *tor,* sílaba trilítera, larga, simple, compleja y mixta; *t,* consonante linguo-dental, fuerte; *o,* vocal ya analizada; *r,* consonante lingual.

Ejercicios de Aplicación

140• *Subrayar la sílaba dominante en las voces polisílabas, y señalar las palabras consonantes.*

Décima

Esa seda que rebaja
tus procederes cristianos
obra fue de los gusanosa
que labraron la mortaja.
También en la región baja
la tuya han de devorar
¿De qué te puedes jactar,
y en qué tus glorias consisten
si unos gusanos te visten
y otros te han de devorar?

CALDERÓN DE LA BARCA. ESPAÑA.

141• *Clasificar los vocablos polisílabos del ejercicio anterior, atendiendo al acento, y disponerlos en columnas.*

ANÁLISIS:
Analizar prosódicamente el primer verso de la poesía anterior.

142• *Entre las voces adjuntas elíjanse las consonantes, asonantes y disonantes.*

Esparto	Locura	Respalndor	Catálogo
Altura	Exótico	Firmamento	Zagal
Máquina	Pradera	Lábaro	Perfume
Huerta	Congoja	Viento	Dulce

187

Esfera	Lagarto	Ranúncula	Lamento
Hidrópico	Coscajo	Análogo	Relámpago
Carúncula	Flor	Volcán	Instante
Cuento	Gusano	Pena	Girasol

Ejercicios de Lexicología

Palabras de Origen Latino

Se ha visto cómo, al añadir al radical de ciertas palabras españolas, un prefijo o un sufijo, pueden formarse *familias de palabras* más o menos numerosas. Gran número de palabras latinas tienen la misma propiedad, porque del latín se ha formado nuestro idioma; por ejemplo: el verbo latino **audire, auditum,** oír, ha formado las palabras: *audición, auditivo, auditor, auditorio, audiencia.*

143• *Señalar cinco palabras españolas derivadas de cada uno de los vocablos latinos siguientes:*

Aequus = *igual*	Duo = *dos*	Miser = *miserable*
Agere, actum = *obrar*	Manus = *mano*	Modus = *manera*
Aptus = *apto*	Mare = *mar*	Mons, tis = *monte*
Arbiter = *árbrito*	Mater = *madre*	Navis = *navlo*
Augur, is = *augurio*	Meditare = *meditar*	Negare = *negar*
Centum = *ciento*	Maturus = *maduro*	Nomen = *nombre*
Certus = *cierto*	Medius = *medio*	Norma = *regla*
Conciliare = *conciliar*	Memorare = *recordar*	Noscere = *conocer*
Contra = *contra*	Migrare = *emigrar*	Nota = *nota*
Creare = *crear*	Miles, itis = *soldado*	Octo = *ocho*

Muchas palabras españolas contienen dos elementos latinos: **bi** (de *bis,* dos veces); **omni** (de *omnis,* todo); **fero** (de *ferre,* llevar, tener); **voro** (de *vorare,* devorar, comer con ansia).

144• *Definir las palabras siguientes:*

Bienal	Omnímodo	Argentífero	Carnívoro
Bigamia	Omnipotencia	Aurífero	Frugívoro
Bilingüe	Omnipotente	Calorífero	Granívoro
Bimano	Omnipresencia	Mortífero	Herbívoro
Bisabuelo	Omnisciencia	Odorífero	Insectívoro
Bizcocho	Omniscio	Pestífero	Omnívoro

Métrica. El Verso y sus Varias Especies

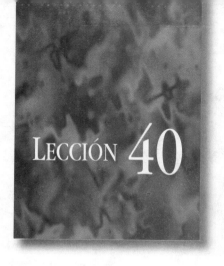

400. **Métrica** es el arte que trata de la medida o estructura de los versos, de sus varias especies y de las distintas combinaciones que con ellos pueden formarse.

401. **Verso**[1] es la palabra o conjunto de palabras sujetas a medida y cadencia, según reglas fijas y determinadas.

Versificar vale tanto como *escribir* o *componer versos*, y, por lo tanto, la *versificación* es la aplicación de un método de redacción que dispone las palabras siguiendo patrones de ritmo (metro) y patrones de cadencia (rima).

402. Los **elementos del verso castellano** son: el *número de sílabas*, el *acento rítmico*, las *pausas* y la *rima*. Los dos primeros son esenciales; los dos últimos, aunque muy importantes, no son absolutamente necesarios.

403. El **número de sílabas** se cuenta por el de vocales, exceptuando los casos de diptongo y triptongo, porque entonces las dos o tres vocales se pronuncian en un solo tiempo.

También debe atenderse al acento que lleva la palabra final del verso, que carga necesariamente sobre la penúltima sílaba; puesto que si el verso termina en voz esdrújula, las dos últimas sílabas valen por una sola, y si en voz aguda, la última sílaba vale por dos.

Así, pues, los tres versos siguientes se considerarán de siete sílabas:

        1 2 3 4 56 7   1 2 3 4 5 67
1 2 3 4 5 6 7   Te dieron, y benévolas.   Su lira de marfil.
Sus diáfanos cristales.

Al medir el verso tampoco han de olvidarse las *figuras prosódicas*, frecuentemente usadas en poesía *(núms. 397 y 398)*.

DIÉRESIS
        1 2 3 4 56 7   1 2 3 4 56 7
        Con un manso rüido.   Agora que süave.

SINÉRESIS
        1 2 3 4 5 6 7 8
        Alma *leal* en cuerpo hermoso.

---

1. Es preciso distinguir entre verso y poesía: El verso controla la forma y la poesía se refiere al contenido de una expresión lingüística.

SINALEFA

```
1 2  3  4  5   6 78 9 1011
```
Mira la esfera arder iluminada.

```
1 2  3   4  5   6    7   8
```
Recibe en su casa a un hombre.

404. El **acento rítmico** o **ictus** es el segundo elemento esencial de la versificación, y consiste en la disposición de los acentos prosódicos en tal orden que **de ella** depende que el verso sea o no armonioso.

Si en éste

Qué me pides zagal, que te cuente,

cambiamos las palabras de manera que el acento no caiga en la 3a., 6a., y 9a. sílabas, y decimos:

Zagal, qué me pides, que te cuente,

desaparece la armonía; ya no hay verso.

405. En un verso puede haber dos clases de acentos: *necesarios* y *accidentales.* Los primeros son los que cada especie de verso requiere en determinadas sílabas para existir como tal; los segundos, los que el poeta puede emplear en sílabas variables para aumentar o disminuir el ritmo del verso.

En los siguientes:

Fabio, las esperanzas cortesanas

Prisiones son do el ambicioso muere

las sílabas 6a., y 10a., del primero y las 4a., 8a. y 10a. del segundo tienen acento necesario o ictus: la 1a. del primero y las 2a. y 5a. del segundo llevan acentos accidentales o supernumerarios.

406. Las reglas generales relativas al acento son:

1a. Todo verso ha de llevar necesariamente *ictus* en la penúltima sílaba, a menos que la palabra sea aguda.

2a. Los versos de sílabas impares exigen, por regla general, acento en algunas o en todas las sílabas pares; y al contrario, los de número par, lo reclaman en ciertas o determinadas impares.

3a. Los acentos supernumerarios han de colocarse de modo que no desluzcan o destruyan los necesarios.

407. Las **pausas** o *censuras* son ligeros descansos que al declamar un verso suelen hacerse después de alguna sílaba y al final del mismo; por ejemplo:

Fabio, / las esperanzas cortesanas /

Prisiones son / do el ambicioso muere. /

Corrientes aguas, / puras, cristalinas /

408. La **rima** es la igualdad de vocales y consonantes, o solamente de vocales, en las palabras que terminan verso a contar desde la acentuada.

Atendiendo a la rima, las palabras se dividen, lo mismo que por la eufonía, en *consonantes, asonantes* y *disonantes (núm. 394):* en el primer caso la rima se llama **perfecta** o *consonante;* en el segundo, **imperfecta** o *asonante;* y en el tercero, tenemos el verso **libre,** *suelto* o *blanco;* ejemplos:

Las rosas blancas por allí sembr*adas*
Tornaba con su sangre color*adas.*

> GARCILASO.

Quien a buen árbol se arr*ima,*
Buena sombra le cob*ija.*

> REFRÁN.

Yo vi del polvo levantarse audaces
A dominar y perecer, tiranos:
Atropellarse efímeras las leyes,
Y llamarse virtudes los delitos.

> L. MORATÍN.

409. Para el buen empleo de la rima, deben observarse los preceptos siguientes:

1o. No colocar seguidos más de dos consonantes o asonantes, a no exigirlo la onomatopeya.

2o. No prodigar los consonantes comunes en *-ado,-ido,-oro,-osa;* ni los verbales en *-aba, -ía, -er, -ante, -iente, -ar,* etc.; ni los adverbios en *-mente* y otras rimas llamadas *pobres,* por lo fáciles que son de encontrar.

3o. Se evitará el repetir un mismo consonante: *Vino* sustantivo, y *vino,* verbo; *Granada,* ciudad, y *granada,* fruta, etc.; son rimas que arguyen esterilidad y pobreza.

4o. También deben evitarse las palabras prosaicas y vulgares así como los términos técnicos no generalizados.

410. En español hay versos desde *dos sílabas* hasta *veinte;* hasta ocho sílabas se llaman *versos de arte menor,* y los de nueve en adelante, *versos de arte mayor.* Los de dos, tres, cuatro y cinco sílabas suelen ir mezclados con otros versos de mayor número de sílabas, y se llaman por esta razón *versos de pie quebrado.*

Los versos más comunes y principales son los de cinco, siete, ocho y once sílabas.

En los versos de arte menor, no es necesario colocar el acento en ninguna sílaba determinada. Sin embargo, para que sean más armoniosos, conviene que esté acentuada la 1a. en los *pentasílabos* o de cinco sílabas; la 2a. y 4a. en los *heptasílabos* o de siete; y en los *octosílabos* o de ocho la 3a., o la 2a. y 4a.

Los *endecasílabos,* o de once sílabas han de tener acentuada la 6a., o la 4a. y 8a.

Emilio Marín

El pentasílabo se llama *adónico* si lleva acentuada la primera sílaba. El endecasílabo recibe el nombre de *sáfico* si reúne las siguientes condiciones:

1a. Que sean acentuadas las sílabas 4a. y 8a.

2a. Que la 4a. sílaba pertenezca a una dicción grave.

3a. Que no haya sinalefa entre la 5a. y la 6a. sílaba.

Pentasílabos

¿Qué pide el niño
Con vivas ansias?
La flor preciosa
De la enramada.
No por lo bella,
Ni por lo extraña,
Ni por lo grande,
Ni por ser blanca:
Únicamente
Quiere tocarla
Por que sus manos
Aún no la alcanzan.

A. LLANOS.

Heptasílabos

Pobre barquilla mía
Entre peñascos rota.
Sin velas desvelada,
Y entre las olas sola:
¿A dónde vas perdida?
¿A dónde, di, te engolfas?
Que no hay deseos cuerdos
Con esperanzas locas;
Como las altas naves,
Te apartas animosa
De la vecina tierra
Y al fiero mar te arrojas.

LOPE DE VEGA.

Octasílabos

Yo que cantando viví
Amor dichas y pesares,
Cantarte no pretendí,
Que nunca hallé mis cantares
Dignos ¡Oh padre! de ti.

N. DÍAZ DE ESCOVAR.

Recuerde el alma dormida
Avive el seso y despierte,
Contemplando
Cómo se pasa la vida
Cómo se viene la muerte
Tan callando.

JORGE MANRIQUE.

Endecasílabos

Pláceme en la alameda solitaria,
Cerca del *templo*, de la quietud en pos,
Escuchar de los *monjes* la plegaria
Y al son de la *campana* funeraria
Pensar en Dios.

LUIS BENJAMÍN CISNEROS.

Endecasílabos Sáficos

Cícladas islas, *islas* de la Grecia
Que el mar Egeo con sus *ondas* baña
Donde surgiera la *materna* Delos
Cuna de Apolo.

MENÉNDEZ Y PELAYO.

Ejercicios de Aplicación

145 • *Conta las sílabas de los versos de Lope de Vega citados en el núm. 410: 1o. leyéndolos, 2o. de-clamándolos.*

146 • *Dígase la clase de rima de cada una de las poesías del núm. 410.*

147 • *Escribir separadamente los versos adónicos, sáficos y de pie quebrado contenidos en las mismas poesías.*

Ejercicios de Lexicología

148 • *Señalar cinco palabras españolas derivadas de cada uno de los vocablos latinos siguientes:*

Oculus = *ojo*	Pendere = *pender*	Sapere = *saber*
Panis = *pan*	Plenus = *lleno*	Sanguis, inis = *sangre*
Pars, tis = *parte*	Purgare = *limpiar*	Vulgus = *vulgo*
Ordo, inis = *orden*	Quaerere = *buscar*	Vocare = *llamar*
Ornare = *ornar*	Quinque = *cinco*	Virtus, tis = *virtud*
Orare = *orar*	Radius = *radio*	Videre = *ver*
Ossis = *hueso*	Radix = *raíz*	Texere = *tejer*
Ovum = *huevo*	Regere = *dirigir*	Tenuis = *tenue*
Pascere = *pastar*	Res = *cosa*	Tacere = *callar*
Pater = *padre*	Sacrum = *sagrado*	Sudare = *sudar*

Inter (entre); **trans** (del otro lado, a través de); **forme** (de forma); **fugo** (de *fugere*, huir), son otros elementos latinos que entran en la composición de muchas palabras castellanas.

149 • *Definir las palabras siguientes:*

Intercalar	Transalpino	Biforme	Centrífugo
Interlineal	Transandino	Cuadriforme	Febrífugo
Intermedio	Transatlántico	Disforme	Lucífugo
Internacional	Transbordar	Informe	Prófugo

150 • *Señalar un nombre, un verbo y un adverbio de la misma familia de cada uno de los adjetivos si-guientes:*

Abstracto	Evidente	Justo	Pacífico
Alterno	Evangélico	Legal	Prevenido
Belicoso	Estudioso	Material	Privado
Blando	Fácil	Nulo	Tardío

Combinaciones Métricas

411. Dos o más versos sujetos a la ley del ritmo constituyen una **estrofa** o **combinación métrica**

Las estrofas pueden ser *aconsonantadas* y *asonantadas*; las más importantes son las siguientes: el *pareado, terceto, cuarteto, quintilla, seguidilla, octava real, décima, soneto, lira, silva* y *romance.*

412. El **pareado** consta de dos versos rimados entre sí, con rima consonante o asonante; ejemplo:

Estas pobres canciones que te cons**agro**,
En mi mente han nacido por un mil**agro**,
Desnudas de las galas que presta el *arte*,
Mi voluntad en ellas no tiene p*arte*.

F. Balart.

413. El **terceto** es una combinación métrica que consta de tres endecasílabos rimados en consonante el **1o.** con el **3o.**, y el **2o.** con el **1o.** del siguiente terceto; ejemplo:

¿Qué es nuestra vida más que un breve d**ía**
Do apenas nace el sol cuando se p*ierde*
En las tinieblas de la noche fr**ía**?
¿Qué es más que el heno, a la mañana v*erde*,
Seco a la tarde?¡Oh ciego desvar**ío**!
¿Será que de este sueño me recu*erde*?

Andrada.

414. El **cuarteto** consta de cuatro versos endecasílabos que riman en consonante: primero con cuarto, y segundo con tercero; si riman el primero con el tercero, y el segundo con el cuarto, tenemos el *cuarteto de pies cruzados* o *serventesio*; ejemplos:

Aquí yacen de Carlos los desp**ojos**:
La parte principal volvióse al c*ielo*;
Con ella fue el valor; quedóle al s*uelo*
Miedo en el corazón, llanto en los **ojos**.

Fr. Luis de León.

La **cuarteta** es un cuarteto de versos octosílabos; admite las dos combinaciones aconsonantadas del cuarteto, recibiendo en el primer caso el nombre de **redondilla**; ejemplos:

Este amoroso **tormento**
Que en mi corazón se *ve*,
Sé que lo siento, y no *sé*
La causa por que lo **siento**.

Siento una grave agon**ía**
Por lograr un devan*eo*,
Que empieza como des*eo*
Y para en melancol**ía**.

   Sor Juana Inés de la Cruz.

Las cuartetas, cuyos versos segundo y cuarto riman en asonante, quedando libres los otros dos, forman las **coplas, jotas** o **cantares populares**; ejemplos:

Mi corazón solitario
Es un nido de cant**are**s;
En él duermen y en el viven
Como en su nido las **ave**s.

Las pestañas de tus ojos
Son más negras que la m**ora**
Y entre pestaña y pestaña
Un lucerito se as**oma**.

   R. Aguilera.   A. Ferrán.

415. La **quintilla** se compone de cinco versos octosílabos rimados con dos consonantes al arbitrio del poeta.

La siguiente quintilla puede ser leída comenzando por cualquiera de los versos que la forman:

Sobre un caballo alaz**ano**
Cubierto de galas y *oro*
Demanda licencia uf**ano**
Para lancear un t*oro*,
Un caballero cristi**ano**

   N.F. de Moratín.

416. La **seguidilla** consta de siete versos, combinados del modo siguiente: una estrofita de cuatro versos, heptasílabos los impares y pentasílabos los pares, y otra de tres, pentasílabos el primero y tercero, y heptasílabo el segundo. Suelen rimar en consonante o asonante; segundo con cuarto, y quinto con séptimo; los demás versos son libres; ejemplos:

Las ilusiones niña,
Que el amor fr**agua**
Son ¡ay! como la espuma
Que forma el **agua.**
Nacen y cr*ecen*,
Y como espuma vana
Desapar*ecen*.

A la Virgen del Carmen
Quiero y ad**oro**,
Porque saca las almas
Del purgat**orio**
¡Saca la m*ía*,
Que penando la tengo
De noche y d*ía*!

   Bartrina.   Seguidilla Popular.

Emilio Marín

417. La **octava real** consta de ocho versos endecasílabos que riman en consonante: primero y tercero con quinto; segundo y cuarto con sexto; y séptimo con octavo; ejemplo:

El murmullo del agua, el son del vi**ento**,
El susurro del bosque estremec*ido*
Por sus inquietas ráfagas, el l**ento**
Arrullo de la tórtola, el grazn*ido*
Del cuervo vagabundo, todo ac**ento**
Por ave, fiera o eco produc*ido,*
El nombre santo de su Dios pronUNCIA
Su gloria canta, su poder anUNCIA

JOSÉ ZORRILLA.

Las octavas de versos octosílabos, divididas en dos estrofas por una pausa al final del cuarto verso, reciben el nombre de **octavillas**, y también *bermudinas* porque las empleó con frecuencia *Bermúdez de Castro*, poeta colombiano del siglo XIX. El primer cuarteto tiene pareados el segundo y tercer verso, y lo mismo el segundo cuarteto; riman el cuarto con el octavo, y son libres primero y quinto; ejemplo:

Con diez cañones por banda
Viento en popa, a toda v*ela,*
No corta el mar, sino vu*ela*
Un velero berganTÍN:

Bajel pirata que llaman.
Por su bravura *El Tem***ido.**
En todo mar conoc**ido**
Del uno al otro conFÍN.

JOSÉ DE ESPRONCEDA. ESPAÑA.

418. La **décima** o **espinela,** nombre derivado del poeta *Vicente Espinel*, es una combinación métrica de diez versos octosílabos, que riman en consonante del modo siguiente; primero y cuarto con quinto; segundo con tercero; sexto y séptimo con décimo, y octavo con noveno; ejemplos:

Hay en la vasta llanura
un tronco seco y sin ramas
despojado por las llamas
de su pompa y su hermosura.
De la escarcha, la blancura
le da un tinte funerario
y se eleva solitario
ennegrecido y escueto
como gigante esqueleto
bajo su roto sudario.

GASPAR NÚÑEZ ARCE. ESPAÑA.

El cielo; no hay un pes*ar*
Ni una lágima escond**ida**
Ni un suspiro, ni una her**ida**
Que no la pueda endulz*ar*
De la existencia en el m*ar.*
No hay amargo desconsu**elo,**
No hay delirio ni desv**elo,**
Pena ni dolor prof**undo,**
Que no se calme en el m**undo**
Cuando se contempla el ci**elo.**

A.F. GRILLO.

196

419. El **soneto** consta de catorce versos endecasílabos, distribuidos en dos cuartetos y dos tercetos: los ocho primeros versos riman en consonante el 1o. con el 4o., 5o. y 8o., y el 2o. con el 3o., 6o. y 7o.; en los tercetos se combinan dos o tres consonantes, al arbitrio del versificador; ejemplo:

El Sueño

Imagen espantosa de la mu**erte**,
Sueño cruel, no turbes más mi p**echo**
Mostrándome cortado el nudo estr**echo**,
Consuelo sólo de mi adversa s**uerte**.
Busca de algún tirano el muro f**uerte**,
De jaspe las paredes, de oro el t**echo**,
O al rico avaro en el angosto l**echo**
Haz que temblando con pavor despi**erte**.
El uno vea al popular tum**ULTO**
Romper con furia las herradas pu**ertas**
O al sobornado siervo el hierro oc**ULTO**;
El otro, sus riquezas descubi**ertas**
Con llave falsa o con violento ins**ULTO**;
Y déjale al amor sus glorias ci**ertas**.

ARGENSOLA.

420. Las **liras** son estrofas de cuatro, cinco o seis versos endecasílabos enlazados con heptasílabos, rimados en consonante al arbitrio del poeta; ejemplos:

Alaba ¡oh alma! a Dios: Señor,
                   [tu alteza
¿Qué lengua hay que la cu**ente**?
Vestido estás de gloria y de belleza
Y luz resplandeci**ente**?

FR. LUIS DE LEÓN

Mil gracias derramando
Pasó por estos sotos con pres**ura**
Y, yéndolos mirando,
Con sólo su fig**ura**
Vestidos los dejó de su hermos**ura**.

S. JUAN DE LA CRUZ.

421. La **silva** consta de los mismos versos que la lira, pero no van distribuidos en estrofas iguales y puede llevar algunos versos sueltos; ejemplo:

Ojos claros, serenos,
Si de un dulce mirar sois alab**ados**,
¿Por qué si me miráis, miráis air**ados**?
que no véis que entre más piad**osos**,
más bellos parecéis a aquél, que os m**ira**
No me miréis con ira,
para no parecer menos herm**osos**.
¡Ay tormentos, rabiosos!
Ojos claros, serenos.
Ya que así me miráis,
mirádme al menos.

GUTIERRE DE CETINA.

Emilio Marín

422. El **romance** es una serie indeterminada de octosílabos en la que todos los versos pares tienen un mismo asonante, quedando sin rima los impares.

Hay romances de cinco, seis y siete sílabas, llamados **romancillos** o *romances cortos*; y también los hay de once, en cuyo caso se denominan **heroicos**; ejemplo:

> Con once heridas mortales,
> Hecha pedazos la esp**a**d**a**,
> El caballo sin aliento
> Y perdida la bat**alla**,
> Manchado de sangre y polvo,
> En noche oscura y nubl**a**d**a**,
> En Antígona vencido
> Y deshecha mi esperanza,
> Casi en brazos de la muerte
> El laso potro aguij**aba**
> Sobre cadáveres yertos
> Y armaduras destroz**a**d**a**s.
> Y por una oculta senda
> Que el cielo me depar**ara**.
> Entre sustos y congojas,
> Llegar logré a Villac**aña**s...

DUQUE DE RIVAS.

Ejercicios de Aplicación

151 • *Contar las sílabas de los versos de las páginas 17, 92, 102 y 132; dígase qué combinaciones métricas forman y por qué.*

152 • *Hágase lo propio con las poesías de las páginas 22, 46, 66, 76, 106, 193 y otras que señale el profesor.*

Ejercicios de Lexicología

Palabras de Origen Griego

Tenemos en nuestro idioma gran número de palabras que se derivan del griego, y cuya etimología es muy útil conocer, para tener una idea exacta de su significación. Vamos a ver algunas de las más usadas.

Muchas de ellas están formadas de un nombre, adjetivo o verbo y de una preposición que les sirve de prefijo. Así la preposición **a** (*sin, que no tiene*) puede, uniéndose como prefijo a cada una de las palabras colocadas a su derecha, formar las palabras del cuadro siguiente:

Abismo   (*a*, sin; *bussos,* fondo). Precipicio muy profundo.

Acaule   (*a*, sin; *kaulos,* tallo). Se dice de toda planta que no tiene verdadero tallo.

Acéfalo   (*a*, sin; *kephalê,* cabeza). Animal que nace sin cabeza, secta sin jefe.

Acromático   (*a*, sin; *chrôma,* color). Se dice de los anteojos que hacen ver los objetos sin des-
                  composición de la luz.

Acotiledóneas (*a*, sin; *kotuledôn,* cavidad). Se dice de las plantas que no tienen cotiledones o
                  lóbulos.

Adinamia   (*a*, sin; *dunamis,* fuerza). Pérdida de fuerza.

África   (*a*, sin; *phrikê,* frío). Una de las cinco partes del mundo donde el calor es exce-
                  sivo.

Alecto   (*a*, sin; *legô,* cesar). Una de las tres Furias; cuyas funciones eran atormentar sin
                  cesar a los culpados.

Amaranto   (*a*, sin; *marantos,* que se marchita). Planta notable por la persistencia de sus flo-
                  res.

Amnistía   (*a*, sin; *mnêsis,* memoria, recuerdo). Perdón general concedido a los rebeldes, a
                  los reos políticos.

Amnesia   (*a*, sin; *mnêsis,* memoria). Falta de memoria.

Anarquía   (*a*, sin; *archos,* jefe). Falta de todo gobierno en un Estado.

Anécdota   (*a*, sin; *ekdotos,* aclarado). Hecho histórico poco conocido.

Anónimo   (*a*, sin; *onuma,* nombre). Lo que no tiene nombre.

153 • *Anotar en la raya la palabra que convenga.*

La flor del _____ simboliza la inmortalidad. • Llámase _____ un escrito que no lleva el nombre de su autor. • Los niños prefieren el relato
de las _____ al de la historia. • Los antiguos no conocían del _____
más que el Egipto y las costas septentrionales. • El pecador impeni-
tente quisiera padecer _____ por no recordar sus iniquidades. • Un
_____ llama a otro _____. • En un Estado constitucional el derecho
de _____ pertenece al poder legislativo. • Las tres Furias o Euméni-
des, encargadas de la venganza de los dioses para con los crimina-
les, se llamaban Tisífone, Megera y _____ .

199

Notre Dame *(fragmento)*

Nunca me cuestioné nada durante demasiado tiempo, sólo vivía, me dedicaba a comer a los diablillos imprudentes que se acercaban a la catedral. La mayoría tiene un sabor anaranjado, otros, los más viejos, aquellos que cansados de la eternidad se lanzaron a mi boca, ésos, saben a rojo... y los ángeles saben a carmín. Sé que no debí comer un ángel, pero éste se sentó en mi nariz y comenzó a hablarme del Paraíso y yo, pequeño, nunca llegaré al Paraíso, lo sé... y ahora comprendo por qué...

Estoy seguro que habrías sido feliz a mi lado. Todas las noches, nos hubiéramos sentado a mirar en el cementerio a las almas que vagan en zig-zags fosforecentes, mientras diminutos dragones, al abrir con somnolencia sus párpados, iluminasen sutilmente las ventanas de París. Nos hubiéramos divertido poniendo el pie a las brujas que salen a cazar las oraciones infantiles que flotan en parvadas... las atrapan con sus redes, para luego colocarlas con un alfiler sobre sus corazones. Las brujas no son tan malas, pequeño, no son tan malas.

Durante las tardes, habríamos escuchado juntos las misas de la catedral, para reírnos de algunas cosas, y callar con respeto ante otras, ¡si tan sólo hubiésemos podido estar juntos!

Nadie sabe cuánta soledad habita en los techos. A veces creo que sólo los vampiros podrían comprenderme: ellos son yo de carne muerta. Sus miradas y la mía son muy parecidas, huecas, sin alma. Cuando alguno se sienta a mi lado, permanece sin decir nada; transformando el silencio en una caricia dulce que roza mis labios y pinta de pastel al viento del norte... pedazos, muchos pedazos... La piedra es dura, demasiado dura y sin embargo, no entiendo por qué los hombres permanecieron sordos a tu llanto...

GERARDO LÓPEZ. MÉXICO.

PARTE TERCERA
ORTOGRAFÍA

Uso de las Letras

423. La **Ortografía** enseña a usar correctamente las letras y demás signos auxiliares de la escritura.

La Ortografía está basada en tres principios: **1o.** En la *etimología* u origen de las palabras; **2o.**, en la *pronunciación* de las letras, sílabas y palabras; y **3o.**, en el uso que de las letras han hecho los que mejor han escrito.

424. La Ortografía se divide en tres partes: la primera trata del *uso* de las letras; la segunda, de los *signos ortográficos*, y la tercera, de los *signos de puntuación*.

425. Las palabras cuya primera letra ha de ser mayúscula son:

1o. La que inicia todo escrito, y la que sigue después de punto, interrogación o admiración.

Cuando a la interrogación o a la admiración sigue una frase que es complemento de la pregunta o frase admirativa, se inicia con letra minúscula; por ejemplo: *¿Has visto a tu padre?, preguntaba José.*

2o. Todos los nombres *propios, apellidos* y *apodos;* por ejemplo: *Raúl, Rosario, Luis, Bogotá,* el *Doctor Seráfico,* el *Manco de Lepanto,* el *Libertador.*

3o. Los nombres que significan *dignidad, poder* o *cargo* importante de alguna persona; por ejemplo: el *Papa,* el *Rey,* el *Juez,* el *Gobernador,* el *Alcalde.*

4o. Los nombres de corporaciones o establecimientos notables; como: la *Academia Española,* la *Suprema Corte.*

5o. Los *tratamientos,* y, especialmente, sus *abreviaturas;* como: *Sr., D., V. M., Ud.*

6o. En las cartas, después del *Muy Sr. mío,* u otro encabezamiento, y después de los dos puntos que anuncian una citación; por ejemplo: *Querido hermano: Sirve la presente,* etc. *Dijo Dios: ¡Que la luz sea!*

7o. Al principio de todo verso que tiene más de ocho sílabas, y de cada estrofa, en los de menos sílabas; pero muchos poetas emplean mayúsculas en cada verso.

426. Hay letras de uso dudoso por representar un mismo sonido: tales son la b y la v; la c y la z; la g y la j; la i y la y; la k, la q y la c fuerte.

427. Se emplea la **b**:

1o. En las sílabas directas *bla, ble, bli, blo, blu, bra, bre, bri, bro, bru;* en las inversas *ab, abs, ob,* y en la mixta *sub,* excepto *apto, óptico, optar, óptimo, Havre;* por ejemplo: blanco, brazo, abnegación, subvenir, Puebla.

2o. Las palabras que empiezan por *bu-, bui-, bur-, bus-, bibl-;* como: bujía, buzo, buitre, burlar, busto, Biblia, biblioteca, Burgos.

3o. Las palabras que terminan en *-bundo, -bunda* y *-bilidad;* por ejemplo: meditabundo, abunda, amabilidad.

4o. Después de la *m,* como ambición.

5o. En todos los tiempos de los verbos terminados en *-aber, -eber* y *-bir,* como haber, beber, concebir; excepto: *hervir, servir* y *vivir,* y en sus derivados y compuestos.

6o. En las terminaciones del pretérito imperfecto de indicativo de los verbos de la 1a. conjugación y del verbo *ir;* por ejemplo: amaba, cantaba, andaba, iban.

7o. Las voces compuestas o derivadas de otras que llevan dicha letra; por ejemplo: monosílabo, silabeo, contrabajo, por derivarse de *sílaba* y de *bajo.*

428. Se escriben con **v**:

1o. Los adjetivos terminados en *-ava, -ave, -avo, -eva, -eve, -evo, -iva, -ivo;* por ejemplo: octava, suave, esclavo, nueva, leve, suevo, activa, fugitivo; menos *árabe* y sus compuestos y los adjetivos compuestos del sustantivo *sílaba;* como bisílabo, trisílaba, etc.

2o. Después de la *b, l* y *n;* por ejemplo: obviar, polvo, invierno, olvido.

3o. Después de las sílabas *ad, di, cla, jo, le, lla, lle, llo, llu, sal,* como advertir, divertir clavo, joven, levita, llave, llevar, llover, lluvia, salvaje, salve; menos en *dibujo, mandíbula* y sus derivados.

4o. En el pretérito indefinido y derivados de los verbos *andar, tener* y *estar;* por ejemplo: anduve, estuve, estuviera, tuvo, tuviese, etc., y en el presente de indicativo y derivados del verbo *ir;* por ejemplo: voy, vaya, vete.

5o. Muchos de los verbos terminados en *-evar, -ervar, -ivar, -olver* y *-over,* como: nevar, conservar, privar, volver y mover; exceptuándose: *arribar, cebar, cribar, ensebar* y algunos otros.

6o. Las voces terminadas en *-viro, -vira* y en *-ívoro, -ívora;* por ejemplo: Elvira, carnívoro, herbívora. Se exceptúa *víbora.*

7o. En las voces derivadas o compuestas, cuando la primitiva o la simple lleva dicha letra; por ejemplo: intervenir y venidero.

Ejercicios de Aplicación

154 • *Indicar las mayúsculas donde corresponda.*

el nuevo mundo o américa fue descubierto por cristóbal colón, quien salió del puerto de palos con las tres carabelas: la santa maría, la pinta y la niña. • la biblia contiene el modelo de todas las tragedias. • entre las obras de balmes, merecen citarse: el criterio, verdadero tratado de lógica al alcance de todos, la filosofía fundamental, la religión demostrada al alcance de los niños, las cartas a un escéptico y el protestantismo comparado con el catolicismo; la academia española lo llamó a su seno. • quintana fue coronado por isabel II, con aplauso de la nación entera, en 1855 • atravesó la hueste el genio, y, con arreglo al ceremonial acordado, subía la cuesta de los molinos a la explanada de abahul, al tiempo que boabdil, saliendo por la puerta de los siete suelos, se presentó a pie al gran sacerdote cristiano. • venid, señor le dijo el príncipe musulmán, y ocupad esos mis alcázares, tal fue el feliz desenlace de la admirable lucha entre el evangelio y el corán; así acabó el imperio de mahoma en los dominios de occidente.

155 • *Poner* **b** *o* **v** *en la raya según corresponda.*

El tener padres ____irtuosos y temerosos de Dios me ____astara si yo no fuera tan ruin, con lo que el Señor me fa____orecía, para ser ____uena. Era mi padre aficionado a leer ____uenos li____ros, y así los tenía de romance, para que los leyesen sus hijos. Esto, con el cuidado que mi madre tenía de hacernos rezar, comenzó a despertarme de edad (a mi parecer) de seis o siete años. Ayudá____ame no ____er en mis padres fa____or sino para la ____irtud. Era aficionado a, los li____ros de ca____allerías, y no tan mal toma____a este pasatiempo, como yo lo tomé para mí; porque no perdía su la____or, sino desen____ol____íamos para leer en ellos, y por ____entura lo hacía para no pensar en los grandes tra____ajos que tenía, y ocupar sus hijos que no andu____iesen en otras cosas perdidos. De esto le pesa____a a mi padre, tanto que le ha____ía de tener a____iso a que no lo ____iese.

(S<small>ANTA</small> T<small>ERESA</small> *en sus primeros años.*)

203

156• *Poner en la línea* b o v **según corresponda.**

La ____acía del bar____ero ha quedado ____acía. • El ____alido del rey no está acostumbrado a los ____alidos de las o____ejas. • Este ____alón es muy aficionado al juego de ____alón. • El ____arón de Uriarte es un santo ____arón. • ____estido de un traje ____asto. • Recorre el _asto parque de la ciudad. • En un ____ello paraje del soto encontramos un nido de jilgueros cu____iertos aún de ____ello. • ¿Ya ____ienes a ____uscar tus ____ienes? • En ____illar compré _aratísimo un juego de ____illar. • He comprado un ____ocal para los peces que me regaló la ____ecina. • La a es la primera ____ocal. • ____oto para que el ____ino de la ____ota sea regalado a los po____res. • Con____iene que el criado ca____e ca____e la pared. • Yo ca____o mientras el ca____o está ejercitando a los reclutas. • La ley de presupuestos ha gra____ado en un 10% el arte del gra____ado. • Natán re____eló a David que su hijo se re____elaría contra él. • He reca____ado que el amo mandara reca____ar el terreno por cuenta suya. • Ya sa____ía que la sa____ia nutre los vegetales.

ANÁLISIS:

Somos tantos en este mundo los que rezamos en español, que a la Corte Celestial debe nuestra lengua de zumbarle en los oídos.

ALFONSO XIII.

Ejercicios de Lexicología

Palabras de Origen Griego

Apatía   (*a*, sin; *pathos*, pasión). Indolencia, impasibilidad.

Apétalo   (*a*, sin; *petalon*, hoja). Flores que no tienen pétalos.

Ápodo   (*a*, sin; *pous, podos*, pie). Animales sin pies.

Áptero   (*a*, sin; *pteron*, ala). Insecto sin alas.

Asfixia   (*a*, sin; *sphuxis*, pulso). Suspensión repentina del pulso o de la respiración.

Asíntota   (*a*, sin; *sun*, junto; *piptó*, caer). Línea recta que se acerca continuamente a una curva sin llegar nunca a encontrarla.

Ateo   (*a*, sin; *theos*, Dios). El que niega a Dios.

Átomo   (*a*, sin; *tomê*, cortadura). El cuerpo tan pequeño que se supone indivisible.

Atonía   (*a*, sin; *tonos*, tono). Falta de fuerza.

Atrofia   (*a*, sin; *trophê*, alimento). Enflaquecimiento extremo.

Átropos (*a*, sin; *trepô*, girar, cambiar). Una de las tres Parcas, así llamada porque era inflexible.

Averno (*a*, sin; *ornis*, pájaro). Lago de Campania, en donde los antiguos colocaban la principal entrada del infierno, del cual salían vapores tan infectos que no podía acercarse ningún pájaro.

Ázoe (*a*, sin; *zôê*, vida). Gas que, empleado solo, no puede servir para la respiración.

Ázimo (*a*, sin; *zumê*, levadura). Sin levadura.

157• *Anotar en la raya la palabra que convenga.*

En la institución de la Sagrada Eucaristía, Jesucristo empleó pan _____. • El ahorcado, el estrangulado y el ahogado, mueren por _____. • Se da el nombre de _____ a un animal sin pies, el de ____ a un insecto sin alas, el de _____ a una flor sin pétalos. • El _____, o entrada del infierno de los antiguos, era guardado por un perro feroz de tres cabezas, llamado Cancerbero. • Las tres Parcas, que hilaban la vida de los hombres, se llamaban Cloto, Láquesis y _____. • "Lo examino detenidamente y no hallo un _____ de rencor en mi pecho." (VALERA).

Porque fuera política de _____
El ser los jueces juntamente reos.

LOPE DE VEGA.

De los disueltos miembros huye airada
Dando un gemido de mortal despecho,
Aquel alma feroz, y vuela impía
Del negro _____ a la región sombría.
JOSÉ DE ESPRONCEDA. ESPAÑA.

Uso de las Letras
(*Continuación*)

429. En la **c** hay que distinguir dos sonidos: el gutural fuerte de la **k**, delante de las vocales *a, o, u,* como en casa, coche, cuna; y el linguodental suave, idéntico al de la **z,** delante de las vocales *e, i;* por ejemplo: cena, cítara[1].

430. Se pondrá **c** con sonido de **k**:

1o. Delante de las vocales *a, o, u;* por ejemplo: camisa, cordón, cuchillo, Callao, Colombia, Cuba.

2o. Delante de consonante y al final del vocablo; por ejemplo: acto, clavo, crónica, acróbata, acción, cinc, coñac.

Se pondrá **c** con sonido de **z**: delante de las vocales *e, i;* por ejemplo: ciencia, celeste gracia, hombrecillo.

Exceptuándose: *Zenón, Zendavesta, zeda, zedilla, zigzag, zipizape, ¡ziz, zaz!,* etc.

431. Debe emplearse la **z** en lugar de la **c**:

1o. Delante de las vocales *a, o, u;* como en zarzuela, razón, comezón.

2o. En algunas palabras úsese también esa letra antes de *e, i;* por ejemplo: ziszás, zipizape y las citadas anteriormente. (Se puede escribir: zinc o cinc, zeda o ceda, zelandés o celandés).

3o. En las sílabas que terminan con dicho sonido; por ejemplo: diez, diezmo, felizmente, arroz.

432. La **g** tiene también dos sonidos, uno suave (en el cual no hay equivocación) con las vocales *a, o, u,* como gato, gota gusto, glacial; y otro fuerte, idéntico al de la **j**, con la **e** y la **i**.

433. Se escribirán con **g**, teniendo el sonido de *j*:

1o. Las palabras que empiezan por *gen-* o *geo-*; por ejemplo: generoso, gentil, geografía.

2o. Las que terminan en *-gen, -genario, -genio, -gesimal, -ginoso, -gismo, -gia, -gio, -gión, -ogía, -igen;* por ejemplo: virgen, octogenario, ingenio, vigesimal, colegio, religión, teología, origen. Exceptuándose: *espejismo, lejía, salvajismo.*

---

1. Se refiere a la pronunciación de algunas regiones de España.

3o. En las terminaciones esdrújulas: *-gélico, -géneo, -génito, -gésimo, -génico, -génito, -gírico, -ógico, -ígeno;* por ejemplo: angélico, heterogéneo, fotogénico, primogénito, vigésimo, panegírico, lógico, oxígeno. Existen muchas excepciones.

434. Usaremos la **j**:

1o. En las voces en que entren los sonidos fuertes *ja, jo, ju;* por ejemplo: juguete, jaleo, cojo.

2o. En las palabras derivadas de otras que terminan en *-ja* o *-jo,* como: cajista (de *caja*), ojear (de *ojo*).

3o. En las voces que empiezan por *adj-, eje-, obj-,* como adjetivo, ejército, ejercido, objeto, y en las acabadas en *-je, -jero, -jería,* como: encaje, mensajero, relojería.

Exceptuándose *companage, enálage, falange, laringe, paragoge, esfinge, garage* y otras.

4o. En las personas de los verbos que llevan *j* en el infinitivo, o que, no teniendo ni *g* ni *j* en el infinitivo, entren por irregularidad los sonidos *je, ji;* por ejemplo: tejió (de *tejer*), conduje (de *conducir*), dijera y dijiste (de *decir*).

435. La **y** suple a la **i** latina:

1o. Cuando es conjunción: por ejemplo: Pedro *y* Juan.

2o. Al principio de sílaba, como *y*eso, ra*y*a, y al fin de palabra, cuando forma diptongo o triptongo con la vocal que la precede, como: le*y*, bue*y*, Camagüe*y*.

436. Se emplea la **k** en vocablos tomados de idiomas extranjeros, como: *kyrie, kilo, kepis, kiosco*[1], y en su lugar la **q** seguida de *u* muda en las sílabas *que, qui;* como: queja, quijada; en todos los demás casos se usa la *c;* como: cuadro, cosa, octubre.

Ejercicios de Aplicación

158• *Póngase **c** o **z**, según convenga, sobre la raya.*

Nacimiento del Sol

Enton__es la lu__, __omo viene después de las tinieblas y se halla __omo después de haber sido perdida, pare__e ser otra __osa e hiere el __ora__ón del hombre __on una nueva alegría, y la vista del __ielo enton__es, y el apare__er la hermosura del sol, es una __osa bellísima. Pues el __antar de las aves ¿qué duda hay sino que suena enton__es más dul__emente, y el __ampo despide un tesoro de olor? Y __omo __uando entra el Rey de nuevo en alguna __iudad, se adere__a y hermosea toda ella y los __iudadanos ha__en enton__es pla__a y, __omo alarde de sus mejores rique__as, ponen en público __ada uno de sus bienes y __omo los __uriosos suelen poner __uidado y trabajo por ver semejantes re__ibimientos; así los hombres __on__ertados y __uerdos aun por sólo el gusto no han de perder esta fiesta que ha__e toda la naturale__a al sol por las

---

1. La Academia Española permite escribirlos también con *q*.

mañanas, porque no es gusto de un solo sentido, sino general __ontentamiento de todos, porque

la vista deleita __on el na__er de la lu__ y __on las figuras del aire y __on el variar de las nubes;

a los oídos las aves ha__en agradable armonía; para el oler, el olor que en aquella sa__ón el

__ampo y las hierbas despiden de sí es olor suavísimo. Pues, el fres__or del aire enton__es tem-

pla __on gran deleite el humor __alentado __on el sueño, y __ría salud y lava las triste__as del

cora__ón y no sé en qué maneras les despierta en pensamientos divinos, antes que se ahogue en

los nego__ios del día.

FR. LUIS DE LEÓN.

159 Póngase **c, z, x, j, g, v,** o **b,** según convenga, en vez de la raya.

Go__ne	Or__ía	Extra__udi__ial	__erónimo
__enaro	Larin__e	Breba__e	He__to
Retri__uir	Inteli__ible	__ejez	In__álido
__iervo	Ele__ía	__eleste	E__anista
Mensa__ero	__eren__ena	Afe__to	So__er__ia
__ipi__ape	__uzón	Pa__e	E__u__eran__ia
Ferru__inoso	Sá__ana	Codi__ia	E__tran__ero
Cerra__ería	Des__anecer	__elatina	__alazo
Lison__ear	A__orda__e	Bu__ía	E__traño
Indi__esto	Relo__ería	Hi__iene	__erez

160 Poner **j** o **g** en vez de la raya.

____ulepe entre un ____itano y un ____aque

Di____o un ____aque de ____erez

Con su fa____a y tra____e ma____o:

—Yo al más ____uapo el ____uego ata____o,

Que soy ____aque de a____edrez—.

Un ____itano que el ____aez

Aflo____aba a un ____aco____co____o

Co____iendo, lleno de eno____o,

De esquilar la ti____ereta,

Di____o al ____aque: —Por la ____eta

Te la enca____o, si te co____o.

—Nadie me mo____a la ore____a—

Di____o el ____aque, y arrempu____a,

El ____itano también pu____a,

Y uno agui____a, el otro ce____a.

En ____arana tan pare____a

El ____aco co____o se

enca____a,

Y tales coces bara____a

Que, al empu____e del zanca____o,

Hizo entrar, sin gran traba____o,

A ____itano y ____aque en ca____a.

J.B. Arriaza.

Ejercicios de Lexicología

Palabras de Origen Griego.

Las preposiciones griegas **anti** (*contra, opuesto*) y **epi** (*sobre*) al unirse como prefijos a otras palabras griegas, forman buen número de palabras españolas, siendo las principales las siguientes:

Antagonista   (*anti,* contra; *agôn,* pelea). Adversario.

Antálgico   (*anti,* contra; *algos,* dolor). Remedio que calma el dolor.

Antártico   (*anti,* opuesto; *arktos,* osa). Que está opuesto a la Osa.

Antídoto   (*anti,* contra; *doôr,* dar). Contraveneno.

Antinomia   (*anti,* opuesto; *nomos,* ley). Contradicción entre dos leyes.

Antipatía   (*anti,* opuesto; *pathos,* sentimiento). Oposición de sentimientos.

Antípodas   (*anti,* contra; *pous, podos,* pie). Habitantes de la tierra diametralmente opuestos a otros.

Antítesis   (*anti,* opuesto; *tithêmi,* colocar). Oposición de pensamientos.

Antonomasia   (*anti,* por; *onuma,* nombre). Figura de retórica por la cual se emplea un nombre común por un nombre propio o viceversa.

Epitafio   (*epi,* sobre; *taphos,* tumba). Inscripción sepulcral.

Epíteto   (*epi,* sobre, después; *tithêmi,* colocar). Término añadido al nombre para calificarlo.

Efímero   (*epi,* durante; *êmera,* día). Que pasa en un día, fugaz, de poca duración.

Epiceno   (*epi,* con; *koinos,* común). Nombres comunes a uno y otro sexo.

Epidemia   (*epi,* sobre; *dêmos,* pueblo). Enfermedad que acomete accidentalmente a un pueblo, provincia o nación.

Epidermis   (*epi,* sobre; *derma,* piel). Membrana exterior que cubre el cutis.

209

Epigastrio	(epi, sobre; gaster, vientre). Parte superior del abdomen.
Epiglotis	(epi, sobre; glôtta, lengua). Especie de válvula movible, situada detrás de la base de la lengua.
Epigrama	(epi, sobre; gramma, letra). Entre los griegos, inscripción sobre un monumento público; entre nosotros, composición poética breve y satírica.
Epílogo	(epi, después; logos, discurso). Conclusión de un poema.
Epifanía	(epi, sobre; phainô, brillar). Fiesta de la adoración de los Magos, o manifestación del Señor.

161 • *Anotar la palabra que convenga.*

Aquello que nos repugna, nos es _____ . • Los placeres del hombre son muy _____ . • Aquel que sostiene una opinión que nos contraría es nuestro _____ . • La fiesta de la _____ nos recuerda la manifestación de Jesús a los gentiles. • El remedio para calmar el dolor es un _____ . • Se da el nombre de _____ a la parte externa de la piel. • Llamamos _____ un resumen que se pone al final de un tratado, discurso, etc. • Las palabras avestruz, ratón, tigre y ballena son de género _____ . • El justo no necesita _____ , deja tras sí el recuerdo de sus virtudes.

162 • *¿A quién designamos con la expresión...*

el padre de la Historia?	el autor de *La Insoportable Levedad del Ser*?
el legislador de Atenas?	el autor del *El Túnel*?
el legislador de Esparta?	el autor de *Cien Años de Soledad*?
el orador ateniense?	el autor de *La Araucana*?
el orador romano?	el príncipe de los ingenios?
las delicias del género humano?	el fénix de los ingenios?
el emperador filósofo?	el Doctor de la gracia?
el autor de la *Ilíada*?	el Doctor Angélico?
la décima musa?	la autora de *Como Agua para Chocolate*?
el cisne de Mantua?	la Seráfica Doctora?
el autor de la *Eneida*?	el historiador de la naturaleza?
el autor de la *Divina Comedia*?	el filósofo de Vich?

ANÁLISIS:

Si lo real, no me es real
¿por qué mis sueños tienen que ser sueños?

PROVERBIO CHINO.

Uso de las Letras
(Continuación)

437. Hay otras letras que ofrecen alguna duda respecto a su empleo, tales como la *b* y la *p*, la *c* y la *g*, la *d* y la *t*, la *m* y la *n*; las cuales tienen un sonido casi igual en sílabas inversas; la *r*, que a veces se duplica; la *x*, que puede sufrir alteración, y la *h*, que no se pronuncia.

438. Respecto de la **b** y la **p**, en las sílabas inversas, se ha establecido que, en general, se escribe *p* antes de *t*, como a*p*to, conce*p*to, ó*p*tico, y *b* en los demás casos; sin embargo, las palabras compuestas de las partículas *abs, ob, sub*, conservan la *b* , como en: a*b*stracción, o*b*tener, su*b*terráneo.

439. Se usa la **c** y no la **g** en las sílabas inversas, siempre que precede a una *t* o a otra *c*, como: a*c*to, a*c*ción; y *g* antes de *m* o *n*, como: frag*m*ento, enig*m*a, dig*n*o; exceptuando dra*c*ma, té*c*nico.

440. Usaremos la **d** en lugar de **t** en todas las sílabas inversas que tengan ese sonido; por ejemplo: a*d*mirar, a*d*verbio, bonda*d*; excepto en a*t*mósfera, arit*m*ética, is*t*mo, logari*t*mo, complo*t*, robo*t*, y algún otro vocablo.

441. Respecto de la **m** y de la **n** queda establecido que:

1o. Se pondrá *m* y no *n*, antes de *b* y *p*, y algunas veces antes de *n*; por ejemplo: a*m*bos, a*m*paro, alu*m*no.

2o. Se empleará la *n* antes de la *m* y demás consonantes; por ejemplo: in*m*enso, in*f*ame, en*v*idia.

3o. La *n* se duplica en algunas voces compuestas, como: e*nn*egrecer, e*nn*oblecer, i*nn*ata, i*nn*ecesario, i*nn*ovador, i*nn*umerable, pere*nn*e, etcétera.

442. La **r** tiene dos sonidos, uno suave y otro fuerte. Se emplea una sola *r* entre dos vocales para producir el sonido suave; por ejemplo: pe*r*a, li*r*a; y se duplica en el mismo caso para el sonido fuerte, como: pe*rr*o, ca*rr*o, Monte*rr*ey.

443. La **r** tiene sonido fuerte en los casos siguientes:

1o. Cuando está al principio de dicción; por ejemplo: *r*areza, *r*adio, *r*oca, *R*osario.

211

2o. Después de las consonantes *l, n, s*, como: mal*r*otar, hon*r*a, Is*r*ael.

En las voces compuestas, cuyo segundo elemento comienza con *r*, se duplica esta letra; por ejemplo: peli*rr*ubio, peli*rr*ojo, contra*rr*éplica.

444. Se usa la **h**:

1o. En casi todas las voces que la tiene en su origen; por ejemplo: *h*ombre, *h*ora, *h*ostia, *h*emistiquio, *h*omogéneo, etc.

2o. Delante de los diptongos *ia, ie, ue, ui*, como: *h*iato, *h*ierro, *h*ueso, *h*uir, *H*uelva.

3o. En las palabras que empiezan con los sonidos *-idr, -iper, -ipo, -ema, -emo*; como: *h*idra, *h*idráulica, *h*idrógeno, *h*ipérbole, *h*iperdulía, *h*ipócrita, *h*emático, *h*emorragia.

4o. En los verbos *h*aber, *h*abitar, *h*ablar *h*acer, *h*allar, *h*elar, *h*eredar, *h*uir, *h*olgar, *h*ospedar, *h*umillar, *h*urtar, y algunos otros.

5o. En las voces que en castellano antiguo, latín, catalán, valenciano o gallego tienen *f*, como: *h*aba, *h*ermano, *h*ambre, *h*ilo, *h*umo, etc.

6o. Las palabra compuestas se escriben como sus simples, y las derivadas, como sus primitivas; así, de *h*acer resultan des*h*acer, re*h*acer, *h*echura, *h*acedero. Exceptuándose los derivados de *h*ueco, *h*ueso, *h*uérfano y *h*uevo, como: *o*quedad, *o*sario, *o*rfandad, *ó*valo.

445. Algunos cambian la **x** en **s** cuando va después de vocal y precede a una consonante, lo cual condena la Academia por infringir las leyes etimológicas de las palabras y ser contra la armonía y grato sonido; así no diremos: *esplicar*, por explicar; *estraño* por extraño.

Tampoco debe escribirse *s* en vez de *x* en vocablos compuestos en que entra la partícula **ex**; por ejemplo: *extender, exponer, experto*; y nunca será tolerable emplear las letras *cs* en lugar de *x* cuando está entre dos vocales; por ejemplo: *axioma, examen*.

446. La *w* no pertenece a nuestro idioma, por lo que sólo se usa: **1o.** En algunas voces extranjeras, inglesas o alemanas, donde suena como *u* en las primeras, y como *v* en las segundas; por ejemplo: Washington (*Uáshington*), Waterloo (*Vaterlóo*).

2o. En algunos nombres godos de la historia de España: por ejemplo: *W*itiza (o *Vitiza*), *W*amba (o *Vamba*),

Ejercicios de Aplicación

163• *Poner* b, p, c, g, d, t, o, z, *según convenga, en vez de la rayita.*

Clu__	Esclavitu__	Circunscri__to	Jaco__
A__scribir	He__tágono	Estreche__	Jo__
O__tar	Avestru__	Egi__cio	Laú__
A__straer	Fra__	Puberta__	A__cidente

A__sorber	O__viar	Condu__ta	Prescri__ción
O__stinado	A__sceso	Badajo__	Apocali__sis
Lá__teo	O__jeto	He__tograma	Aba__
Ví__tor	A__solved	Pra__ticar	Morbide__
Instru__tor	Su__delegado	A__mósfera	He__dómada
A__stra__ción	Ci__	A__to	Di__tador
Su__sanar	Ataú__	O__struir	Se__tentrión
Pa__mos	Di__tongo	O__tener	Arcabu__

164• *Si conviene, póngase* h *en las palabras en cursiva.*

La *iel* es amarga. *Uesca* es la patria de San Lorenzo. El esqueleto está formado por los *uesos*. Algunas aves anidan en los *uecos* de las peñas. Las *uestes* agarenas *uyeron* en Castilla. La *uerta* de *Oriuela* es muy feraz. Las *ormigas* están muy bien *organizadas*. La guadaña de la muerte corta el *ilo* de la vida. El gusano de seda se *alimenta* de las *ojas* del moral. De *ueco* se deriva *oquedad*. El *ortelano* procura tener mucha *ortaliza*. En el *osario* se depositan los *uesos* de los difuntos. Pascal *inventó* la prensa *idráulica*. La *ipérbole* es una figura de retórica y la *ipotenusa* es una línea geométrica, en cambio la *ipecacuana* es una planta medicinal. En los *ospitales* se cuida a los *istéricos*. El *alcool* se *inflama*. La *baía* de *udson*, la isla de *aití* y el cabo de *ornos* están en América.

Ejercicio de Lexicología

Palabras de Origen Griego

Las preposiciones **a, anti**, etc., no son las únicas palabras griegas que se juntan como prefijos con otras palabras de la misma lengua para formar voces españolas. **Auto** (*sí mismo*) puede desempeñar el mismo oficio.

Autobiografía (*autos*, sí mismo; *bios*, vida; *graphô*, escribir). Vida de una persona escrita por ella misma.

Autoclave (*autos*, sí mis.; *clavis*, latín, llave). Vaso que tiene la propiedad de cerrarse por la presión del vapor.

Autócrata (*autos*, sí mis.; *kratos*, poder). Aquel cuyo poder no depende de otro alguno.

Autóctono (*autos*, sí mis.; *chtôn*, tierra). Se dice de los pueblos originarios del mismo país en que viven.

Autógrafo (*autos*, sí mis.; *graphô*, escribir). Escrito de mano de su mismo autor.

Autómata (*autos*, sí mis.; *matos*, esfuerzo). Máquina que tiene en sí misma el principio de su movimiento.

Autopsia	(*autos,* sí, mis.; *optomai,* ver). Abertura de un cadáver para conocer las causas de su muerte.
Autónomo	(*autos,* sí mis.; *nomos,* ley). Se dice de un país que hace sus leyes sin gozar de entera independencia.
Autopatía	(*autos,* sí mis.; *pathos,* pasión). Egoísmo que hace al hombre insensible a la dicha o desgracia ajena.

165• *Anotar la palabra que convenga.*

Muy difícil es que un _____ no sea déspota. El médico ha hecho la _____ del difunto para saber la causa de la defunción. Las confesiones de S. Agustín son monumentos de humildad; pero la mayor parte de las _____ lo son de orgullo. Los amadores de _____ pagan a menudo muy caras algunas líneas escritas de mano de un autor célebre. Algunos creen que los primeros habitantes de España eran _____ , o sea hijos de la misma tierra. Hace tiempo que Finlandia era _____ , hoy es independiente. La _____ nos hace insensibles a la dicha o desgracia del prójimo.

Cante Hondo

Yo meditaba absorto, devanando
los hilos del hastío y la tristeza,
cuando llegó a mi oído,
por la ventana de mi estancia abierta.

a una caliente noche de verano,
el plañir de una copla soñolienta,
quebrada por los trémulos sombríos
de las músicas magas de mi tierra.

… Y era el amor, como una roja llama…
— Nerviosa mano en la vibrante cuerda
ponía un largo suspirar de oro,
que se trocaba en surtidor de estrellas —.

… Y era la Muerte, al hombro la cuchilla,
el paso largo torva y esquelética.
— Tal cual como de niño la soñaba —.

Y en la guitarra resonante y trémula,
la brusca mano, al golpear fingía
el reposar de un ataúd en tierra.

Y era un plañido solitario el soplo
que el polvo barre y la ceniza avienta.

ANTONIO MACHADO. ESPAÑA.

Signos Ortográficos

447. Signos ortográficos: *acento, diéresis* y *guión.*

448. **Acento ortográfico** es un rayita o tilde (´) que en determinados casos se coloca sobre la vocal en que recae el *acento prosódico.* Cuando dicha rayita se emplea para distinguir una palabra de otra que tiene igual estructura, se la llama *acento diacrítico.*

449. Llevan acento **ortográfico:**

1o. Todas las palabras agudas de más de una sílaba terminadas en *vocal* o en las consonantes *n* o *s*; como: *sofá, café, Potosí, Mataró, Perú, Medellín, Jesús.*

2o. Las graves acabadas en *consonante* que no sea *n* o *s*; por ejemplo: *ámbar, azúcar, carácter, útil.*

3o. Todas las *esdrújulas*, como: *sábanas, ápendice, tórtola, diciéndoselo.*

4o. También se acentúan la *u* y la *i* en las vocales agudas o graves cuando, encontrándose con otra vocal, cae sobre una de ellas la pronunciación; por ejemplo: *país, Saúl, alegría, acentúo, comprendíais, huída, Valparaíso.*

Prosodia y Ortografía

Según la Real Academia Española, no deben llevar acento los monosílabos verbales *fui, fue, dio, vio.*

Debemos considerar la combinación *ui* siempre como diptongo, y salvo en palabras como *casuística, benjuí*, en los demás casos no se escribirán con acento, ni los infinitivos en *uir* ni sus participios pasivos: *atribuir, atribuido, construir, construido, instruir, instruido, huir, huido.*

Sin embargo, muchos prefieren acentuar esos participios y sobre todo palabras como *hu-í-da, hu-í-do, hu-ís-te, hu-í-mos*, etc., que bien pronunciadas, no tienen el diptongo *ui*, como lo tienen *rui-do, cui-da-do, con-cluir, con-clui-do*, etc.

En los infinitivos en *air, eir, oir*, por tratarse de la combinación de vocal fuerte con vocal débil, debemos acentuar esta última siempre que la correcta pronunciación de la palabra así lo requiera. Por consiguiente se seguirá escribiendo: *embaír* (engañar, embaucar), *reír, sonreír, freír, oír, desoír*, etc.

Las palabras agudas terminadas en *-ay, -ey, -oy, -uy*, se escribirán sin acento ortográfico: *Paraguay, Uruguay, virrey, maguey, convoy, cocuy (cocuyo)*, etc.

El adverbio *aún*, cuando equivale a *todavía*, lleva acento: *aún, está enfermo; está enfermo aún.* Pero con el significado de *hasta, también, ni siquiera*, no lleva acento: *aun los sordos han de oírme; no me ayudó, ni aun lo intentó.*

Se autorizan dos formas de acentuación en varias palabras como las siguientes. (Ponemos aquí la forma sin acento).

dinamo	disenteria	torticolis	bimano
reuma	omoplato	poliglota	cuadrumano
periodo	amoniaco	gladiolo	pentagrama
etiope	cardiaco	olimpiada	metamorfosis

Saxofón o saxófono. —*fútbol*, *según la Academia; pero en toda América Latina se pronuncia* futbol.

Palabras como las siguientes se pueden dividir en sílabas de dos maneras: *nos-o-tros o no-so-tros, des-am-pa-ro o de-sam-pa-ro.* —Pero algunas que llevan *h*, solamente así se dividen en donde va la *h*: *in-humano, in-hábil, des-hidratar, super-hombre, des-honra, des-hacer.*

Se autorizan las dos formas de ortografía y de pronunciación en palabras que empiezan con *ps, mn, gn*: *psicología, sicología; mnemotecnia, nemotecnia; gnomo, nomo* (duende, enano fantástico).

También se autoriza el empleo de las formas contractadas *remplazar, reemplazar, rembolsar, reembolsar, rembolso, reembolso*: Nótese el acento en los vocablos siguientes: *décimo, así, río.* Pero en vocablos compuestos van sin acento: *decimoprimero, decimocuarto, decimoséptimo, asimismo, rioplatense.*

Recuérdese que *miligramo, centigramo, decigramo, decagramo, hectogramo, kilogramo, centilitro, decilitro, decalitro, hectolitro*, no deben acentuarse. En cambio los múltiplos y submúltiplos de *metro* sí se acentúan: *decámetro, hectómetro, kilómetro, decímetro, centímetro, milímetro.*

Los adverbios en *mente* tienen dos acentos prosódicos, uno en el adjetivo y otro en la terminación *mente*. A veces el adjetivo lleva acento ortográfico y otras veces no; pero la terminación *mente* se pronunciará siempre con acento prosódico: *ágilmente, cortésmente, lícitamente, buenamente, sencillamente.*

Recuérdese el empleo de la diéresis en las sílabas *güe, güi*, para indicar que se pronuncia la *u*: *vergüenza, pingüino, bilingüe, güero, güilota, güira.*

La *h* colocada entre dos vocales no impide que éstas formen diptongo: *buhar-di-lla, des-ahu-mar, des-ahu-ciar, sahu-merio, rehu-sar.* —En cambio, cuando las dos vocales no forman diptongo, la *h* va con la segunda: *va-hi-do, des-a-ho-go, re-huir, re-hú-ye, bú-ho.*

450. Llevan acento **diacrítico**:

1o. La conjunción "o" cuando hallándose inmediata a cifras pudiera confundirse con el cero; así: *3 ó 4.*

2o. *Mí, tú, él*, pronombres personales; *más* adverbio; *sí*, pronombre y adverbio de afirmación y nota musical: *dé* (de dar); *sé* (de ser y saber).

3o. Los pronombres demostrativos; por ejemplo: *éste, áquellos.* (Se exceptúan los neutros).

4o. Los relativos *cuál, quién, cúyo*; los indeterminados *cuánto, cuánta*, y sus plurales; los adverbios *cómo, cuándo, cuán, qué, dónde*, usados en sentido enfático y cuando dan principio a interrogación o admiración.

5o. *Sólo*, cuando es adverbio, y *aún* cuando está después del verbo.

451. Las personas de verbos que lleven acento, lo conservan aunque se les añada uno o más afijos; por ejemplo: *amóle, rogóles, dióseme, andaráse.*

452. Las voces extranjeras admitidas en nuestro idioma están sujetas a las mismas reglas ortográficas; por ejemplo: *exequátur, accésit, Lyón, Wíndsor.*

453. Las palabras compuestas llevan los mismos acentos que sus componentes simples: por ejemplo: *cortésmente, útilmente, contrarréplica, décimoséptimo.*

454. Además de las reglas establecidas, conviene tener presente las siguientes:

1a. Llevan acento ortográfico las voces terminadas en *dos vocales,* seguidas o no de *n* o *s* , siendo la primera débil y acentuada, con objeto de destruir el diptongo; por ejemplo: *María, día, falsía, darían.*

2a. Las palabras terminadas en *tres vocales* seguidas de *s,* de las cuales la primera es débil y acentuada, llevarán acento ortográfico sobre dicha vocal. Esto sucede con ciertas personas de verbos; por ejemplo: *Descansaríais, amaríais.*

3a. Si la sílaba sobre la que ha de llevar acento ortográfico una palabra fuese diptongo, se pondrá el acento sobre la vocal fuerte, o sobre la segunda si las dos fuesen débiles; por ejemplo: *parabién, averiguó, veréis, benjuí, Cáucaso, Huánuco, Darién.*

Si en vez de diptongo fuese triptongo, la vocal fuerte llevará el acento; por ejemplo: *amortiguáis, despreciéis.*

4a. No se acentuarán las voces llanas cuya última sílaba sea un diptongo, por ejemplo: *patria, armario, Bolivia.*

Tampoco las que terminen en dos vocales fuertes, por ejemplo: *jalea, bacalao, Bilbao, Callao, canoa, Balboa,* etc.

455. La **diéresis** o **crema** (¨) sirve para dar sonido a la *u* de las sílabas *gue, gui;* como: vergüenza, argüir.

456. El **guión** es una *rayita horizontal* (-), se le llama *guión menor* o *guión mayor,* según su longitud.

457. El **guión menor** se usa para indicar la división de las palabras cuando no caben enteras al fin del renglón, y también para separar los componentes de ciertas palabras compuestas, como: *linguo-paladial.*

458. El **guión mayor** (raya) sirve para separar, en los diálogos, la parte que corresponde a cada uno de los interlocutores.

— *Detente, amigo, ¿qué es eso?*
— *Qué ha de ser* — *responde...*
— *Ah, sí, por allí los veo.*
  Pero no son los galgos.
— *Pues ¿qué son?*

Emilio Marín

Ejercicios de Aplicación

166• *Acentuar ortográficamente las palabras que lo necesiten.*

Vinieron el padre y el hijo, este muy contento y aquel harto triste.¡Que bien has ganado este premio! ¿Cuantos vinieron? ¿Donde estan tus padres? Estoy muerto, exclamo: mas no puedo decir. Si se me pregunta, contestare que si. Tu deberias cuidar mejor tu hacienda. Deseaba oir que razones darias para defenderle a el. Tu solo te contentas con solo verle. Se mi conductor porque no se donde se debe pasar. ¿No ha llegado aun? Aun no ha venido. Padres e hijos deben respetarse mutuamente.

He reñido a un hostelero

— ¿Por que?, ¿donde?, ¿cuando?, ¿como?
— Porque, donde, cuando como
  Sirven mal, me desespero.

167• *Acentuar, si conviene, las siguientes palabras:*

Caucaso	Contarmelo	Portatil	Resina
Fluido	Despues	Andres	Kilometro
Periodo	Miercoles	Descubrio	Kilolitro
Instruido	Duo	Logicamente	Epigrafe
Paraiso	Colon	Socrates	Panama
Mania	Jupiter	Hidrostatica	Marmol
Tomareis	Crater	Debil	Alguien
Envia	Tamesis	Arquimedes	Neumatica
Perpetuo	Cantabais	Debeis	Asis
Comprendian	Desden	Lastima	Guipuzcoa
Vacian	Homilia	Termometro	Yucatan
Actuan	Alferez	Hidrogeno	Maracaibo

Ejercicios de Lexicología

Palabras de Origen Griego

También forman palabras españolas *hûdor* (agua) y *gê* (tierra) al unirse con otras de la misma lengua.

Hidráulica (*hûdor*, agua; *aulos*, tubo). Ciencia que tiene por objeto el estudio de los líquidos.

Hidra (*hûdor*, ag.). Serpiente fabulosa de siete cabezas, que vivía en el lago de Lerna.

Hidrocéfalo (*hûdor*, ag.; *kephalê*, cabeza). Hidropesía de la cabeza.

Hidrógeno (*hûdor*, ag.; *génesis*, producción). Gas componente del agua.

Hidrografía (*hûdor*, ag.; *graphô*, describir). Descripción de las aguas terráqueas.

Hidrómetro   (*hûdor,* ag.; *metron,* medida). Instrumento para medir la densidad de los líquidos.

Hidrofobia   (*hûdor,* ag.; *phobos,* temor, horror). Horror al agua.

Hidropesía   (*hûdor,* ag.; *ôps,* ojo). Nombre genérico dado a toda acumulación mórbida de se-rosidad en alguna parte del cuerpo.

Hidrostática   (*hûdor,* ag.; *statos,* que se tiene). Ciencia que tiene por objeto el equilibrio de los líquidos y de los gases.

Hidroterapia   (*hûdor,* ag.; *therapeia,* curación). Tratamiento que consiste en combatir las enfer-medades por el uso del agua.

Apogeo   (*apo,* lejos; *gê,* tierra). Punto en que la Luna está más lejos de la Tierra. El mayor grado de poder, riqueza, etc.

Geografía   (*gê,* tierra; *graphô,* describir). Descripción de la Tierra.

Geología   (*gê,* tierra; *logos,* discurso). Ciencia que tiene por objeto el estudio de los mate-riales que constituyen el globo terrestre.

Geometría   (*gê,* tierra; *metron,* medida). Ciencia que tiene por objeto la medida de la tierra y la extensión de los cuerpos.

168• *Anotar en la línea la palabra que convenga.*

La mordedura de los perros enfermos de _____ produce una enfermedad que fue incurable hasta los descubrimientos de Pasteur. • En tiempos de Carlos I y Felipe II, España estuvo en el _____ de su poder. • La ciencia que nos describe la Tierra se llama _____. • El conocimiento de la _____ es indispensable para determinar la extensión de los cuerpos. • Cuvier fue el fundador de la cien-cia que se llama _____, la que nos da a conocer la formación de nuestro globo. • Kneipp funda-ba su sistema de curación en la _____. • Los _____ tienen siempre sed, por más que beban. • La parte de la Geografía que estudia las aguas se llama _____ y la parte de la Física que estudia el equilibrio de los líquidos, _____. • Hércules mató la _____ de Lerna.

169• *Definir las palabras siguientes conforme a su etimología.*

Barómetro =   *baros,* peso; *metron,* medida.

Termómetro =   *thermos,* caliente; *metron,* medida.

Manómetro =   *manos,* raro; *metron,* medida.

Higrómetro[1] =   *hugros,* húmedo; *metron,* medida.

Sacarímetro =   *sackcharon,* azúcar; *metron,* medida.

Dinamómetro =   *dunamis,* fuerza; *metron,* medida.

Microscopio =   *mikros,* pequeño; *skopeô,* ver.

Telescopio =   *têle,* lejos; *skopeô,* ver.

---

1.   La vocal *u* de una raíz griega se cambia en *i* al pasar a una palabra española; por ejemplo: h*u*gros, higro; h*u*dor, hidro; pol*u*s, poli; h*u*po, hipo; on*u*ma, ónimo (excepto en *antonomasia*); d*u*namis, dinamo, etc.

Estereoscopio =	*stereos,* **sólido;** *skopeô,* **ver.**
Atmósfera =	*atmos,* **vapor;** *sphaira,* **esfera.**
Hemisferio =	*hemi,* **medio;** *sphaira,* **esfera.**
Planisferio =	*planus* (latín), **plano;** *sphaira,* **esfera.**
Monopétalo =	*monos,* **solo;** *petalon,* **hoja.**
Polipétalo =	*polus,* **varios;** *petalon,* **hoja.**
Epicarpio =	*epi,* **sobre;** *karpos,* **fruto.**
Endocarpio =	*endon,* **dentro;** *karpos,* **fruto.**
Sarcocarpio =	*sarkos,* **carne;** *karpos,* **fruto.**
Anatomía =	*ana,* **al través;** *tomê,* **cortadura.**
Zoología =	*zôon,* **animal;** *logos,* **tratado.**
Biología =	*bios,* **vida;** *logos,* **tratado.**
Cronología =	*chronos,* **tiempo;** *logos,* **tratado.**
Psicología =	*psuchê,* **alma;** *logos,* **tratado.**

Para un Menú

Las novias pasadas son copas vacías;
En ellas pusimos un poco de amor;
El néctar tomamos... huyeron los días...
¡Traed otras copas con nuevo licor!

¡Champagne son las rubias de cutis de azalia;
Borgoña los labios de rojo carmín;
Los ojos oscuros son vino de Italia,
Los verdes y claros son vinos del Rhin!

Las bocas de grana son húmedas fresas;
Las negras pupilas escancian café,
¡Son ojos azules las llamas traviesas,
Que trémulas corren como alma del té!

La copa se apura, la dicha se agota,
De un sorbo tomamos mujer y licor...
Dejemos las copas... Si queda una gota,
¡Qué beba el lacayo las heces de amor!

MANUEL GUTIÉRREZ NÁJERA. MÉXICO.

Signos de Puntuación

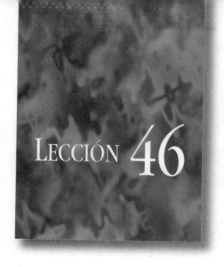

459. Los signos de puntuación sirven para marcar el sentido o significado de las cláusulas, e indicar las pausas que deben hacerse en la lectura.

460. Los signos de puntuación son los siguientes:

Coma	(,)	Paréntesis	( )
Punto y coma	(;)	Guión mayor	(—)
Dos puntos	(:)	Guión menor	(-)
Punto final	(.)	Comillas	("")
Signo de interrogación	(¿?)	Llamadas o notas	(°) (¹)
Signo de admiración	(¡!)	Asterisco	(*)
Puntos suspensivos	(...)		

461. La **coma** indica una pequeña pausa y sirve para facilitar la respiración y dar a conocer el sentido de una oración.

Se usará la coma principalmente en los casos siguientes:

1o. Para separar las partes principales de una misma oración; por ejemplo:

El bruto, el pez, el ave,
Siguen su ley suave.

2o. Para separar oraciones que tengan un mismo sujeto y sean de poca extensión; por ejemplo:

Porque allí[1] llego sediento,
Pido vino de lo nuevo,
Mídenlo, dánmelo, bebo,
Págolo y voyme contento[1].

3o. Para separar el sujeto del verbo cuando aquél fuese complejo o de mucha extensión; por ejemplo: *El poema más aventajado que nos ofrece la literatura francesa en el siglo XIX, es el "Genio del Cristianismo", de Chateaubriand.*

4o. Para reemplazar un verbo sobreentendido; por ejemplo: *El hombre virtuoso vive siempre tranquilo; no así el malvado, su conciencia le acusa siempre.*

---

1. En la taberna.

5o. Se cierran entre comas los apóstrofes, y también las oraciones relativas explicativas; pero nunca las especificativas, a menos de ser muy extensas; por ejemplo: *Dadme ¡oh Señor!, una santa resignación, que bien veis necesita mi alma, en el duro trance que me agobia. Paga el salario debido, hijo mío, a todo el que te sirve.*

462. El **punto y coma** indica una pausa más marcada que la coma, y en general separa periodos de mayor extensión, con algún cambio de sentido; por ejemplo, en la coordinación adversativa; por ejemplo: Podrá el impío burlarse de Dios; *pero ha de venir un día que conozca su locura.*

463. Los **dos puntos** indican una pausa más prolongada que la del punto y coma; con este signo se cierra una proposición general que se comprueba y explica con otras oraciones; se emplea también cuando han de citarse palabras textuales, al empezar una enumeración y después de las dedicatorias, como: *Muy señor mío:*

464. El **punto final** indica una pausa con que se da a conocer que el periodo forma sentido completo.

465. El **signo de interrogación** se emplea al principio y fin de las oraciones en que se hace una pregunta; por ejemplo: *¿Quién ha llamado?*

466. El **signo de admiración** se emplea al principio y fin de toda palabra u oración admirativa; por ejemplo: *¡Oh Señor! ¡Cuán bueno sois!*

467. Los **puntos suspensivos** denotan que se calla lo que se iba decir; por ejemplo: *Quisiera comunicarle lo que siento... pero temo...*

468. El **paréntesis** sirve para encerrar palabras que se introducen en la oración, pero que pueden suprimirse quedando perfecto el sentido de la frase; por ejemplo: *Todos los que venían (sabios o ignorantes) eran recibidos cortésmente.* En la lectura se distingue el paréntesis bajando un poco la voz.

469. Las **comillas** sirven para encerrar palabras copiadas literalmente de un autor; por ejemplo: *Dijo Jesucristo: "El que no renuncie a todo lo que posee, no puede ser mi discípulo".*

También para hacer resaltar algunas palabras en un escrito, se subrayan, se encierran entre comillas, o se ponen en letra bastardilla.

470. Las **notas** o **llamadas** son cifras o letras entre paréntesis o a manera de superíndice (pueden presentarse de las dos formas), que se escriben al lado de una palabra o palabras, para indicar que en una sección anexa del escrito, o ya bien a pie de página, se dará una explicación aclaratoria o complementaria al texto en el cual se hace la llamada, indicada por la cifra o letra correspondiente.

471. El **asterisco** sirve para llamar la atención, lo mismo que una llamada, y en los salmos indica suspensión de voz.

Ejercicios de Aplicación

170 • *Poner los puntos de admiración y de interrogación que requiera el sentido.*

Acción de la Gracia

No hay en el mundo cosa de mayor espanto ni que cada día se haga más nueva a quien la considera, que lo que en el alma de un justo obra la divina gracia. Cómo la transforma cómo la levanta cómo la esfuerza cómo la consuela cómo la compone toda dentro y fuera cómo hace madurar las costumbres del hombre viejo cómo le trueca sus aficiones y deleites cómo la hace amar lo que antes aborrecía, y aborrecer lo que antes amaba, y tomar gusto en lo que antes era desabrido y disgusto en lo que antes le era sabroso. Qué fuerzas le da para pelear qué alegría qué paz qué lumbre para conocer la voluntad de Dios, la vanidad del mundo y el valor de las cosas espirituales que antes despreciaba.

Fr. Luis de Granada.

171 • *Poner los signos de puntuación donde convenga.*

Tal Vez Sea la Luz

La poesía entera del mundo tal vez sea un mismo y único poema

Yo pienso que el mito permanente sin origen ni término y sin causalidad no cronología un viento encendido y genésico que da vueltas por la gran comba del universo algo tan objetivo tan material y tan necesario como la luz Tal vez sea la luz La luz La luz en una dimensión que nosotros no conocemos todavía

Por ganar esta luz vine y estoy aquí
por ganar esta luz me iré y volveré mil veces contra el viento
por ganar esta luz entraré por la puerta del norte y saldré por el postigo del infierno
Por ganar esta luz se han vertido hasta hoy todas las lágrimas del mundo
y por ganar esta luz tendrán que llorar todavía intensamente los hombres
los vivos y los muertos
Los muertos vuelven
vuelven siempre por sus lágrimas
y el poeta que fue tras los antílopes
regresará también

Regresaremos a afinar nuestros ojos a afilar nuestra espada Hay una nube dura y negra allá lejos que nos hace volver En la puerta de Dios en la puerta donde Dios tiene encarcelada la luz está de guardia un terrible y oscuro dragón que no nos deja pasar todavía Atrás Y volvemos a armarnos a fortificarnos para vencer a este dragón El infierno es la vuelta de regreso hacia las lágrimas hacia la piedra de afilar otra vez Y desde el infierno desde este infierno ganaremos la luz

León Felipe. España.

Ejercicios de Lexicología

Palabras de Origen Griego

También las voces griegas **hupo** (abajo), y **monos** (solo), como las ya citadas, sirven para formar palabras españolas. Véanse las siguientes:

Hipocondría   (hupo, abajo; kondros, cartílago). Especie de enfermedad que produce tristeza.

Hipocresía   (hupo, abajo; krisis, juicio). Apariencia contraria a lo que uno es o siente.

Hipogastrio   (hupo, abajo; gaster, vientre). Parte inferior del vientre.

Hipotenusa   (hupo, abajo; teino, tender). Lado opuesto al ángulo recto en un triángulo rectángulo.

Hipótesis   (hupo, abajo; tithêmi, colocar). Suposición de una cosa posible o imposible para sacar de ella alguna consecuencia.

Monarquía   (monos, solo; archos, jefe). Gobierno de un Estado por un solo jefe.

Monograma   (monos, solo; gramma, letra). Cifra o carácter compuesto de una o muchas letras enlazadas, que se usa como abreviatura de un nombre.

Monólogo   (monos, solo; logos, discurso). Escena en que habla un solo actor.

Monosílaba   (monos, solo; sullabê, sílabe). Palabra de una sola sílaba.

172• *Definir las palabras siguientes conforme a su etimología:*

Aerografía =	Aêr, aire;	
Bibliografía, bibliográfico =	Biblion, libro;	
Biografía, biógrafo =	Bios, vida	
Cacografía =	Kakos, malo;	
Caligrafía, calígrafo =	Callos, bello;	
Cinematógrafo =	Kineema, movimiento;	
Coreografía, coreógrafo =	Choreia, danza;	
Cosmografía =	Kosmos, mundo;	*Graphô*
Criptografía, criptógrafo =	Kryptos, oculto;	escribir,
Etnografía =	Ethnos, pueblo;	describir,
Fotografía, fotógrafo =	Photos, luz;	grabar
Fonografía, fonógrafo =	Phonê, voz, sonido;	
Geografía, geógrafo =	Gê, tierra;	
Hidrografía, hidrógrafo =	Hudor, agua;	
Iconografía, iconógrafo =	Eikon, imagen;	
Litografía, litógrafo =	Lithos, piedra;	
Monografía =	Monos, solo;	
Orografía =	Oros, montaña;	

Palabras Homónimas y Parónimas. Abreviaturas

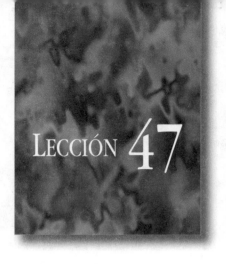

472. Palabras **homónimas** son las que, siendo iguales por su estructura, tienen distinta significación; por ejemplo: *Tarifa,* ciudad, y *tarifa* de precios. He aquí algunas:

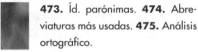

Sumario. 472. Palabras homónimas. **473.** Íd. parónimas. **474.** Abreviaturas más usadas. **475.** Análisis ortográfico.

Amo.	Del verbo amar.	*Haz.*	Conjunto de cosas atadas.
Amo.	Dueño o señor.	*Marco.*	Del verbo marcar.
Callo.	Del verbo callar.	*Marco.*	Cuadro, moneda.
Callo.	Dureza.	*Orden.*	Mandato, arreglo.
Cazo.	Del verbo cazar.	*Orden.*	Corporación religiosa.
Cazo.	Utensilio de cocina.	*Río.*	Del verbo reir.
Como.	Del verbo comer.	*Río.*	Corriente de agua.
Como.	Conjunción.	*Sierra.*	Cordillera.
Consejo.	Reunión, junta.	*Sierra.*	Lámina cortante.
Consejo.	Parecer, recomendación.	*Tira.*	Del verbo tirar.
Corte.	Del verbo cortar.	*Tira.*	Retazo.
Corte.	Residencia de los reyes.	*Vela.*	Del verbo velar o trasnochar.
Criado.	El que sirve.	*Vela.*	Cirio, tela de barco.
Criado.	Educado, alimentado.	*Velada.*	Del verbo velar o cubrir.
Era.	Del verbo ser.	*Velada.*	Reunión nocturna.
Era.	Espacio de tiempo.	*Vino.*	Jugo de uva.
Era.	Donde se trilla.	*Vino.*	Del verbo venir.
Haz.	Del verbo hacer.		

473. Palabras parónimas son las que ofrecen ligera variedad en la ortografía o pronunciación, con muy distinto significado; por ejemplo: Echo, del verbo echar, y hecho, acontecimiento. Damos algunas a continuación:

Ay.	Interjección.	*Ciervo.*	Animal.
Hay.	Del verbo haber.	*Siervo.*	Criado.
Aya.	Educadora de niños.	*Ciega.*	Que no ve.
Haya.	Del verbo haber; árbol.	*Siega.*	Recolección de cosecha.
As.	Cierto naipe; moneda.	*Cima.*	Cumbre.
Has.	Del verbo haber.	*Sima.*	Concavidad profunda.
Bacía.	Utensilio de barbería.	*De.*	Preposición.
Vacía.	Sin contenido.	*Dé.*	Del verbo dar.

Baya.	Fruto.	*Errar.*	Extraviarse, perderse.
Vaya	Del verbo ir, interjección.	*Herrar.*	Poner herraduras.
Barón.	Dignidad.	*Huso.*	Instrumento para hilar.
Varón.	Hombre.	*Uso.*	Costumbre.
Bienes.	Propiedades o haberes.	*Ola.*	Onda.
Vienes.	Del verbo venir.	*Hola.*	Interjección.
Casa.	Habitación.	*Sumo.*	El mayor grado.
Caza.	Acción de cazar.	*Zumo.*	Jugo.

474. Las **abreviaturas** que más comúnmente se usan en español son las siguientes:

(a).	Alias.	*N.B.*	Nótese bien.
Admón.	Administración.	*Pbro.*	Presbítero.
Afmo.	Afectísimo.	*P.D.*	Posdata.
Art.	Artículo.	*P.O.*	Por orden.
B.L.M.	Besa la mano.	*P.S.*	Post scriptum.
Cía.	Compañía	*Pral.*	Principal.
Corrte.	Corriente.	*Q.D.G.*	Que Dios guarde.
Cta.	Cuenta.	*Rte.*	Remitente
D.	Don.	*R.O.*	Real Orden.
Da.	Doña.	*S.A.*	Sociedad anónima
D.M.	Dios mediante.	*Sra.*	Señora.
dm.	Decímetro.	*S.f.*	Sin fecha
Edit.	Editorial.	*S.L.*	Sociedad limitada.
Ej.	Ejemplo.	*S.M.*	Su Majestad.
E.M.	Estado Mayor.	*S.N.*	Servicio nacional.
Ema.	Eminencia.	*S.P.*	Servicio público.
Exa.	Excelencia.	*S/ref.*	Su referencia.
Fr.	Fray.	*S.S.*	Su Santidad.
Gral.	General.	*S.S.S.*	Su seguro servidor.
Ib.	Ibídem (en el mismo lugar)	*Ud.*	Usted.
Íd.	Ídem. (el mismo, lo mismo)	*Uds.*	Ustedes.
Ilma.	Ilustrísima.	*V.A.*	Vuestra Alteza.
J.C.	Jesucristo.	*V. M.*	Vuestra Majestad
Loc. cit.	Loco citato (en el lugar citado)	*Vo. Bo.*	Visto Bueno.
L.S.	Lugar del sello.	*V.R.*	Vuestra Reverencia.

475. El **análisis ortográfico** comprende:

1o. El estudio de las palabras que llevan letras de uso dudoso o mayúsculas.

2o. El análisis del acento ortográfico.

3o. El estudio de los demás signos ortográficos y de puntuación.

Ejemplo:

Anselmo es cantor.

La escritura de las palabras que forman esta frase no ofrece ninguna dificultad. *Anselmo,* se escribe con mayúscula por ser nombre propio y empezar la frase. No se acentúan *Anselmo* ni *cantor,* por ser la primera palabra llana terminada en vocal, y la segunda, aguda terminada en consonante que no es *n* ni *s*.

Otro ejemplo:

El peor enemigo que tienes, eres tú mismo: el mejor defensor, tu conciencia.

El, con mayúscula por empezar la frase y no se acentúa por ser artículo, *tú mismo, tú,* con acento por ser pronombre; *tu conciencia, tu,* sin acento por ser adjetivo. *Peor, mejor* y *defensor* no se acentúan por ser palabras agudas terminadas en consonante que no es *n* ni *s; enemigo* y *conciencia* por ser llanas y terminar en vocal, y *tienes* y *eres* por ser llanas y terminar en *s*.

Ejercicios de Aplicación

173• *Definir los parónimos siguientes:*

Asta y hasta. • Balido, valido y válido. • Basto y vasto. • Bello y vello. • Cenador y Senador. • Cerrar y serrar. • Cohorte y corte. • Deferencia y diferencia. • Deferir y diferir. • Desecar y disecar. • Espirar y expirar. • Grabar y gravar. • Hierro y yerro. • Impune e impugne. • Incipiente e insipiente. • Olla, hoya y holla. • Onda y honda. Sede y cede. • Tubo y tuvo. • Apodo y ápodo.

174• *Léase el ejercicio siguiente:*

Esto es de acuerdo como usted lo pidió. • Se recuperaron las acciones de la Cía. • Debe ejecutarse p.o. del Supremo Gobierno. • Debe ejecutarse P.O. del Supremo Gobierno. • He firmado las papeletas poniendo P.O.; pues mi padre era quien debía firmarlas. • D. M. llegaremos pronto. • D.M. llegaremos pronto. • S.M. el Rey (Q.D.G.) ha llegado de su viaje al extranjero. • Tenemos cta. corrte. en el Banco Nacional. • La carta tiene como rte. a Luis Suárez. • En algunos documentos oficiales se ve la expresión L.S. • Muchos acaban sus cartas poniendo: S.S.S., q.b.s.m. • Los R.D. y las R.O. son necesarios para la ejecución de las Leyes. • La Admón. pral. de Correos está situada en la calle de Ciudadanos. • ENE • ESE • OSO • q.e.g.e • q.e.p.d. • q.s.g.h. • R.I.P.

Emilio Marín

175• *Poner las comas y acentos que convengan.*

Bestiario

La asamblea anual de la Fauna Artistica y Literaria fue convocada en primera citacion a las 20 horas y en segunda a las 21 pero solo se logro el quorum necesario en el segundo llamado.

Faltaron con aviso el Mastin de los Baskerville el Cisne de Saint-Saens y Moby Dick de Melville sin aviso Las Moscas de Sartre y la Trucha de Schubert. Estuvieron presentes: el Loro de Flaubert el Asno de Buridan la Paloma de Picasso los Centauros de Dario el Cuervo de Poe el Rinoceronte de Ionesco y las Avispas de Aristofanes.

En el Orden del Dia figuraba un punto unico: la designacion del Rinoceronte de Ionesco como presidente vitalicio y omnimodo.

El Centauro (Orneo) de Dario comenzo diciendo: *"Yo comprendo el secreto de la bestia"*.

El Asno de Buridan no pronuncio palabra pero dio a entender que ni fu ni fa.

El Loro de Flaubert tuvo una intervencion tripartita e insolita: *"Cuco mon petit coco" "As-tu dejeune Jako?" "J'ai du bon tabac"*.

Otro Centauro (Caumantes) de Dario apoyo a su congenere Orneo: *"El monstruo expresa un ansia del corazon del Orbe"*.

El Rinoceronte de Ionesco movio lentamente el cuerno palido y manchado como un modo sutil de darse por aludido.

La Paloma de Picasso se acerco volando y su breve excremento cayo como decisivo comentario sobre la impenetrable testa del candidato.

No obstante la propuesta de los Centauros de Dario flotaba en el aire de modo que las Avispas de Aristofanes opinaron a cappella: *"No nunca jamas mientras me quede un soplo de vida"*.

El Loro de Flaubert reiterativo pretendio intervenir: *"Cocu mon petit coco"* por el Cuervo de Poe abrio por fin su pico. Todos callaron hasta el Loro.

Dijo el Cuervo: *"Nunca mas"*.

MARIO BENEDETTI. URUGUAY.

228

Evaluación sobre la Prosodia y la Ortografía

1o. ¿Qué nos enseña la prosodia? **2o.** ¿Es importante? **3o.** ¿Cuántos son en castellano los sonidos puros? **4o.** ¿Y los modificados? **5o.** ¿Cómo es que hay más de 26 letras? **6o.** ¿Qué son letras mudas? **7o.** ¿Y líquidas? **8o.** ¿Cuántos y cuáles son los diptongos españoles? **9o.** ¿Y los triptongos? **10o.** ¿Por qué no hay diptongo en Faraón? **11o.** ¿Por qué se escribe *Bucéfalo* con mayúscula? **12o.** ¿Cuándo se escribirá *Magistrado* con mayúscula? **13o.** ¿Cuáles son las cuatro palabras que, derivándose de otras que tienen h, se escriben sin ella?

Ejercicios de Lexicología

Palabras de Origen Griego

Concurre también a la formación de palabras españolas la voz griega **peri** (*alrededor*). Véanse los siguientes ejemplos:

Perianto   (*peri*, alrededor; *anthos*, flor). Especie de envoltura exterior de una flor.

Pericardio   (*peri*, alred.; *kardia*, corazón). Saco membranoso que envuelve el corazón.

Pericarpio   (*peri*, alred.; *karpos*, fruto). Parte exterior del fruto, que cubre las semillas de las plantas.

Pericráneo   (*peri*, alred.; *kranión*, cráneo). Membrana que cubre los huesos del cráneo.

Perigeo   (*peri*, alred.; *gê*, tierra). Punto en que la Luna está más próxima a la Tierra.

Perihelio   (*peri*, alred., cerca; *hêlios*, sol). Punto de la órbita de un planeta en que éste se halla más cercano al Sol.

Perímetro   (*peri*, alred.; *metron*, medida). Límite o contorno de una superficie.

Periodo   (*peri*, alred.; *odos*, camino). Tiempo que pone un astro en hacer su revolución. Espacio determinado de tiempo.

Periostio   (*peri*, alred.; *osteon*, hueso). Membrana que rodea los huesos.

Perífrasis   (*peri*, alred.; *phrazó*, hablar). Rodeo de palabras.

Perineumonía   (*peri*, alred.; *pneumôn*, pulmón). Inflamación alrededor del pulmón.

Peristilo   (*peri*, alred.; *stulos*, columnas). Galería con columnas aisladas, construidas alrededor de un patio o de un edificio.

176• *Definir las palabras siguientes conforme a su etimología.*

Antropología   = *anthrôpos*, hombre; *logos*, discurso, tratado.

Filántropo   = *philos*, amigo; *anthrôpos*, hombre.

Bibliófilo   = *Biblion*, libro; *philos*, amigo.

Filosofía   = *Philos*, amigo; *sophia*, sabiduría.

Cacofonía   = *kakos*, malo; *phônê*, sonido, voz.

Eufonía   = *eu*, bien; *phônê*, voz, sonido.

Cardialgia   = *kardia*, corazón; *algos*, dolor.

Cefalalgia   = *kephalê*, cabeza; *algos*, dolor.

Nostalgia   = *nostos*, vuelta, regreso; *algos*, dolor.

Ovoide   = *oon*, huevo; *eidos*, forma.

Heliotropo	= *hêlios*, sol; *trepô*, volver.
Heliópolis	= *hêlios*, sol; *polis*, ciudad.
Cosmopolita	= *kosmos*, mundo; *politês*, ciudadano.
Metrópoli	= *mêter*, *mêtros*, madre; *polis*, ciudad.
Hipódromo	= *hippos*, caballo; *dromos*, corrida.
Hidromel	= *hûdor*, agua; *mel*, miel.
Hidroterapia	= *hûdor*, agua; *therapia*, curación
Mesopotamia	= *mesos*, en medio; *pótamos*, río.
Poliglota	= *polus*, varios; *glôtta*, lengua.
Politeísmo	= *polus*, varios; *theos*, Dios
Panteísmo	= *pan*, todo; *theos*, Dios.
Apoteosis	= *apo*, entre, de lo alto; *theos*, Dios.
Teología	= *theos*, Dios; *logos*, discurso, tratado.
Iconoclasta	= *eikôn*, imagen; *klaô*, romper.

¿De qué se ríe la luna?

La luna continúa riendo por la ventana, mientras acaricio tu cabello y un sabor metálico electriza mis labios. ¿Recuerdas nuestras caminatas nocturnas por las oscuras veredas? Me encantaba ver las chispas de niña divertida que te nacían en los ojos. No entendías nada de lo que te hablaba? ¿verdad? Por eso eras tan encantadora y, por eso, tus tibios silencios lograron que sintiera extrañas burbujas en el pecho... La luna se ríe: debo ignorarla... Apenas ayer me dijiste que yo era un tallo de rosas a la orilla del camino.

— ¿Por qué? —pregunté susurrando.
— Porque, —respondiste— tienes espinas para hacer sangrar a todo el que se cruce contigo, pero siempre estás a la espera de que los coágulos se transformen en capullos.
— ¿Qué quieres decir? —repuse intrigado.
— ¡A veces eres tan tonto! —terminaste soltando una carcajada.

Todo lo hice por amor no lo dudes... La luna se asoma por la ventana y nos mira.

— Lárgate —le ordeno.

Pero continúa riéndose de mí... ¡No! ¡De ti no!... sólo de mí. Niña, hermosa niña, a veces uno no puede darse cuenta de todo el mal que encierra el simple y alabado hecho del amor. La noche es más bella cuando los duendes muerden su capa negra para hacer caer las estrellas, y dar vida a las luciérnagas: tus ojos también están hechos de estrellas; por eso estoy atado a tu piel.
Hace mucho que me convertí en lo que soy, no sé a ciencia cierta cuánto en realidad, pero cada año que pasa pierdo una milésima de inocencia. Era muy niño aún y, ahora, mis párpados pesan como piedras: se han endurecido bastante. ¿Lo notabas?, espero que no, para tu corazón yo solamente era un chiquillo que se perdió en el camino... y sólo eso quería ser.

GERARDO LÓPEZ. MÉXICO.

PARTE CUARTA
SINTAXIS

(A) Sintaxis de la Oración Simple

Elementos Esenciales de la Oración

476. La **Sintaxis** —voz griega que significa *construcción*— enseña el modo de enlazar unas palabras con otras para formar la oración gramatical, y también las oraciones entre sí para formar la oración compuesta o periodo.

477. "La *Analogía*, —dice Cejador— nos da materiales sueltos, sillares, maderos; el habla se forma con ellos, pero no consiste en ellos, sino en su trabazón. De esta trabazón, de la arquitectura de una expresión cualquiera, viviente o insecable, es de la que trata la *Sintaxis*."

478. El objeto de la Sintaxis es, pues, el estudio de la oración gramatical, y según que sea ésta simple o compuesta se divide en *Sintaxis de la oración simple* y *Sintaxis de la oración compuesta.*

479. El pensamiento consta de un juicio o de varios: en el primer caso, su expresión completa es la *oración simple*; por ejemplo: *Antonio estudia la gramática*; en el segundo, la *oración compuesta* o *periodo*; por ejemplo: *Juan desea que venga Antonio para que le ayude.*

480. **Oración gramatical simple** es, pues, la expresión de un juicio.

En el ejemplo: *estos niños se comieron las ciruelas*, afirmamos la acción de *comer* por el sustantivo *niños*; así como en *Luis es piadoso* y en *Luis es alcalde,* afirmamos la cualidad de *piadoso* o la dignidad de *alcalde* de la persona *Luis.*

481. **Los elementos esenciales** de la oración gramatical son dos: el vocablo con que se designa el ser (persona, animal o cosa) de que

231

se afirma algo, y que en el lenguaje gramatical se llama *sujeto*, y el que expresa la cosa afirmada, que se llama *predicado*.

En los ejemplos anteriores los sujetos son *niños* y *Luis*, los predicados *comieron, piadoso y alcalde*.

482. Pueden desempeñar el oficio de sujeto en la oración:

1o. Un nombre sustantivo, siempre en tercera persona y con artículo o sin él: *Juan* llora; *la madre* cuida de los hijos; *el monte* está cubierto de nieve.

2o. Un pronombre en cualquier persona y siempre sin artículo: *yo* como; *tú* lees; *él* estudia; *éste* llora; *aquél* canta; *alguien* llama.

3o. Toda palabra, locución u oración completa que venga sustantivada por el artículo o por un demostrativo, o se emplee, sin ellos, con valor sustantivo: *El estudioso* aprende; *las otras* lo dijeron; *el mío* es éste; *el estudiar* es provechoso; me daba *un no sé qué* de contento; tantas letras tiene *un no* como *un sí*; *ese pero* me disgusta; *el de la boina* te lo dirá; *la del domingo* no fue buena; *cerca de trescientos* llegaron hoy; será mejor *que nos marchemos luego*.

483. El sujeto se omite en castellano:

1o. Cuando es un pronombre personal y no se pretende que resalte, por ir incluido en el verbo: Amas, en vez de *tú* amas; no quiero, en vez de *yo* no quiero. Al revés cuando hay razón para que resalte: *Tú* lo has dicho; *yo* lo he visto; *vosotros* habéis sido.

2o. En los verbos unipersonales y en los que usamos como impersonales: *llueve; amanece; cuentan; aseguran*.

Predicados verbales: Los pájaros *vuelan*; los alumnos *estudian*; el holgazán *padece*.

Predicados nominales: Este niño es *virtuoso*; la calumnia es un *crimen*; aquel sombrero es *mío*.

484. El predicado o elemento de una oración que enuncia algo del sujeto, puede ser un verbo atributivo o un nombre sustantivo o adjetivo: en el primer caso se llama *verbal*; en el segundo, *nominal*.

485. El verbo se **omite** siempre que está claro en la oración anterior, por no repetir en vano ningún término. Es lo ordinario en toda oración compuesta; por ejemplo: "Ahora no hay que dudar, sino que esta arte y ejercicio **excede** a todas aquéllas", por esta arte **excede,** y este ejercicio **excede...** Mi nombre **es** *Cardenio*, mi patria *una ciudad…*, mi linaje *noble*, mis padres *ricos*, mi desventura *mucha* (El Quijote, Cervantes).

486. El verbo *ser* fue en su origen tan concreto y objetivo como los demás verbos con la acepción de *existir*; hoy día su significación ha quedado casi reducida a la mera cópula o lazo de unión entre el predicado nominal y su sujeto.

Lo propio ha sucedido con el verbo *estar,* cuyo significado primitivo era *colocar, hallarse* o *estar de pie,* y hoy lo usamos como verbo neutro con la significación de *hallarse* o *existir de cualquier manera*, necesitando de un vocablo que junto con él designe la manera de hallarse o existir, es decir, el *predicado* que atribuimos al sujeto.

Ejemplos: Esa Teresa Panza *es mi madre;* Anselmo *es cantor;* **esa moneda** *es falsa;* **el agua** *está fría; estuve enfermo.*

487. Los verbos *andar, andarse, ir, hallarse, verse, venir, venir a ser, quedar, llegar* y **otros muchos in-**transitivos se construyen como **estar** con un adjetivo predicativo y significan lo mismo aunque con diversos matices; por ejemplo: Juan *anda descalzo;* **todo** *va viento en popa;* **Andrés** *llegó el último;* **poco antes** *se hallaba enfermo;* **el profesor** *quedó admirado* **de tu talento;** la maleta *venía cerrada* **con una cadena.**

488. El verbo *ser,* cuando es copulativo, sólo sirve para indicar el tiempo en que el predicado nomi-nal conviene al sujeto y suele omitirse:

1o. En las sentencias y proverbios; por ejemplo: *Tal padre, tal hijo; año de nieves, año de bienes; el mejor camino, el recto.*

2o. En las oraciones interrogativas cuyo sujeto es *quién,* y en las exclamativas; por ejemplo: *¿Quién como Dios? ¡Qué locura salir de casa con este tiempo!*

Ejercicios de Aplicación

177. *Asignar un sujeto conveniente a cada una de las oraciones siguientes:*

La _____ es dulce. El _____ es paciente. El _____ es frágil. La _____ es fría. La _____ es venenosa. El _____ y el _____ son carnívoros. La _____ y la _____ son herbívoras. _____ y _____ son puertos fluviales muy renombrados. Los _____ y las _____ son legumbres. _____ fue el primer rey de los judíos. _____ fue pastor antes de ser rey. Las _____ son mensajeras de la primavera. El _____ es el caballo del pobre. _____ fue traicionado por Dalila. _____ ganó la batalla de Puebla _____ derrotó completamente a los almohades en las Navas de Tolosa. _____, padre de San Fernando, murió en 1230. _____ fue el que comenzó la dinastía de los Borbones en España. _____ y _____ son las ciudades más populosas de América del Sur. _____, _____ y _____ son las capitales de Venezuela, Colombia y Ecuador, respectivamente. _____ es el puerto de Lima.

178. *Anote en la línea un predicado nominal.*

El hierro es un _____. • La tierra es _____. • La vida es _____. • El cordero es _____. • El carbón es _____. • La guerra es un _____. • El gato es _____. • El mono es _____. • Las estrellas son _____. • España es _____. • El Ebro es _____. • La enci-na es un _____ siempre verde. • Los ciervos son _____. • El Magdalena es un _____. • Las noches son _____ en invierno, y _____ en verano. • Un buen amigo es un _____.

Todos los hombres son _____. • El azúcar y la sal son _____. • Todas las flores no son _____. • El agua es _____. • El puñal y la pistola son _____ peligrosas. • El león, el tigre y la pantera son _____. • La primavera es una deliciosa _____. • La anguila y la trucha son _____ muy estimados. • El cristal es _____. • Aníbal, César, Gonzalo de Córdoba y Napoleón fueron _____. • España es _____ que Francia, pero es _____ que Italia. Cervantes fue un gran _____.

179• *Analizar los predicados del segundo párrafo del ejercicio anterior.*

180• *Escribir en la línea un predicado verbal.*

La hierba _____. • Los pájaros _____. • La zorra _____. • Las ardillas _____. • Los leones _____. • Los peces _____. • El trueno _____. • Los relámpagos _____. • Los jardines _____. • Los pájaros _____ sus nidos. • Los ríos _____ por las llanuras. • Los torrentes _____ de la montaña. • Zorrilla, célebre poeta español, _____ en Valladolid. • Ramón López Velarde _____ en la Cd. de Jerez, Zacatecas, _____ el poema Suave Patria. • Octavio Paz, premio Nobel de literatura _____ esta presea por su importante obra literaria. • San Fernando _____ en Sevilla en 1252. • Ignacio Zaragoza _____ la batalla del Fuerte de Guadalupe en 1852. • San Luis, rey de Francia, _____ la última cruzada y _____ de la peste cerca de Túnez en 1270.

Hermana, Hazme Llorar...

Fuente Santa:
dame todas la lágrimas del mar.
Mis ojos están secos y yo sufro
unas enormes ganas de llorar.

Yo no sé si estoy triste por el alma
de mis fieles difuntos
o porque nuestros mustios corazones
nunca estarán sobre la tierra juntos.
Hazme llorar, hermana,
y la piedad cristiana
de tu manto inconsútil
enjúgueme los llantos con que llore
el tiempo amargo de mi vida inútil.

Fuentesanta
¿Tú conoces el mar?
Dicen que es menos grande y menos hondo
que el pesar.
Yo no sé ni por qué quiero llorar:
será tal vez por el pesar que escondo,
tal vez por mi infinita sed de amar.
Hermana:
dame todas las lágrimas del mar...

RAMÓN LÓPEZ VELARDE. MÉXICO.

Los Complementos del Nombre

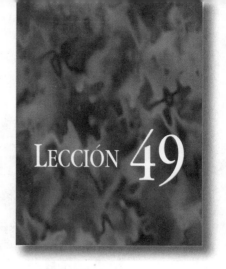

489. Los elementos esenciales de la oración gramatical son el sujeto y el predicado. El sujeto es normalmente un sustantivo y el predicado un verbo, por ejemplo: *Luis estudia.*

Pero si queremos determinar y dar a entender mejor quién es Luis, y qué estudia, dónde, etc., necesitamos de otros vocablos que vengan a precisar la expresión del sujeto y la del predicado; por ejemplo: *Mi primo* Luis, *el de Zacatecas,* estudia *la Gramática en su casa.*

Estos vocablos se llaman **complementos,** y pueden referirse ya al sujeto solo, ya al predicado solo, ya a los dos a la vez. En el primer caso reciben el nombre de *complementos del sujeto;* en el segundo, *complementos del predicado verbal;* y en el tercero, *predicados de complemento.*

Si decimos *Cisneros conquistó,* tenemos una oración completa, con sus dos elementos esenciales y sin ningún complemento; mas si decimos: *El cardenal Cisneros conquistó a Orán,* tenemos un complemento del sujeto en la locución *El cardenal,* y otro del predicado en la locución *a Orán.* Pero en la oración *Luis venía muy fatigado,* el adjetivo *fatigado* se refiere no sólo al sujeto sino también al verbo, es un adjetivo que, a la vez que ejerce el oficio de tal, desempeña la función de adverbio.

490. En los distintos oficios que el nombre desempeña en la oración, puede llevar como complementos:

a) Otro nombre o adjetivo sustantivado en aposición; por ejemplo: París, *capital de Francia;* el profeta *rey;* Cervantes, *el manco de Lepanto;* Fernando *el Santo.*

b) Uno o más adjetivos; por ejemplo: la *cándida* paloma; *dolientes* y *profundos* suspiros; *solícitas* y *discretas* abejas; los animales *fieros;* la *diáfana* luz del sol; voz *reposada* y *clara.*

c) Un caso con preposición; por ejemplo: la casa *del padre;* el ganado *de cerda;* árbol *sin hojas;* perro *con collar;* agua *para beber;* dos días *por semana;* las *hasta allí nunca vistas* ceremonias.

d) Una oración entera; por ejemplo: el alumno *que estudia* es amado por el profesor; Luis, *que es diligente,* trabaja sin descanso.

491. Los complementos del nombre pueden ser *explicativos* y *especificativos*.

492. Complemento **explicativo** es el que *explica* el concepto expresado por el nombre, y puede suprimirse sin perder la oración su sentido; por ejemplo: México, *capital de nuestra Patria,* tiene hermosos edificios; con *santa* paciencia aguantó sus infortunios.

493. Complemento **especificativo** es el que precisa o *especifica* el sentido del nombre, limitando la extensión de su significación; por ejemplo: Fernando *el Santo;* el hombre *avaro* es desgraciado; la pérdida *del tiempo* es irreparable; *esta* casa es de *mi* amigo.

494. Si el complemento explicativo es un adjetivo, recibe el nombre de **epíteto,** y declara alguna calidad común y natural; en cambio el adjetivo que hace las veces de complemento especificativo, especifica por medio de una calidad, no común sino particular.

En *mansas ovejas,* **mansas** es un epíteto que declara la mansedumbre común a todas las ovejas; en *animales bravos,* bravos especifica una clase de animales, que lo son, no siéndolo todos.

495. El adjetivo complemento del sustantivo puede llevar a la vez otro complemento de sí propio. Este complemento del adjetivo puede ser;

a) Un nombre, pronombre o un infinitivo con preposición; por ejemplo: dócil *a los avisos,* oriundo *de Bolivia,* disculpable *entre amigos,* fiel *hasta la muerte;* generoso *con él,* útil *para ustedes,* relativo *a eso;* harto *de esperar,* ágil *para correr,* contento *con ayudar.*

b) Un adverbio o modo adverbial; por ejemplo: feo *de cerca,* bueno *para hoy.*

496. **Construcción directa** o **descendente** es aquella en la cual los vocablos se ordenan en la oración de manera de que cada uno venga a determinar al que le precede.

Este orden se llama *Sintaxis regular,* en oposición a la *Sintaxis figurada,* en que aquél no se observa.

El español tiene construcción descendente.

497. En las lenguas de **construcción inversa** o **ascendente**, las palabras se colocan en orden diametralmente opuesto al nuestro.

El inglés tiene construcción ascendente.

La frase *arbolako ostua* traducida literalmente al español y en el orden en que las ideas vienen expresadas en ella, dice: *árbol el de la hoja la* = la hoja del árbol.

498. La índole de la sintaxis española requiere que los complementos vayan detrás del nombre cuya significación completan; pero este orden no se sigue siempre.

499. Los *artículos* y adjetivos *cardinales* preceden siempre al sustantivo, y si éste lleva antepuesto otro adjetivo, aquéllos preceden a ambos; por ejemplo: *El* niño, *el* pobre niño; *una* niña, *una* prudente niña; *tres* libros, *tres* preciosos libros.

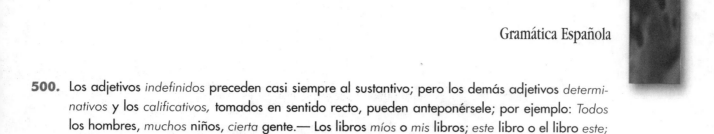

500. Los adjetivos *indefinidos* preceden casi siempre al sustantivo; pero los demás adjetivos *determinativos* y los *calificativos,* tomados en sentido recto, pueden anteponérsele; por ejemplo: *Todos* los hombres, *muchos* niños, *cierta* gente.— Los libros *míos* o *mis* libros; *este* libro o el libro *este;* lámina *preciosa* o *preciosa* lámina.

501. Observaciones.

I. Una palabra está usada en sentido **recto** o **llano** cuando conserva su significación primitiva o propia. Por ejemplo:

> Hombre *pobre*   (falto de lo necesario).
> Hombre *grande*   (de notable estatura).

II. Una palabra está en **sentido figurado** o **tropológico** cuando expresa idea distinta de aquella para la cual fue inventada; por ejemplo:

> *Pobre* hombre   (desgraciado o sin inteligencia).
> *Grande* hombre   (de relevantes prendas).

502. El epíteto suele preceder al nombre; el adjetivo especificativo suele seguirlo, y queda más de relieve. Pero esta regla no siempre se observa, sobre todo en poesía, donde es frecuente poner delante del nombre los genitivos y especificativos que a él se refieren; por ejemplo: El *fiero* león, la *blanca* nieve, las *negras* sombras de la muerte. — Lengua *viperina,* negocio *forzoso, dulce* y *no aprendido* canto.

De sus hijos la *torpe* avutarda
El *pesado* volar conocía.

Suntuosos edificios, *fresco* río y *apacibles* calles. Esta inversión del orden en la colocación de las palabras se llama *hipérbaton.*

503. Los complementos del adjetivo se colocan detrás de él en la sintaxis regular; en la figurada pueden ir delante, pero la preposición ha de ir siempre en el complemento; por ejemplo: Luis es dócil *a los consejos* de su padre, o —*A los consejos* de su padre es dócil Luis, o —Luis, *a los consejos* de su padre, es dócil.

Ejercicios de Aplicación

181 • *Poner en el primer párrafo el* **especificativo,** *y en el segundo el* **epíteto** *o* **explicativo** *conveniente en la línea.*

1o. El hombre _____ será recompensado. • Pasado los días _____ las golondrinas dejan nuestros climas. • El sermón _____ empiezan por las _____ bienaventuranzas. • La cortesía _____ hace que se le mire con placer, a pesar de sus andrajos. La cortesía _____ le adorna más que los más bellos vestidos. • El _____ servicio hasta par ganar el favor _____ . • La escala _____ llegaba desde la tierra hasta el cielo.

2o. La _____ serpiente y la _____ paloma nos son dadas como modelos por _____ Jesucristo. • El obispo es una antorcha _____. • La oración —sube al trono del Eterno. Debemos trabajar con _____ diligencia en nuestras obligaciones. • La _____ codicia rompe el saco. • Los santos son el _____ espejo en que vemos las _____ virtudes que hemos de imitar. • El _____ sol de mediodía me ha producido una _____ insolación. • Rómulo y Remo _____ de Roma, se dice fueron amamantados por una loba. • Nuestro Señor Jesucristo, _____ nació en la noche del 24 al 25 de diciembre.

182 • *Dar un complemento a los siguientes adjetivos:*

Necesario	Favorable	Rico	Impaciente
Útil	Atento	Sujeto	Insensible
Pronto	Ardiente	Delicioso	Constante
Apto	Contrario	Vacío	Impropio
Benévolo	Conforme	Afable	Infatuado
Fácil	Sobrio	Exento	Poderoso
Lento	Inquieto	Desprovisto	Culpable
Rebelde	Contento	Fecundo	Satisfecho
Refractario	Lleno	Alto	Superior

183 • *Subrayar los epítetos del siguiente párrafo del Quijote:*

"Apenas había el rubicundo Apolo tendido por la faz de la ancha y espaciosa tierra las doradas hebras de sus hermosos cabellos, y apenas los pequeños y pintados pajarillos con sus arpadas lenguas habían saludado con dulce y meliflua armonía la venida de la rosada Aurora, que, dejando la blanda cama, por las puertas y balcones del manchego horizonte a los mortales se mostraba, cuando el famoso caballero Don Quijote de la Mancha, dejando las ociosas plumas, subió sobre su famoso caballo Rocinante, y comenzó a caminar por el antiguo y conocido campo de Montiel."

184 • *Indicar si la construcción, en las frases siguientes, es directa o inversa.*

El Estado soy yo. • Una onza de vanidad echa a perder un quintal de mérito. • Todos los hombres buscan la dicha y ninguno la encuentra. • A Vasco de Gama lo hizo célebre el descubrimiento del camino para ir al Asia por el Cabo de Buena Esperanza. • Desde la infancia debemos de inclinarnos al bien. • El buen pastor no abandona a los tiernos corderillos. • Debió tu amigo quejarse a tiempo. • El niño escribió con suma alegría a sus padres. • Su espada arrojó Guzmán el Bueno. • Los Reyes Católicos brillan en la historia como estrellas de primera magnitud. • Atentamente escuchó Sancho las razones que alegaba Don Quijote. • A los lapones presta el reno grandes servicios. • Los tallos de algunas plantas se extienden por el suelo. • Este hombre se vuelve cuerdo, instruido por la experiencia. • Sean siempre obedientes a sus padres.

185• *Distinguir si las palabras escritas en cursiva están de forma llana o figurado.*

Los *escollos* de la vida.

Las *corrientes* aéreas.

Un *profundo* abismo.

La fruta *verde*.

Las *entrañas* de la tierra.

El *furioso* huracán.

El *lenguaje* de las flores.

El león *furioso*.

Una *profunda* melancolía.

Una *construcción* sólida.

El *velo* de la noche.

El *peso* de los años.

Este niño es un *estuche de monerías*.

Los *amargos* remordimientos.

Un *torrente* devastador.

La *fruta* madura.

El *orgullo* de las olas.

El *torrente* de las pasiones.

Fortificar la ciudad.

Un hijo *ingrato*.

Derramar beneficios.

Fortificarse en la gracia.

186• *Emplear en sentido llano las palabras escritas en cursiva.*

Decía para mi *capote*.

Abrir el corazón.

Adornar su memoria.

Inteligencia *oscura*.

Al *pie* de un árbol.

Combatir las pasiones.

Negra ingratitud.

Amasar con el llanto.

Un *débil* propósito.

Una mirada *severa*.

Un *rayo* de esperanza.

Un corazón *tierno*.

Un corazón de *piedra*,

Una brisa *cariñosa*.

Profunda miseria.

El *fruto* de la experiencia.

Sembrar la discordia.

Lenguaje *claro*.

187• *Anotar en la línea un genitivo que dé al sustantivo una vez sentido recto y otra vez figurado o tropológico.*

Las puertas _____ ; _____ .

Las llaves _____ ; _____ .

Los pastores _____ ; _____ .

Rayos _____ ; _____ .

La voz _____ ; _____ .

El curso _____ ; _____ .

La flor _____ ; _____ .

El alma _____ ; _____ .

La dirección _____ ; _____ .

Los frutos _____ ; _____ .

Manto _____ ; _____

Un mar _____ ; _____ .

La cumbre _____ ; _____ .

El rey _____ ; _____ .

La palma _____ ; _____ .

Las columnas _____ ; _____ .

La fuente _____ ; _____ .

El balcón _____ ; _____ .

Ajedrez

I

En su grave rincón, los jugadores
rigen las lentas piezas. El tablero
los demora hasta el alba en su severo
ámbito en que se odian dos colores.

Adentro irradian mágicos rigores
las formas: torre homérica, ligero
caballo, armada reina, rey postrero,
oblicuo alfil y peones agresores.

Cuando los jugadores se hayan ido,
cuando el tiempo los haya consumido,
ciertamente no habrá cesado el rito.

En el oriente se encendió esta guerra
cuyo anfiteatro es hoy toda la Tierra.
Como no en otro, este juego es infinito.

II

Tenue rey, sesgo alfil, encarnizada
reina, torre directa y peón ladino
sobre lo negro y blanco del camino
buscan y libran su batalla armada.

No saben que la mano señalada
del jugador gobierna su destino,
no saben que un rigor adamantino
sujeta su albedrío y su jornada.

También el jugador es prisionero
(la sentencia es de Omar) de otro tablero
de negras noches y de blancos días.

Dios mueve al jugador, y éste, la pieza,
¿Qué dios detrás de Dios la trama empieza
de polvo y tiempo y sueño y agonías?

JORGE LUIS BORGES. ARGENTINA.

Los Complementos del Verbo

504. Las palabras que pueden desempeñar el oficio de **complementos del verbo** son:

a) Un adjetivo usado como predicado de complemento o como adverbio; por ejemplo: Antonio nació *rico*; Juan venía *impaciente*. Antonio bebe *demasiado*; Juan duerme *poco*; Luis ve *claro*.

b) Un adverbio o modo adverbial; por ejemplo: Estoy *bien*; anoche murió; Luis vive *lejos*; no irás; vamos *a tientas*; llegaré *al amanecer*.

c) Un nombre o pronombre, con preposición o sin ella; por ejemplo; Vengo *de Uruapan*; tengo *libros*; deseaba *pan*; voy *a Hermosillo*; se quejan *de él*; *me* aman; *te* quieren; esto es *para ustedes*.

d) Otro verbo en infinitivo o en gerundio, con preposición o sin ella; por ejemplo: Estudio *para saber*; sales *a pasear*; quiero *trabajar*; estábamos *comiendo*; vino *corriendo*; en empezando *yo*, trabajaban todos.

e) Una oración entera; por ejemplo: Deseo *que vivas tranquilo*; quiero *que estudies la Gramática*; se queja *de que no lo atienden*.

505. Los complementos del verbo pueden ser *directos*, *indirectos* y *circunstanciales*.

Si digo: *Luis* escribió, la expresión no queda completa, ya que puede escribir muchas y diversas cosas. Cuando digo: *Luis escribió una carta*, determino más el concepto expresado; si digo: *Luis escribió una carta a su padre*, todavía lo determino más; y más aún si digo: *Luis escribió una carta a su padre anteayer*. En esta frase se ven los distintos complementos que el verbo puede tener.

506. **Complemento directo** es el vocablo que precisa la significación del verbo transitivo, denotando el objeto (persona, animal o cosa) en que recae la acción expresada por aquél. En el ejemplo anterior es el nombre *carta*.

507. Recibe el nombre de **complemento indirecto** el vocablo que expresa la persona, animal o cosa en quien se cumple la acción del verbo transitivo ejercida ya sobre el acusativo, o a quien se refiere la acción del verbo intransitivo, en el concepto general de daño o provecho. En el ejemplo anterior es el nombre *padre*, y en el *canto agrada a los niños*, lo es el nombre *niños*.

241

508. Complemento circunstancial es el vocablo, modo adverbial o frase que modifica la significación del verbo, denotando una circunstancia de lugar, tiempo, modo, materia, precio, etc., en el consabido ejemplo del número 505 es el adverbio *anteayer.*

509. Únicamente los verbos transitivos o usados como tales pueden llevar los tres complementos; los intransitivos y neutros no pueden tener el directo pero sí el indirecto y el circunstancial.

510. El complemento directo puede ir precedido o no de la preposición *a.* Lleva la preposición *a:*

1o. Con los nombres propios de personas o de animales irracionales; por ejemplo: Convidé *a Lucas;* amo *a Dios;* Don Quijote cabalgaba *a Rocinante.*

2o. Con nombres propios que no sean de personas o animales, si no llevan artículo; por ejemplo: He visto *a Sevilla;* visitamos *a Pablo;* yo no he visto Palenque; atravesamos *el Usumacinta.*

3o. Con nombres comunes de personas que lleven artículo u otro complemento que los determine, pero no, cuando no llevan artículo o sólo se emplean para designar empleos, grados, títulos, dignidades; por ejemplo: Ayer vi *a tu hermano;* servimos *a los amigos;* he visto *al presidente* de la Academia; en la asamblea vimos *ministros, diputados y senadores.*

4o. Con los pronombres *alguien, nadie, quien,* y con *uno, otro, todo, ninguno* y *cualquiera,* cuando se refieren a personas; por ejemplo: No conocemos *a nadie;* no descubría *a ninguno;* esta voz sobresaltó *a todos;* aquél *a quien* llamaban Pedro.

511. No se emplea la preposición *a* con el complemento directo:

1o. Cuando éste es nombre común de animal o cosa; por ejemplo: Busco *el perro;* tengo *dinero,* he roto *un plato.* Sin embargo, aún en este caso, la lleva cuando, de no llevarla, podría resultar confusión entre el sujeto y el complemento; por ejemplo: El perro muerde *al gato; al lobo* persigue el guardia.

2o. Cuando haya que distinguir el complemento directo de otro que no lo sea y deba llevar la preposición *a;* por ejemplo: Recomiendo *mi hijo* al profesor; en los circos de Roma arrojaban *los cristianos* a las fieras.

512. El procedimiento más sencillo y práctico para distinguir en castellano si una palabra es complemento directo o indirecto, consiste en invertir la construcción de la oración, poniendo el verbo en pasivo, y como sujeto la palabra que dudamos si es o no complemento directo; por ejemplo: En *Luis dio una peseta a su hermano,* podemos decir: *una moneda* fue dada por Luis a su hermano; pero no *su hermano* fue dado una moneda por Luis.

513. El complemento indirecto puede ir con los verbos transitivos, intransitivos y neutros, y lleva siempre la preposición *a* o *para,* excepto cuando sea un pronombre átono; por ejemplo: Doy pan *a los pobres;* no quiero abrir *al juez;* gusta *a todos;* te venía como anillo *al dedo.*

La preposición *para,* cuando indica el complemento indirecto, lo hace bajo la relación de fin, o sea el destino que se da a una cosa o el fin que nos proponemos en una acción; por ejemplo: Esta mesa es *para mi padre;* estudio *para saber;* trabajo *para ti.*

514. En las formas átonas de los pronombres personales hay que distinguir dos dativos: el ordinario o de *posesión*, que indica la persona o cosa en quien termina la significación de la frase formada por el verbo y el complemento directo, cuando lo hay, pero sin que ella tome parte en la acción, por ejemplo: ayer *me* dieron una mala noticia; y el que pudiéramos llamar de *interés*, característico del español. Por ejemplo: *Cuída**me**lo, Virgencita; Consérva**me** a mi madre muchos años.*

515. En español usamos este dativo en vez del pronombre posesivo, a diferencia del francés; por ejemplo: se *me* han caído los dientes, y no mis dientes se han caído.

Ejercicios de Aplicación

188• *Asignar tres verbos a los nombres siguientes, considerados como sujetos:*

El niño	El cazador	El labrador	La fortuna
El hombre	El agua	El fuego	El alma
El huracán	El perro	La luz	El cordero
El río	El soldado	El vino	La violeta
El estudiante	El maestro	La virtud	El padre

189• *Indicar el verbo opuesto a los siguientes:*

Hablar	Obedecer	Avanzar	Empezar
Reír	Amar	Sumar	Mostrarse
Comer	Subir	Afear	Acelerar
Alegrarse	Comprar	Alejarse	Blanquear
Afirmar	Recompensar	Crear	Despreciar
Ofender	Crecer	Rehusar	Complicar
Ceder	Aumentar	Enriquecerse	Multiplicar

190• *Asignar tres complementos directos a cada uno de los verbos siguientes:*

Amar	Adquirir	Regalar	Socorrer
Vencer	Cantar	Sufrir	Implorar
Vender	Fundir	Echar	Admirar
Cultivar	Romper	Firmar	Vengar
Escribir	Matar	Maldecir	Celebrar
Libertar	Proteger	Derramar	Franquear

191• *Hacer preceder tres verbos a cada uno de los nombres siguientes, tomados como complementos directos:*

Un pájaro	La muerte	La calle	Al prójimo
Al enemigo	Un cuadro	La voz	Una planta
Al maestro	Un edificio	El fuego	El talento

Una injuria	La palabra	El ganado	Una pasión
Una navaja	El diamante	Un billete	Una historia
A un amigo	El hierro	Una flor	La plaza

192• *Asignar dos complementos indirectos a cada uno de los verbos siguientes:*

Escribir	Vivir	Afear	Comprar
Estudiar	Dar	Ceder	Calentar
Traer	Trabajar	Hablar	Crear
Cultivar	Romper	Repartir	Ofrecer
Sumar	Derramar	Decir	Complacer

193• *Distinguir los complementos directos e indirectos en las oraciones siguientes:*

Da limosna a los pobres. • Estudia por tu bien futuro. • Los granaderos son una fuerza de contención. • A caballo regalado no se le ve el colmillo. • A quien Dios se lo dio, san Pedro se lo bendiga.

El Vértigo *(fragmento)*

Una noche; una de aquellas
noches que alegran la vida;
en que el corazón olvida
sus dudas y sus querellas,
en que lucen las estrellas
cual lámparas de un altar
y en que, convidando a orar
lentamente se levanta
la luna, como hostia santa
sobre las olas del mar,

Don Juan, dócil al consejo
que el mal le precipiota
como un hombre que medita
bajo el ceñudo entresejo
rayos sus miradas
y con sorda agitación
a largos pasos recorre
de la maldecida torre
el imponente salón.

GASPAR NÚÑEZ DE ARCE. ESPAÑA.

Los Complementos del Verbo
(Continuación)

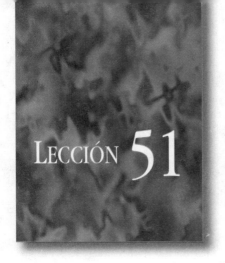

516. Las formas **me, te, se, le, la, lo, les, los** y **las** de los pronombres personales y la forma **se** del reflexivo no admiten preposición y son átonas.

Cuando van delante del verbo se pronuncian como formando con él una sola palabra prosódica; *te quiere* se pronuncia como si se escribiera *tequiere*; y cuando van detrás se adhieren a él en la escritura lo mismo que en la pronunciación: *escríbeme*.

Las formas del plural **nos,** y **os** por **vos,** son también átonas cuando se usan como complemento del verbo y sin preposición; por ejemplo: *nos vamos, vámonos; os amáis, amaos*.

517. Las formas de singular **me** y **te** y las del plural **nos** y **os** sirven para ambos géneros y pueden ser complemento directo e indirecto, debiendo atender al sentido para distinguir cuándo sean uno y cuándo otro; por ejemplo: En: *nos entregaron el libro,* el *nos* es dativo y *el libro* acusativo; pero si digo: *se lo dijimos claramente,* el *lo* es acusativo.

518. **Le** debiera representar siempre el complemento indirecto o dativo en singular, como **les** representa el plural y sin distinción de género; pero la Academia Española tolera se use para el complemento directo o acusativo, con igual valor que **lo.**

Véase además lo que se dijo en la página 59.

Así, pues, las formas del pronombre personal de tercera persona son las siguientes:

Dativo singular	= **le**	para ambos géneros
Dativo plural	= **les**	
Acusativo singular masculino	= **lo** o **le**	
Acusativo singular femenino	= **la**	
Acusativo plural masculino	= **los**	
Acusativo plural femenino	= **las**	

Ejemplos:

Le vendí la casa que habita. *(Dat.)*

Les deseo buena suerte. *(Dat.)*

Vi a tu madre y *le* pedí un favor. *(Dat.)*

Lo o *le* aprecio por su buen carácter. *(Acus.)*

Críalos y te sacarán los ojos. *(Acus.)*

Llorando la niña *la* llevaron a la escuela. *(Acus.)*

No *las* insultes, compadécelas. *(Acus.)*

Te dije que no era cierto y te *lo* repito. *(Acus.)*

519. El pronombre **le,** como dativo, al juntarse con las formas de acusativo, *lo, la, los, las*, se ha convertido en **se;** así, en vez de dá*le*lo, *le* las darás, decimos dá*se*lo, *se* las darás.

Para evitar la ambigüedad que ofrece en su construcción esta forma del pronombre personal, se suelen emplear las formas tónicas del mismo con preposición, diciendo: *Se* lo dije *a él* o *a ella, a ellos, a ellas*, según se trate de un masculino o femenino en singular o plural.

520. No debe confundirse la forma **se** del pronombre personal sustituyendo a **le,** con el **se** reflexivo: aquél representa siempre un dativo sin distinción de género ni de número; éste, con la misma indeterminación en cuanto al género y número, puede ser dativo o acusativo según el verbo que se construya y se refiere siempre al sujeto de la oración. En: Luis *se* lava; Antonia *se* lava; ellos *se* lavan, ellas *se* lavan, el reflexivo *se* es acusativo; pero si digo Luis *se* lava las manos, el *se* es dativo y *manos* acusativo.

521. En la construcción de los pronombres átonos han de observarse las reglas siguientes:

1a. Con los tiempos simples del indicativo y potencial pueden ir siempre delante del verbo; por ejemplo: El *te* quiere *(te* quería, *te* quiso, *te* querrá, *te* querría) mucho; no *me* vendría mal; ¿no *te* dieron la carta?; ¿dónde *la* tenías?; si *las* esperas te acompañarán.

2a. Con el imperativo, con el subjuntivo presente usado como imperativo, y con el pretérito de subjuntivo 1a. y 2a. fa., cuando con él expresamos un deseo, se pospone el pronombre al verbo si éste empieza la oración; por ejemplo: Da*te* prisa, haz*me* este favor, vénga*se* con nosotros; den*le* pan, quéden*se* aquí; acordára*se* él... y trajéra*me* lo que le pedí. Pero se antepone el pronombre al verbo si éste lleva delante otra palabra cualquiera; por ejemplo: Ojalá *les* concedan lo que pidieron; no *le* molestes; Dios *te* bendiga.

3a. Con los tiempos simples del subjuntivo no usado con valor de imperativo, también se antepone el pronombre al verbo; por ejemplo: Quiero que *me* acompañes; deseo que *te* quedes; nunca creí que *te* dieran tan poquito.

4a. Con las formas simples del infinitivo y gerundio se posponen los pronombres al verbo; por ejemplo: No quiero leer*lo*, tomándo*le*, creciéndo*le*.

5a. En las formas verbales compuestas, los pronombres se anteponen al auxiliar en los modos personales y se posponen al infinitivo; por ejemplo: *Me* han pagado, y habiéndo*me* pagado; *te* habíamos escrito, y habiéndo*te* escrito; *se lo* he notificado, y habiéndo*selo* notificado.

522. Los pronombres **nos** y **os** pospuestos al imperativo, le hacen perder la última letra; por ejemplo: amémo*nos*, respetao*s*, y no amémos*nos*, respetado*s*. Sólo en el verbo *ir* conservamos la *d* y decimos *idos*.

Delante de **os** se pierde también la *s* de la primera persona de plural, y decimos: prometémoos; por prometémosos, aunque en este caso es preferible decir os prometemos. Asimismo, delante de **se** debe suprimirse la *s* final de la primera y segunda personas de plural, y por eso decimos: dé-moselo, ¿dijísteiselo?, y no démosselo, ¿dijísteisselo?

523. Se evitará de colocar el pronombre pospuesto al verbo cuando, al juntarse con él, origine caco-fonías o combinaciones de sílabas desagradables al oído; por ejemplo: encaramé*me*, acaté*te*, duéle*le*, respéte*te*, cantáse*se*.

524. Cuando un verbo tiene dos pronombres átonos por complementos, pueden ambos anteponerse o posponerse al verbo según las reglas dadas anteriormente; pero nunca debe anteponerse el uno y posponerse el otro. Así, podemos decir, por ejemplo, búsca*melo* o *me lo* buscas, pero no *me* búsca*lo*.

El orden de colocación de estos pronombres, cuando concurren varios, es el siguiente: el de segun-da persona precede siempre al de primera, y cualquiera de estos dos, al de tercera; pero la forma **se** (lo mismo si es personal que reflexiva) precede a todos; por ejemplo: *Te me quieren llevar* o *quie-ren llevárteme, díceselo* o *se lo dices, tráiganmelo* o *me lo traigan, córtatelo* o *te lo cortas, se te es-capó, se les escapó, castíguesemele* o *se me le castigue.*

525. El complemento circunstancial puede denotar circunstancias muy variadas y venir indicado por un adverbio o locución adverbial, por el ablativo con cualquier preposición o sin ninguna, y por una oración entera.

Ejemplos:

1o. Luis llegó *ayer*. Pedro hablaba *a tontas y a locas*.

2o. Vengo *de Cuba*. Salgo *para Colombia*. Se vende *a peso* el metro. Hablo *con mi amigo*. Estoy enfermo *desde el lunes*. Esto cuesta *cien pesos*. Estaré *cuatro días*.

3o. Ésta es la casa *donde nací*. Volveré *cuando termine mis asuntos*.

526. En sintaxis regular los complementos verbales deben colocarse detrás del verbo, y en este orden: primero el complemento directo, luego el indirecto, y, por fin, el circunstancial; por ejemplo: *Luis escribió una carta a su padre anteayer.*

Pero en español no se sigue rigurosamente este orden: los complementos pueden preceder al ver-bo si no sufre menoscabo la claridad de la expresión. Así, puede decirse: *Colón descubrió la América en 1492; la América descubrió Colón en 1492;* y también, *en 1492 descubrió Colón la América.*

527. Observaciones.

1o. Cuando son muchos los complementos, se acostumbra anteponer unos y posponer otros al verbo.

2o. El adverbio puede preceder o seguir al verbo; por ejemplo: *Ayer te vi* o *te vi ayer*. Adviértase la diferencia entre *prometió ayer* (o *ayer prometió*) *visitarme*, y *prometió visitarme ayer*.

Ejercicios de Aplicación

194• *Dése a cada uno de los siguientes verbos el conveniente complemento directo.*

Aceptar	Edificar	Enhebrar	Presidir
Encender	Vadear	Ocultar	Prodigar
Amputar	Blanquear	Entonar	Pintar
Domesticar	Cavar	Apuntalar	Pagar
Izar	Otorgar	Doblar	Propagar
Felicitar	Desafiar	Amasar	Abastecer
Nivelar	Disolver	Subir	Asolar
Vendar	Espumar	Colar	Redactar
Bloquear	Desenvainar	Segar	Reiterar
Condenar	Infringir	Tomar	Ordeñar

195• *Anotar en la línea un complemento circunstancial de lugar.*

Los cruzados trajeron _____ el gusto al lujo y al bienestar material. El tabaco es originario_____. • El oso blanco vive _____. Los mejores mármoles vienen_____. • Se encuentra la esponja _____. • El viajero vuelve siempre gustoso_____. • El Amazonas nace_____. • Se despierta la abeja _____, vuela _____, pasa _____, hunde su aguijón _____, y vuelve presurosa a depositar su botín _____. • Los hijos de Jacob fueron _____ para comprar trigo. • Innumerables astros gravitan _____. • Los animales se encuentran, sobre todo _____. • Las abejas fabrican la miel _____. • La libertad verdadera no vino _____ sino con el Salvador del mundo. • Las ciudades de Tampico y Monterrey están en _____; Cienfuegos y Caibarién, en _____; Cali y Pasto, en _____; Cuzco y Arequipa, en _____; Iquique y Antofagasta, en _____; La Plata y Tucumán, en _____

196• *Anotar, después de la preposición* **de**, *un complemento que complete el significado del verbo.*

Proveído de_____. • Se aprovecharon de _____. • No pudo moverse de _____. • Mi hermano guarneció el jardín de _____. • El niño se manchó la mano de _____. • En la primavera se visten las praderas de _____. • Sentémonos bajo esta encina y gozaremos de _____. • Las flores están engalanadas de _____. • Dos arroyuelos brotan de _____. • Deseo que el cielo le colme a usted de _____. • Mi hermano está poseído de _____. • El pecador se priva a sí propio de _____. • y de _____. • En otoño se llenan los árboles de _____. • Todos los dones vienen del _____. • El mejor mármol viene de _____. • La fe y la razón deben servirnos de _____. • Desde mi casa se goza de _____. • Llenos de _____. • Gritaban todos: ¡Hosanna al hijo de _____.! ¡Bendito el que viene en nombre del _____. • Extenuados de _____ y de_____ llegamos a casa con más ganas de _____ que de _____. • El niño que quiere ser bueno debe alejarse de _____. • Nadie haga alarde de _____. • y de _____.

197 • *Distinguir los complementos directos, indirectos y circunstanciales en las oraciones siguientes:*

A Lépido cupo la Galia Narbonense, con toda España; a Antonio, lo demás de Galia.

MARIANA.

Hemos de matar en los gigantes a la soberbia; a la envidia, en la generosidad y buen pecho; a la ira, en el reposado continente y quietud del ánimo; a la gula y al sueño, en el poco comer que comemos y en el mucho velar que velamos.

CERVANTES.

Los edificios tienen su fundamento en las primeras piedras; el de la fama en las postrimerías; si éstas no son gloriosas, cae luego y lo cubre el olvido.

QUEVEDO.

Creemos que la Providencia nos humilla y apelamos a la casualidad, que nos insulta; es decir, que por no inclinar la cabeza ante Dios, doblamos la rodilla ante nuestra ignorancia.

JOSÉ SELGAS.

Si al fin, dirá, la albarda y el cencerro
Ha de imponer al débil al potente;
Si le han de dar al cabo pan de perro,
Más vale pelear como valiente.

BRETÓN DE LOS HERREROS.

198 • *Restablecer la construcción directa.*

Que perecemos, ¡Dios mío! Sálvanos.

Ayer me se presentó un mozo pedía que servir de criado en mi casa; para me librar de sus in oportunidades contestéle que lo necesitaba no.

Penetraba del sol la luz diáfana por rendijas las puertas de la vieja.

Se admiran de que ileso salido haya.

Voy a por el correo esta comunicación enviar.

De la salud son la templanza y la sobriedad los guardianes.

Ven te repito, Pedro, conmigo.

Al apuntar el alba, cantan las aves, el campo se alegra y movimiento cobra el ambiente.

199• *Ordenar las palabras siguientes de modo que cada grupo forme oración completa.*

Casa - por - unos - la - barrer - por - otros -

REFRÁN.

Verdad - la - humildad - la - es.

SANTA TERESA.

El - caridad - la - convierten - deber - y - oro - la - escoria - vil - más - en.

GRANADA.

El - debe - espuela - honor - para - ser - virtud - la - no - para - estribo - vicio - y - el.

CERVANTES.

Aborrecidos - ser - que - es envidiados - mejor.

SAAVEDRA FAJARDO.

El - brillante - más - nombre - que - oscura - virtud - tiene - la - enemigos.

LAFUENTE.

Sin - una - niños - me - casa - flores - un - sin - tiesto - parece.

SELGAS.

Los Gatos Escrupulosos *(fragmento)*

Alas once y más aún de la mañana
la cocinera de tía Juana
con pretexto de hablar con la vecina
se sale, cierra y deja en la cocina
a Micifuz y a Zapirón, hambrientos.
Al punto y sin andar con cumplimientos
se aprestan a probar de los cocidos gatos enhambrecidos.

¡Fu! dijo Apirón: ¡Maldita olla,
cómo abrasa! Veamos esa polla
que está en el asador lejos del fuego
ya también escaldado, desde luego
se acerca Zapirón y en un instante
muestra cada trinchante
que en el "arte cisoria", sin gran pena,
pudiera dar lecciones a villena.

SAMANIEGO.

La Concordancia

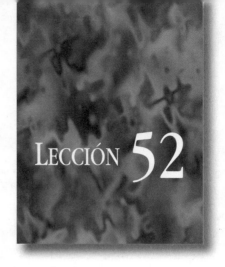

528. Llámase **concordancia** la conformidad de accidentes gramaticales comunes en las partes variables.

529. En la oración simple se distinguen dos clases de concordancias: la del *adjetivo* con el *nombre,* y la del *verbo* con su *sujeto.*

530. El **adjetivo** concierta con el nombre en *género* y *número;* por ejemplo: Niño *bueno;* la mujer es *compasiva;* los hombres son *mortales.*

531. El **artículo** y el **participio** conciertan con el sustantivo, como el adjetivo, en *número* y *terminación genérica;* por ejemplo: *Las* reglas *citadas, los* cantos *aprendidos.*

532. Los **pronombres demostrativos** han de usarse en forma conveniente al género y número del sustantivo que sustituyen; por ejemplo: El coro se componía de hombres y mujeres; *éstas* vestidas de blanco y *aquéllos* de negro.

533. Los **adjetivos** y **pronombres posesivos** ofrecen la particularidad de concertar, no con el nombre del poseedor, sino con el de la persona o cosa poseída; por ejemplo: Has visto a *tus* hermanos; no he visto a *los míos.*

Los posesivos de tercera persona pueden ofrecer alguna ambigüedad en su uso, la cual se evita construyéndolos de modo que sólo puedan referirse a un determinado nombre. Si digo, por ejemplo: *Luis fue en* **su** *coche a la quinta de Antonio,* no hay duda de que le coche es de Luis, pero diciendo *Luis fue a la quinta de Antonio en* **su** *coche,* podrá dudar el que lo oiga si el coche pertenece a Luis o a Antonio.

534. Los **adjetivos sustantivados** se usan en la terminación neutra, y exigen, así como los adverbios y locuciones empleadas sustantivamente, el artículo o pronombre demostrativo también en terminación neutra; por ejemplo: *lo* bueno, *lo* verdarero, *lo* mío, *lo* nuestro; *esto, eso, aquello* es justo; *lo* cerca, *lo* lejos; nadie les aventaja en *lo* valientes y sufridos.

535. El **verbo** concierta con el sujeto en *número* y *persona;* por ejemplo: yo *como,* tú *hablas,* Eloy *estudia,* aquél se *pasea.*

Sin embargo, el verbo *ser,* cuando es copulativo concierta a veces, no con el sujeto, sino con el predicado nominal; por ejemplo: la demás chusma del bergantín *son* moros y turcos.

536. **Nos,** tratándose de personas constituidas en dignidad, se refiere a un solo individuo, pero exige el verbo en plural; por ejemplo: *Nos,* Obispo de Barcelona, *ordenamos…*

Vos, en el mismo caso, exige también el verbo en plural, y además el adjetivo en singular y concertado con el género de la persona a quien se aplica; por ejemplo: *Vos,* don Pedro, *sois instruido; Vos* doña Ana *sois virtuosa.*

Lo propio sucede con **usted;** pero, según que hablemos con un hombre o mujer, diremos: *usted es generoso; usted es caritativa.* **Usted,** pronombre personal de 2a. persona, exige el verbo en 3a. persona, porque es como si dijésemos *vuestra merced.* Y también con los títulos *señoría, excelencia, majestad, beatitud,* etc., cuando se refieren a la persona; por ejemplo: Su Majestad Católica estaba *enfermo;* Vuestra Alteza es *respetado* de todos.

537. Si el sujeto es un **colectivo** y está en singular, el verbo se ha de poner en el mismo número; por ejemplo: La gente *huyó;* el ejército *peleó* con denuedo.

Pero si se trata de un **colectivo** de personas o cosas *indeterminadas,* como *número, multitud, infinidad, gente, pueblo, vulgo,* etc., y va seguido de un nombre en plural en genitivo, el verbo puede ponerse en singular o plural y hasta suele preferirse en plural; por ejemplo: la infinidad de pesos que allí sin provecho se *gastaba* o se *gastaban; pereció* o *perecieron* una buena cantidad de cabras; una multitud de pájaros *voló* o *volaron.*

Ejercicios de Aplicación

200• *Anotar en la línea el artículo que convenga y dése a los adjetivos la terminación que les corresponda para concordar con el sustantivo que acompañen.*

Bien notas, escudero fi____ y le _____ , _____ tinieblas de est____ noche, su extrañ____ silencio, _____ sord____ y confus____ estruendo de est____ árboles, _____ temero____ ruido de aque____ agua en cuy____ busca venimos, que parece que se despeña y derrumba desde _____ alt____ montes de _____ luna.

CERVANTES.

Por tod____ partes descuajad____ _____ bosques, ahuyenta____ _____ fieras, sec____ _____ lagos, acanala____ _____ ríos, refrena____ _____ mares, cultiva____ tod____ _____ superficie de tierra y llen____ de alquerías y aldeas, y de bel____ y magnifi____ poblaciones; se ofrecen en admira____ espectáculo _____ monumentos de _____ industria human____ y _____ esfuerzos del interés com____ para proteger y facilitar _____ interés individ____

JOVELLANOS.

Elévase fantásti____ y disfor____

Aque____ mole enor____

Que muestra de _____ siglos _____ estragos:

Crece en ____ hendiduras de _____ piedra

_____ trepado____ hiedra,

Y _____ pie del muro ____ triste jaramago.

Sólo _____ bullicio____ golondrinas

Turban de aque____ ruinas

_____ paz solem____ con sesga____ vuelo,

Y algu____ alondra al ascender inquie _____ ,

Símbolo _____ poeta,

Que cuando canta se remonta _____ cielo.

NÚÑEZ DE ARCE.

200bis *Establecer la concordancia de los verbos con sus respectivos sujetos.*

Yo *escribir.* Tú *tener* demasiado. Ellos se *divertir.* A perro flaco todo *ser* pulgas. Nos, Obispo de Barcelona, *ordenar...* Vos, don Miguel *ser* prudente. Usted no me lo *poder* negar. V.M. no *conocer* al pueblo. El vulgo *decir* las cosas a su manera. El ejército *pelear* valerosamente. Ayer *llover* granizos como nueces. La mayoría de los niños *pensar* poco en su porvenir. Se *quemar* más de la mitad de las tiendas.

El primer paso de la ignorancia *ser* presumir *saber,* y muchos *saber* si no *pensar* que *saber.*

GRACIÁN.

La virtud *ser* un gran libro donde *nutrirse* talentos como el de Santa Teresa, y de donde *brotar* poemas como la *Imitación de Cristo.*

SEVERO CATALINA.

¿Quieres dicha verdadera?
Amar a Dios, *tener* fe y *esperar.*

JOSÉ ROSAS MORENO.

La Oración Simple Según la Índole del Verbo

538. La oración es **simple** cuando consta de un solo sujeto y un solo predicado; por ejemplo: *Luis* estudia; y **compuesta** cuando consta de más de un sujeto o más de un predicado; por ejemplo: *Luis* y *Antonio* estudian; el muchacho *ríe* y *canta*.

539. Las oraciones simples, atendiendo a la índole del verbo que las forme, se dividen en *oraciones de verbo copulativo, transitivas, intransitivas, pasivas, neutras, reflexivas, recíprocas, impersonales y unipersonales.*

540. **Oraciones de verbo copulativo** son las que constan de sujeto (primer nominativo), verbo copulativo concertado con él, y predicado nominal (segundo nominativo) en concordancia con el sujeto; por ejemplo: *Dios es bueno; la modestia es sencilla; la antigua Grecia fue origen de todas las ciencias.*

Cuando el verbo *ser* va sin el predicado nominal, origina *oraciones de verbo neutro,* por significar entonces *estar* o *existir;* por ejemplo: Dios *es;* Troya *fue.*

541. **Oraciones transitivas**, llamadas también **primeras de activa**, son las formadas por verbos transitivos, cuando la acción de éstos recae sobre un objeto distinto del sujeto; por ejemplo: *El niño estudia sus lecciones.*

542. Los elementos esenciales de estas oraciones son: el *sujeto agente,* que en el ejemplo anterior es el sustantivo *niño;* el *verbo,* que ha de ser transitivo o usado como tal y concertado con el sujeto, como *estudia,* y el *objeto directo* (complemento directo o acusativo), que recibe la acción del verbo, y que en este ejemplo es *lecciones.*

Tanto el sujeto como el complemento directo puede tener otros complementos que los modifiquen, determinándolos o especificándolos más, pero sin que influyan para nada en la naturaleza de la oración; por ejemplo: *El niño de nuestro vecino, aplicado y diligente, estudia con ardor sus diarias lecciones.*

543. El complemento directo no siempre es un sustantivo; puede serlo también un infinitivo o una oración entera; por ejemplo: Luis desea *estudiar.* Yo quiero *que tú seas hombre de provecho.* Pero éstas son oraciones compuestas.

Ya hemos vistos *(núm. 297)* que las oraciones transitivas pueden convertirse en primeras de pasiva.

544. Algunos verbos considerados como intransitivos en su acepción propia, pasan a ser transitivos cuando se les da un complemento sobre el que recae su significación; por ejemplo: El general respiraba *venganza;* bailaron una *polca;* vivir la *vida* de los justos.

545. **Oraciones intransitivas** son aquellas cuyo verbo, en forma activa, carece de complemento directo; por ejemplo: *Yo vivo en el campo.*

546. Sus elementos esenciales son: el *sujeto* y el *predicado verbal,* éste puede ser un verbo transitivo usado como intransitivo, o un verbo intransitivo. La diferencia entre estas dos clases de intransitivas es que las primeras admiten el giro pasivo y se convierten en impersonales, y las segundas no.

    Ejemplos: a) Intransitivas de verbos transitivos, llamados también segundas de activa: Luis *escribe;* Antonio *lee;* así *mata* la alegría súbita como el dolor grande.

    b) Intransitivas de verbos propiamente tales: Luis *duerme;* Antonio *pasea;* el enfermo *respira* fatigosamente.

547. **Oraciones de pasiva** son las formadas por un verbo en la voz pasiva; pueden ser primeras o segundas, según que se indique o no el agente de la acción expresada por el verbo.

548. Las **primeras de pasiva** tienen como elementos esenciales: *sujeto paciente* en nominativo, *verbo en voz pasiva* concertado con él, y *ablativo agente,* que siempre es un nombre con las preposiciones *por* o *de;* por ejemplo: La nave fue acometida *por* los piratas. Los malvados son aborrecidos *de* Dios.

    Si el verbo se halla en tercera persona y el sujeto es nombre de cosa, se expresa también la voz pasiva con el pronombre **se** y la forma activa del verbo. Así, la oración: *la felicidad es deseada de todos,* es equivalente a esta otra: *la felicidad se desea por todos.*

    También estas oraciones pueden, a su vez, convertirse en transitivas o primeras de activa. *(Véase el núm. 298).*

549. Las **segundas de pasiva** sólo constan de *sujeto paciente* y *verbo,* careciendo de ablativo agente; el verbo puede estar en forma pasiva, o en la activa con el pronombre **se**, si el sujeto es de tercera persona; por ejemplo: La muralla *fue destruida.* La paz *ha sido deseada;* oraciones que equivalen a éstas: *Se destruyó* la muralla. La paz *se ha deseado.*

    Tú *eres estimado,* segunda de pasiva, se convierte en la impersonal Te estiman, o Se te estima.

550. **Oraciones de verbo neutro** son las que están formadas por un verbo de esta clase; constan de *sujeto* que no es agente ni paciente, y de *verbo;* por ejemplo: *Mi hermano está en Madrid. El cadáver yacía en medio de la plaza. El balcón da a la calle.*

551. **Oraciones de verbo reflexivo** son las formadas por un verbo de esta clase; por ejemplo: *Yo me peino. Tú te lavas. Él se alaba. Luis se queja. Pedro se marcha. Yo me quedo.*

Las oraciones en que los pronombres átonos pasan a ser dativos o complementos indirectos por tener el verbo un acusativo de cosa, reciben el nombre de **reflexivas indirectas**; por ejemplo: Tú te lavas *las manos.* Luis *se da* buena vida. Julio *se ha roto* una pierna. Yo me *tengo* toda la culpa.

552. Oraciones de verbo recíproco son las formadas por un verbo de esta clase; por ejemplo:

Luis y Juan *se cartean.* Tú y yo *nos tuteamos.*

Por tener las oraciones recíprocas la misma estructura que las reflexivas, hay casos en que no es posible diferenciarlas, sin añadir otros vocablos que determinen su significación. Si decimos, por ejemplo, Luis y Juan se alaban, la significación puede ser reflexiva o recíproca. Si decimos Luis y Juan *se alaban* a sí mismos, la oración es reflexiva; pero si decimos Luis y Juan *se alaban mutuamente* o *recíprocamente,* o *entre sí,* o *uno a otro,* la oración es recíproca.

553. Oraciones impersonales son las formadas por los verbos usados en construcción impersonal o por los unipersonales impropios. *(Véase el núm. 230).*

Pueden ser transitivas e intransitivas.

Impersonales transitivas. Estas oraciones equivalen a una pasiva con el pronombre *se;* por ejemplo: *Anuncian* la caída del gobierno, equivale a *se anuncia* la caída del gobierno, porque el complemento directo *la caída,* del verbo *anuncian,* pasa a ser sujeto paciente del verbo *se anuncia.* Tanto en la construcción activa como en la pasiva queda siempre indeterminado el *agente* de la acción del verbo.

Mas al convertir en segunda de pasiva la impersonal transitiva hay que distinguir dos casos según qué complemento directo de ésta exija o no la preposición *a.* Si no la exige, expresamos la pasiva con el pronombre **se** y la forma activa del verbo, como en el ejemplo anterior. El verbo en este caso ha de concertar con su sujeto, por lo que debe decirse: *Se alquilan aposentos,* y no *se alquila aposentos.*

Si el complemento directo de la impersonal transitiva exige la preposición *a,* no podemos expresar la pasiva con el pronombre *se,* sino *necesariamente* con el verbo *ser* y el participio: *Azotaron* a los delincuentes y *Se azotó* a los delincuentes, son impersonales transitivas, cuyo complemento directo, *los delincuentes,* pasa a ser sujeto paciente al decir *Fueron azotados* los delincuentes.

Impersonales intransitivas. Se reducen también a segundas de pasiva, pero de sujeto tácito; por ejemplo: Aquí *cantan,* equivale a Aquí *se canta.* En la construcción activa se calla el complemento directo (canción), y en pasiva el sujeto (canción), por estar comprendido en ambos casos en la significación del verbo.

554. Oraciones unipersonales son aquellas cuyo predicado es un verbo unipersonal propio; por ejemplo: *Llueve; granizó ayer; nieva en la sierra; esta noche hace frío.*

Ejercicios de Aplicación

201 • *Reconocer si las siguientes oraciones son de verbo copulativo o neutras, y analizar sus elementos.*

El buen soldado es leal. • David fue rey. • Habrá una hermosa función. • Está aquí de paso. • La calumnia es un crimen odioso. • Allí fue Troya. • Adán era feliz antes de cometer el pecado. • Pablo está en Cádiz. • No seas así. • El radio es la mitad del diámetro. • Mariano está enfermo de calenturas. • Las fiestas serán en enero. • La verdad es de todos los tiempos y lugares. • El niño perezoso será desdichado toda su vida. • No seas ingrato. • El pan nos es indispensable. • Mi hermano está en París. • Jesucristo es el Redentor del mundo.

202 • *Escribir cinco oraciones de verbo copulativo.*

203 • *Escribir cinco oraciones neutras con el verbo ser.*

204 • *Hágase entrar cada una de las palabras siguientes en una frase, desempeñando el oficio indicado entre paréntesis.*

Luna *(suj.)*	Hombre *(compl. dir.)*	Oración *(compl. circ.)*
Falta *(compl. dir.)*	Envidioso *(suj.)*	Placer *(compl. det.)*
Perezoso *(compl. dir.)*	Llanura *(compl. circ.)*	Cielos *(suj.)*
Pan *(compl. circ.)*	Humo *(compl. det.)*	Ociosidad *(suj.)*
Comarca *(atributo)*	Estrellas *(suj.)*	Alumno *(compl. ind.)*
Patria *(compl. ind.)*	Conejo *(compl. dir.)*	Noche *(compl. circ.)*
Azúcar *(suj.)*	Virtud *(atributo)*	Fortuna *(compl. dir.)*

205 • *Escribir cinco oraciones impersonales y cinco unipersonales.*

206 • *Decir qué clase de oraciones son las siguientes, y analizar los elementos de las cinco primeras.*

Pedro se lava todos los días. • Pocos se conforman con su suerte. • El derribar el muro de Berlín fue el principio de la reunificación alemana. • Este año llueve mucho. • La inflación afecta la canasta básica. • Este joven no conoce la oración. • Miguel y Diana se cartean seguido. • Le felicidad se desea por todos. • No tardaremos en vernos. • No debemos avergonzarnos de obrar bien. • No me enredo con esos asuntos. • Te ocupas en muchas cosas. • Los amigos son para toda la vida. • Se aman envidiablemente. • No nos entenderemos jamás. • La informática avanza rápidamente.

207 • *Escribir cinco oraciones reflexivas y cinco recíprocas.*

208 • *Enunciar la naturaleza de las oraciones siguientes:*

Llueve a mares. • Corren rumores de guerra. • Mañana amanece en Tijuana. • Ya vendrán mejores tiempos. • Se practicaron las diligencias. • Está lloviendo. • Se permite a todos la salida. • Le darán los viáticos antes de irse. • No trataron ningún negocio. • Esto corre por nuestra cuenta. • México fue conquistado por Hernán Cortés. • Alejandro Magno fue hijo de Filipo de Macedonia.

209 • *Reescribir el siguiente fragmento por medio de oraciones transitivas.*

La Borra de Café *(fragmento)*

Lo que me temía: el viejo empezó a hablar de una nueva mudanza. Es cierto que la casa de Capurro, sin mamá, no era la misma. Pero, así y todo, era mi casa ¿Dónde encontrar otra habitación con una higuera que llegara a mi ventana? Capurro era mi barrio. Allí sólo Juliska me apoyaba:

257

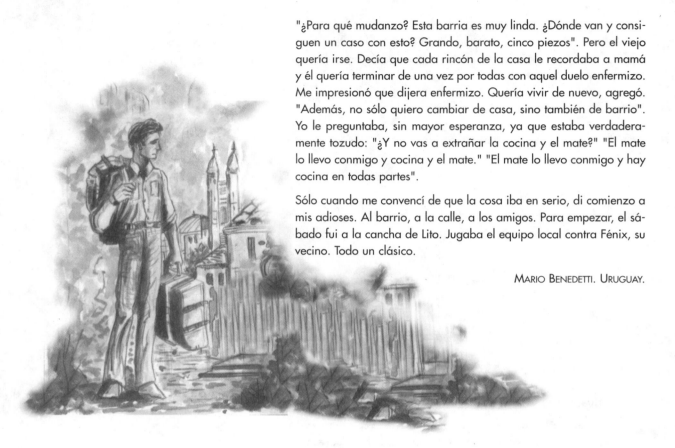

"¿Para qué mudanzo? Esta barria es muy linda. ¿Dónde van y consiguen un caso con esto? Grando, barato, cinco piezos". Pero el viejo quería irse. Decía que cada rincón de la casa le recordaba a mamá y él quería terminar de una vez por todas con aquel duelo enfermizo. Me impresionó que dijera enfermizo. Quería vivir de nuevo, agregó. "Además, no sólo quiero cambiar de casa, sino también de barrio". Yo le preguntaba, sin mayor esperanza, ya que estaba verdaderamente tozudo: "¿Y no vas a extrañar la cocina y el mate?" "El mate lo llevo conmigo y cocina y el mate." "El mate lo llevo conmigo y hay cocina en todas partes".

Sólo cuando me convencí de que la cosa iba en serio, di comienzo a mis adioses. Al barrio, a la calle, a los amigos. Para empezar, el sábado fui a la cancha de Lito. Jugaba el equipo local contra Fénix, su vecino. Todo un clásico.

MARIO BENEDETTI. URUGUAY.

Prodigios de Fe

Millares de templos cuajados de agujas,
Cual obra de viejas y mágicas brujas;
Altares bruñidos de mármoles y oro,
Que guardan divino y eterno tesoro;

Sublimes plegarias subiendo a los cielos,
Grandiosas ideas, afanes, desvelos;
Pinturas y estatuas do el arte relumbra;
Poemas sublimes, hoguera que alumbra;

Gloriosos martirios, heroicas victorias
Que han dado a los pueblos laureles y glorias;
Los mundos unidos por mágico lazo;
Las aguas unidas en íntimo abrazo;

Los astros medidos, los mares domados;
Los rayos bajando del cielo apagados;
Los reyes caídos, los pueblos de pie...:
Todo esto en el mundo lo ha hecho la fe.

VICENTE GREZ. CHILE.

La Oración Simple Según el Modo del Verbo

555. Atendiendo al modo del verbo las oraciones se dividen en *aseverativas, interrogativas, admirativas, desiderativas* y *exhortativas*.

556. **Oraciones aseverativas** son aquellas en que se afirma o niega la *realidad* o *posibilidad* de un hecho. En el primer caso se emplea el modo indicativo; por ejemplo: Luis *tiene* dinero; en el segundo, el modo potencial; por ejemplo: Luis *tendría* dinero.

557. Con todos los tiempos del indicativo se puede afirmar o negar la realidad de un hecho; por ejemplo: Luis *tiene (tenía, tuvo, tendrá, ha tenido, había tenido, hubo tenido, habrá tenido)* **dinero.**

558. Si el hecho se enuncia como posible en lo futuro, empleamos el potencial simple; por ejemplo: allí *trabajarías* tú; pero también se puede usar, en su lugar, el presente o pretérito de subjuntivo precedido de un adverbio de duda; por ejemplo: acaso, (quizá, tal vez) *llegue (llegará o llegase)* Luis.

Si el hecho se enuncia como posible en tiempo anterior al en que se habla, puede emplearse el potencial simple o compuesto; y también, en su lugar, el antepresente o el antepretérito de subjuntivo con un adverbio de duda, por ejemplo: allí *habrías trabajado* tú; acaso *hayas, (hubieras* o *hubieses) trabajado* tú.

Y también se expresa la posibilidad o la duda con el futuro de indicativo en frases como éstas: Eugenio *tendrá* veinte años; *habrán dado* las once; hombre más raro no lo *habrás visto* en tu vida.

559. Para afirmar que el predicado conviene al sujeto, basta enunciarlos; por ejemplo: *Pedro viene; he ido a León; eso es blanco*: pero, para afirmar que el predicado no conviene al sujeto, necesitamos un adverbio de negación antepuesto al verbo; por ejemplo: Pedro *no* viene; *no* he ido a León; eso *no* es blanco.

Si el verbo lleva uno o más pronombres átonos antepuestos, la negación se coloca delante de éstos; por ejemplo: No *lo* he visto; no *me lo* trajiste.

También pueden interponerse otras palabras entre *no* y el verbo; por ejemplo: No *todos* lo han hecho; no *porque llores* lo vas a conseguir.

560. Para reforzar la negación *no*, se pueden emplear después de la oración aseverativa los adverbios *nunca, jamás*, o los pronombres indefinidos *nadie, ninguno, nada*; por ejemplo: No lo he dicho *nunca*; no vi a *nadie*; no deseo *nada*; no lo haré *jamás*: pero si son varias las voces negativas y no hay *no*, pueden distribuirse como se quiera, con tal que preceda una de ellas al verbo; por ejemplo: *Jamás* dio *nada* a *nadie*. A *nadie* dio *nunca nada. Nada* dio *jamás* a *nadie*.

561. Las **oraciones interrogativas** pueden ser *directas* o *dubitativas*.

Con las **interrogativas directas** expresamos un estado mental intermedio entre las aseverativas afirmativas y las aseverativas negativas.

Si digo *¿ha llegado Luis?* ni afirmo ni niego; expreso un juicio, pero ignoro si el predicado *ha llegado* conviene o no a *Luis*.

562. La duda puede recaer no sólo por el predicado verbal, como en el ejemplo anterior, sino también sobre el sujeto o alguna de sus cualidades, sobre el predicado nominal o sobre cualquiera de los complementos del verbo; por ejemplo: *¿Quién ha llegado?; ¿qué libro has comprado?; ¿qué es la vida?; ¿cuál prefieres?; ¿cúyo es este libro?; ¿a quién diste la pelota?; ¿con quién saliste?*

Asimismo, podemos afirmar la coincidencia del predicado con el sujeto, o de los complementos con el verbo, y dudar del lugar, tiempo, modo, causa o fin para que se verifique dicha coincidencia; por ejemplo: *¿Dónde has comido?; ¿cuándo has comido?; ¿cómo has comido?; ¿por qué (o para qué) viniste?*

563. De los ejemplos anteriores, se deduce que si la pregunta recae sobre el predicado verbal, la interrogación se indica con el tono; y que en todos los demás casos es preciso emplear el pronombre o adverbio interrogativo correspondiente al concepto por el que se pregunta.

564. **Oraciones interrogativas dubitativas** son aquellas en que nos preguntamos a nosotros mismos, manifestando al propio tiempo la duda que tenemos acerca de lo que preguntamos y suelen ir acompañadas de los adverbios de duda o del dubitativo *si*; por ejemplo: *¿será eso cierto, por ventura?, ¿si será verdad lo de los moros?*

A veces negamos en la interrogación lo mismo que aparentemente preguntamos; en este caso el *qué* equivale a *nada; quién*, a *nadie; cuándo*, a *jamás; cómo*, a *de ningún modo; dónde*, a *en ninguna parte*, etc., por ejemplo: *¿Qué dirás tú entonces?*, equivale a decir entonces no dirás tú *nada; ¿Quién* lo ha dicho?, es como decir *nadie* lo ha dicho; *¿Cómo* lo harás?, es como si se dijera de *ninguna manera* lo harás.

565. **Oraciones admirativas** son aquellas en que manifestamos la sorpresa o admiración que nos causa la información que recibimos.

Estas oraciones, por el tono con que las expresamos se llaman **exclamativas,** y por la suspensión en que parece quedar el espíritu al proferirlas, reciben el nombre de **admirativas.**

En su forma de expresión sólo se diferencian estas oraciones de las aseverativas, en el tono con que las pronunciamos, y de las interrogativas en que no admiten nunca el sentido negativo im-

plícito que a veces tienen éstas; por ejemplo: *¡Qué rico eres! ¡Cómo llueve! ¡Cuán sabrosas esta-ban aquellas fresas! ¡Adónde conduce una pasión no reprimida! ¡Qué descansada vida del que hu-ye del mundanal ruido!*

566. **Oraciones desiderativas** son aquellas en que expresamos el deseo de que se realice o no un hecho. Estas oraciones se expresan con el presente o pretérito de subjuntivo: con el presente enunciamos un deseo que creemos realizable, y con el pretérito manifestamos un deseo cuya realización juzgamos imposible; por ejemplo: *Dios te guarde; la tierra le sea leve; ojalá vuelvas pronto. — Que se apresurara en venir para que nos ayudara a terminar pronto.*

Algunas veces se juntan en una misma oración el sentido desiderativo y el exclamativo; por ejem-plo: *¡Si yo pudiera estar contigo!*

567. **Oraciones exhortativas** son las que denotan exhortación, mandato o prohibición.

568. La *exhortación* es un mandato atenuado que a la vez incluye ruego, por lo cual se expresa con el presente de subjuntivo; por ejemplo: *Tenga usted paciencia; honremos la memoria de los sol-dados muertos; ande despacio,* muchacho.

569. El *mandato* sólo se emplea cuando nos dirigimos a otro que consideramos igual o inferior[1], y se expresa con la segunda persona del imperativo; por ejemplo: *Respeta a los niños; No dejes tu computadora encendida cuando te vayas; No desaproveches la oportunidad que tienes de vo-tar en estas elecciones.*

570. La *prohibición* es lo contrario al mandato, pero en español no se expresa como éste con el im-perativo, sino con el presente de subjuntivo aun en segunda persona. Decimos: *lee tú; cantad vosotros;* pero no podemos decir: *no lee tú; no canta él,* sino: *no leas tú; no cante él.*

Si el mandato o la prohibición se expresa de un modo absoluto, sin indicación de tiempo ni lugar, se puede sustituir el imperativo y el subjuntivo, en segunda persona, con el futuro de indicativo; por ejemplo *Amarás a Dios sobre todas las cosas; no hurtarás.*

También se usa a veces el infinitivo con la preposición **a** o sin ella indistintamente para exhortar, mandar o prohibir; por ejemplo: *¡Callar!* o *¡a callar!,* por *¡callad!* o *callen ustedes; ¡no gritar!* por *no grites* o *no gritéis.*

571. En muchas oraciones aseverativas, interrogativas, desiderativas y admirativas, sobre todo en el estilo familiar, puede callarse el verbo, con lo que resultan otras tantas **oraciones elípticas**. Así decimos: *Adiós,* por *A Dios te encomiendo. Buenas tardes,* por *Buenas tardes te dé Dios (o te deseo), ¿Qué tal?,* por *¿Qué tal estás?* o *¿Qué te parece?; Enhorabuena,* por *Sea enhorabuena; ¡Justicia!,* por *¡Pido justicia!; ¡Ni por éstas!,* por *No acierto, no puedo.*

---

1. Sin embargo es muy posible que un súbdito retando al superior a causa de una expresión o conducta impropia de la autoridad pronuncie oraciones como esta "Respete usted a mi esposa, señor Gobernador".

Ejercicios de Aplicación

210 • *Poner negativa, interrogativa, exclamativa e imperativa.*

El sabio economiza el tiempo y las palabras.

Nada es tan peligroso como un amigo que se cree "de los buenos".

Hablar es bueno, pero callar es mejor.

Todos los corazones bien nacidos aman a la patria.

¡Es extraordinario el avance de la ciencia!

¡La llegada a Marte es un evento extraordinario!

211 • *Decir la clase de las oraciones siguientes atendiendo al modo del verbo.*

No puede hallarse la felicidad donde no está la virtud. • Buenos días. • No tengo tiempo. • ¡Cómo, yo ingrato para con Dios! • ¡Bienvenido! • ¿Quién llegó primero? — Él. • ¡A callar! !No iré nunca! • La razón del más fuerte, ¿no es siempre la mejor? — No, señor. • ¡Socorro! • El espíritu está pronto, pero la carne es flaca. • No te vayas. • Escribe pronto.

212 • *Escribir dos oraciones de cada uno de los tipos vistos en la presente lección.*

Cultivo una rosa blanca
en junio como en enero
para el amigo sincero
que me da su mano franca.

JOSÉ MARTÍ. CUBA.

Nocturno Muerto

Primero un aire tibio y lento que me ciña
Como la venda al brazo enfermo de un enfermo
y que me invada luego como el silencio frío
al cuerpo desvalido y muerto de algún muerto.

Después un ruido sordo, azul y numeroso
preso en el caracolde mi oreja dormida
y mi voz que se ahogue en ese mar de miedo
cada vez más delgada y enardecida.

¿Quién medirá el espacio, quién me dirá el momento
en que se funda el hielo de mi cuerpo y consuma
el corazón inmóvil como la llama fría?

La tierra hecha impalpable silencioso silencio,
la soledad opaca y la sombra ceniza
caerán sobre mis ojos y afrentarán mi frente.

JAVIER VILLAURRUTIA. MÉXICO.

(B) Sintaxis Oracional

Oraciones Compuestas

572. Hay veces que tenemos muchas ideas sobre un tema y queremos expresarlas claramente. Para ello no basta una oración simple sino que es preciso expresar el pensamiento con varias oraciones que forman una **oración compuesta.**

En estos casos todas las oraciones que se refieren a un tema común guardan entre sí cierta sintaxis que de inmediato analizaremos.

573. **Oraciones compuestas por coordinación:** si las acciones que las oraciones expresan no dependen las unas de las otras de manera que se asimilan a una enumeración o lista, decimos que entre esas oraciones hay coordinación, o que es una oración compuesta por coordinación. Por ejemplo: *Llegué, vi, vencí; vino y llamó y no le abrí y se fue enojado; o me amas, o no o ¿qué te pasa?*

En el primer ejemplo hay dos oraciones *principales coordinadas*, y en el segundo, dos *subordinadas coordinadas.*

574. **Oraciones compuestas por Subordinación:** En cambio si las oraciones están vinculadas entre sí sintácticamente de forma que al separar algunas de ellas de la oración compuesta pierden totalmente el sentido, se trata de una oración compuesta por subordinación.

Por ejemplo en la oración compuesta: Escoje la carrera que más te guste, se distinguen dos oraciones:

1. Escoje la carrera
2. Que más te guste

La oración 1 sí tiene sentido aisladamente, es la **oración principal.** La oración 2 aislada del conjunto carece de sentido, es la **oración subordinada.**

575. Comenzamos con el estudio de las oraciones compuestas por coordinación. El primero de los ejemplos del 573 es una célebre cita de Julio Cesar[1]. Se trata de tres oraciones expresadas elípticamente por tres versos en activa, los cuales se separan únicamente por comas: A este tipo de oraciones compuestas coordinadas las clasificamos como **yuxtapuestas** (puestas junto a otra).

---

1. En latín mucho más concisa y expresiva: Vini, vidi, vinci.

576. La relación que une a las oraciones coordenadas puede variar y así tenemos:

ORACIÓN	TIPO DE COORDINACIÓN
1. "y los dejó y cayó en despeñadero y el carro y el caballo y el caballero"	1. Copulativa
2. "No se pueden tocar las campanas y andar en la procesión"	2. Disyuntiva
3. "Puso todo su empeño mas tronó en el examen de admisión"	3. Adversativa
4. "Comiste taquitos en la calle, ahora tienes infección intestinal"	4. Causal
5. "Llegaste tarde, además despeinado y para colmo, no sabes la lección"	5. Ilativa

Nótese que más que las conjunciones que enlazan las oraciones simples integrantes de las compuesta por coordinación, hay que atender al tipo de relación que guardan entre sí para clasificarlas más adelante (en la lección 56 haremos un estudio más amplio de estas **oraciones coordinadas**).

577. Elementos de las **oraciones compuestas por subordinación:** En el ejemplo dado (547) *Escoje la carrera que más te guste,* ya adelantamos esta primera clasificación de las oraciones compuestas por subordinación.

1. *Escoje la carrera,* es la oración simple, principal de este conjunto.
2. *Que más te guste,* es la oración subordinadal

Veamos algunos ejemplos:

ORACIÓN PRINCIPAL	ORACIÓN SUBORDINADA	CLASIFICACIÓN DE LA SUB.
Mucho siento	que haya muerto tu hermano.	*Adjetiva*
Me avisaron	que se retrasa el vuelo.	*Sustantiva*
Donde las dan	las toman.	*Adverbial*

En las siguientes lecciones (57 58 y 59) ampliaremos estos conocimientos.

578. **I. Unión de dos oraciones afirmativas. a)** Cuando dos o más sujetos tienen el mismo predicado, se colocan aquéllos uno a continuación de otro, enlazados por la conjunción *y* si son sólo dos; y si son más de dos, separados por una coma, excepto los dos últimos que se enlazan con la conjunción *y*; por ejemplo: Benjamín *y* Osiel *son* muy parecidos; Luis, Ulises *y* Ramiro *defraudaron* nuestra confianza.

El verbo se pone, pues, en número plural; y si los sujetos son de distinta persona y hay entre ellos uno que lo sea de la primera, en ésta se ha de colocar el verbo; si no en segunda; por ejemplo: Sergio *y yo saldremos* luego; tú *y yo iremos* a visitarle; tú y tu hermano *llegaron tarde*.

579. **Observaciones**: **1a.** Cuando el verbo precede a varios sujetos, puede estar en singular o plural; por ejemplo: *Brillaba* (o *brillaban*) la luna y las estrellas; se *consumió* (o se *consumieron)* mucho trigo y papas.

2a. Cuando varios sujetos se recopilan o resumen en uno solo, el verbo concierta con éste; así diremos: los remordimientos, el temor, los peligros, *nada* le arredró; los honores, los bienes, la vida, *todo* es pasajero.

580. El adjetivo que se refiere a varios nombres se coloca asimismo en plural, y en la forma adecuada al género de ellos, si todos tienen el mismo; si no, en la masculina; por ejemplo: El padre y el hijo son *honrados*. La madre y su hija están *enfermas*. Pero decimos: el padre y la hija están *enfermos*; los soldados y las enfermeras son *valientes*.

581. **b)** Cuando dos o más predicados convienen a un mismo sujeto, se colocan también uno a continuación de otro enlazados por la conjunción *y* si son sólo dos; y si son más de dos, separados por una coma, excepto los dos últimos que se enlazan con la conjunción *y*; por ejemplo: "Al anochecer, su rocín y él se hallaron cansados *y* muertos de hambre. Al fin le vino a llamar Rocinante, nombre a su parecer alto, sonoro *y* significativo". (*Quijote*).

Si los predicados son nominales, la cópula se expresa sólo delante del primero; por ejemplo: Luis *es* piadoso y aplicado. "Toda la venta *era* llantos, voces, gritos, confusiones, temores, sobresaltos, desgracias, cuchilladas, mojicones, palos, coces y efusión de sangre". (*Quijote*).

582. **c)** Cuando a varios sujetos convienen unos mismos predicados, se unen aquéllos y éstos conforme a lo dicho en los números 578 a 581; por ejemplo: Luis, Antonio *y* Javier ríen, cantan *y* escriben.

583. **d)** Cuandos los sujetos y los predicados son distintos, se colocan las oraciones una a continuación de otra, separadas por una coma o punto y coma y poniendo la conjunción *y* entre las dos últimas; por ejemplo: "La ventera gritaba, su hija se afligía, Maritornes lloraba *y* Dorotea estaba confusa." (Quijote).

584. En lugar de *y* se usa la *e* delante de palabras que empiezan por *i* o *hi* seguidas de consonante; por ejemplo: Inglaterra *e* Irlanda mantienen un conflicto que ha durado ya varios siglos; su conferencia resultó enriquecedora *e* interesante. Pero se dice: Plomo *y* hierro; cacofonía *y* hiato.

585. **II. Unión de oraciones negativas. Ni** equivale a **y no**, y la usamos siempre que se trata de unir una oración negativa a otra también negativa; por ejemplo: *Ni* Luis *ni* Rodrigo llegaron a tiempo; *ni* Pedro *ni* Juan resultaron buenos maridos; *ni* digo nada *ni* murmuro de nada.

586. Si una de las oraciones unida a otra con **y** o con **ni** sirve para expresar el término de una graduación de conceptos, se refuerzan aquellas conjunciones con las voces **aun** o **hasta,** y a veces con las dos juntas; por ejemplo: Sé que todo esto sabía, *y aun* más; no tenía vino que beber y, *ni aun* agua para llevar a la boca; recogí las armas *y hasta* las astillas de la lanza; ...*y aun hasta* los mismos cabreros y pastores.

587. **III. Unión de dos oraciones, siendo afirmativa la primera y la segunda negativa.** En este caso usamos **y no**, pudiendo también omitirse la conjunción; por ejemplo: Hablé *y no* me escucharon; o bien: hablé, no me escucharon.

En vez de **y no** se emplea a veces **que no**, y otras veces empleamos **ni** en vez de **y no**; por ejemplo: justicia pido, *que no gracia*. Los trató con toda amabilidad; *ni* hubiera podido excusarse de ello, tratándose de tales personajes.

Emilio Marín

588. **IV. Unión de dos oraciones, siendo la primera negativa y la segunda afirmativa.** Estas oraciones, según los casos, se unen por la conjunción **y** o por **yuxtaposición,** y más comúnmente por la conjunción adversativa **sino;** por ejemplo: Hay quien *no* entiende nada de matemáticas *y* es muy buen literato; yo *no* voy, tú puedes ir; *no* lo hizo Juan *sino* su hermano.

Ejercicios de Aplicación

213. *Señalar con una raya las oraciones simples y con dos las compuestas.*

Por el hilo se saca el ovillo. • No hay mal que por bien no venga. • La cabra siempre tira al monte. • Quien siembra vientos recoge tempestades. • Perro ladrador poco mordedor. • Haz buena harina y no toques bocina. • Cuando te den el anillo pon el dedillo.

REFRANES.

La censura ajena compone las virtudes propias. • Mejor es ser envidiados que aborrecidos. • La felicidad nace como las rosas, entre espinas y trabajos. • Es el hombre el más inconstante de los seres. • Los locos tienen el corazón en la boca; los cuerdos la boca en el corazón.

La enseñanza mejora a los buenos y hace buenos a los malos. • Poco dura el imperio que tiene su conservación en la guerra. • Al ánimo constante ninguna dificultad embaraza. • En todos los hombres es necesario el trabajo, en el príncipe más. • No es oficio de descanso el reinar.

SAAVEDRA FAJARDO.

214. *Construir cuatro oraciones simples y tres compuestas.*

215. *Distinguir las oraciones simples y compuestas, en las compuestas; indíquense las principales, coordinadas y subordinadas.*

La ciencia sin virtud es el ángel caído. • Un hombre con pereza es un reloj sin cuerda. • En lo intelectual como en lo físico, el órgano que no funciona se adormece, pierde de su vida; el miembro que no se mueve, se paraliza. • Figúranse algunos que la religiosidad es signo de espíritu apocado y capacidad escasa; y que, por el contrario, la incredulidad es indicio de talento y grandeza de ánimo. • Yo sostengo que, con la historia en la mano, se puede demostrar que en todos tiempos y países los hombres más eminentes han sido religiosos.

BALMES.

216. *Escribir cuatro oraciones coordinadas y cuatro subordinadas.*

217. *Decir qué clase de oraciones se encuentran en el trozo siguiente:*

Rubén Darío *(fragmento)*

La vida exterior del niño Rubén Darío no es difícil de imaginar. Él mismo nos la ha descrito, con colores a veces un poco planos, de tricomía, en algunos fragmentos de sus memorias. No nos parece esa vida muy diferente de la que hicieron nuestros amigos provincianos —y, en ocasiones, también los capitalinos— durante la última etapa de la época porfirista. Los domingos, se daban bailes. O veladas familiares donde los jóvenes que suponían haber aprendido a tocar el piano se imaginaban estar deleitando a sus fieles con serenatas y valses de hipnóticas insistencias. A continuación, los que se creían en olor de poética beatitud recitaban versos dolientes a Rosarios, Glorias y Lesbias, más o menos inabordables. Las muchachas reales no se llamaban siempre Lupitas, Carmelas, Conchas o Amparos; pero entre ellas, desfilaban también las Mercedes y Rafaelas, las Marías y las Victorias, y hasta, —a veces— las Fidelinas y las Gertrudis...

Se iba al campo, no por fuerza en "carretas cubiertas de cuero crudo", como Darío; aunque sí en vehículos rechinantes, donde, previsoramente, habían hacinado las amas de casa viandas, frutas, golosinas, para ofrecer —bajo un árbol propicio— meriendas rústicas. Se organizaban juegos de prendas. En ocasiones se presenciaban bruscas escenas de sangre y odio. "Vociferaban por las calles", en ciertas noches, "hombres borrachos". Se iba a tomar un chocolate —lento y untuoso— en la casa del cura de la parroquia. Se aplaudía al payaso del circo. Y, si se era precoz, —tan precoz sensualmente como Darío—, se pensaba en huir con la saltimbanqui, aunque se apellidase ella Buislay y ostentara el nombre de Hortensia.

ALFONSO REYES. MÉXICO.

218 • *Establézcase la concordancia de los verbos con sus respectivos sujetos en las siguientes oraciones coordinadas copulativas.*

Comer, beber y dormir, *ser* la única ocupación del hombre perezoso. • Un día, una hora, un minuto, *bastar* para hacernos pasar de la felicidad a la desgracia. • La aptitud, dedicación y apoyo *decidir* ordinariamente la victoria en cualquier campo. • Esto y las razones que alegaron *mover* al juez a dar un fallo favorable. • Su experiencia, sus canas, y, sobre todo, su calidad de magistrado, *imponer* a los jefes de la rebelión. • Otro tanto *aconsejarle* el médico, sus padres y sus mejores amigos. • El entrenador con su hijo *venir* a visitarlo. • Tú, yo y todos los hombres *nacer* con breve vida, como la flor, cuya cuna *ser* la aurora y el sepulcro el ocaso. • Asuntos, pensamientos, imágenes, versificación, todo *ser* original. • Así *terminar* la gloria, la belleza y las virtudes. • Yo *ser* el que *estudiar* mercadotecnia.

Spleen *(fragmento)*

Cuando el cielo caído pesa como una losa
sobre el gimiente espíritu, sumido en su letargo,
y el horizonte es una terrible cosa
que hace eterna la noche y el día más amargo;

cuando el mundo es igual que un calabozo frío
donde, como un murciélago a ciegas, bate el ala
la esperanza en el muro, y se cuelga el hastío
de los techos podridos, y la llovizna cala.

Carrozas funerales, en marcha silenciosa,
desfilan por mi alma en lenta procesión;
la esperanza vencida, la angustia victoriosa
clavan sobre mi cráneo su negro pabellón.

CHARLES BAUDELAIRE. FRANCIA.

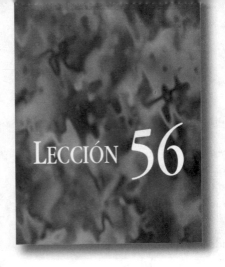

LECCIÓN 56

La Coordinación Disyuntiva, Adversativa, Causal e Ilativa

589. La **coordinación disyuntiva** consiste en unir dos oraciones que expresan juicios contradictorios, es decir, que no pueden ser verdaderos o verificarse a un mismo tiempo. La conjunción ordinaria es *o que* puede repetirse en todas las oraciones; por ejemplo: Los diablos, jueguen o no jueguen, nunca pueden estar contentos, ganen o no ganen; o lo sabes o no lo sabes; vienes conmigo o terminamos.

590. La conjunción **o** se convierte en **u** cuando precede inmediatamente a palabra que empiece por o u *ho*; por ejemplo: plata *u* oro; mujer *u* hombre.

591. En ocasiones la conjunción **o** se emplea para explicar o aclarar un nombre o una oración que preceden; por ejemplo: *el Cristo* **o** *Mesías*; *el Zar* **o** *Emperador de Rusia*.

592. Los vocablos repetidos, como *ya... ya, que... que, ora... ora, cual... cual, quién... quién, tal... tal, bien... bien,* suelen tener valor disyuntivo; por ejemplo: *Ya* rías, *ya* llores; *que* quieras *que no*, has de ir; *ora* te vayas, *ora* te quedes; se puede hacer *bien* en mi casa, *bien* en la tuya.

Como se ve, los verbos en estas oraciones han de estar siempre en el mismo tiempo.

593. La **coordinación adversativa** puede ser *exclusiva* o *restrictiva*. Ésta sirve para continuar lo afirmado en una oración por medio de otra, pero sólo *retringiendo,* sin negarlo del todo; y aquélla, para contrariar *excluyendo* enteramente lo afirmado por la oración precedente.

594. En la coordinación adversativa *exclusiva* empleamos **sino** y **antes;** y en la *restrictiva,* **pero, empero, mas, aunque, fuera de, excepto, salvo, menos;** por ejemplo: No lo hizo Diego, *sino* Luis. No me respondió palabra, *antes* (o *antes bien*) me volvió la espalda. — Así es, *pero* no tengo tiempo. Ya lo sabes, te falta *empero* la voluntad para hacerlo. No tenía celada, *mas* a esto suplió su industria. No tienes ganas, *aunque* te sobra tiempo. Nadie vino *fuera de* (*excepto, salvo, menos*) tres o cuatro.

595. **Observaciones: 1a.** *Sino* se usa también después de una interrogativa que supone respuesta negativa; por ejemplo: ¿quién lo dirá *sino* tú? A veces equivale a *excepto, solamente*; por ejemplo: Nadie ha venido *sino* Ramón.

2a. Conviene no confundir **sino** con la condicional *si* seguida de la negariva *no*. Así, no come *si no* trabaja, es muy distinto de: no come, *sino* trabaja.

3a. Si la negación *no* de la primera oración del periodo adversativo va reforzado por los adverbios *sólo* o *solamente*, las conjunciones *pero* y *más* equivalen a *sino*, y suelen reforzarse con *también* o *aun*, lo mismo que *sino*; por ejemplo: No *sólo* estoy dispuesto a ir contigo, *mas (pero, sino) también* pagarte el avión.

596. La **coordinación causal** consiste en unir dos oraciones, indicando en una de ellas la *causa* o *razón* de lo que se afirma o niega en la otra.

597. Las conjunciones simples coordinantes causales son **que** y **pues**; y además tenemos las compuestas formadas con *que* precedido de *pues* y de los vocablos *por, puesto, supuesto*; **pues que, porque, puesto que, supuesto que**; por ejemplo: Estudiad, *que* os conviene; sufra él la pena, *pues* cometió la culpa; no lo traje *porque* no quise; algo le habrá ocurrido, *puesto que* no ha venido.

598. La **coordinación ilativa** une dos oraciones denotando en la segunda el *efecto o consecuencia* de la primera.

599. Las conjunciones coordinantes ilativas son: **pues** —que también es causal, como acabamos de ver—, **luego** y **conque,** empleándose además con el mismo valor los modos conjuntivos **por consiguiente, por lo tanto, ahora bien, así, que, por esto, por eso, por ende,** etc.; por ejemplo: Él defraudó al fisco, sufra *pues* la pena; ya compró auto del año, *luego* no le estará yendo tan mal; Sacaste mención en tu examen, *conque* ya puedes estar contento.

Pues y **así que** son continuativas y sirven en las transiciones para continuar y apoyar la oración; por ejemplo: Decía, *pues*, que...; ¡*Pues* no faltaba más! *Así que*, no tienes motivo para enfadarte.

Ejercicios de Aplicación

219• *Decir qué clase de coordinación une las oraciones de los periodos siguientes.*

La guardia no se rindió: vencer o morir. • Esta casa no es de Manolo, sino de Juan. • Muchos prometen, pero pocos cumplen. • Fue tu culpa; sufre pues, las consecuencias. • No asistí a la sesión porque no me convenía. • Puedo pagarte en pesos o en dólares. • Ríete o no, así es. • Será sabio el que hace el bien y no aquel que lo aconseja a los demás sin practicarlo. • Vengan todos menos ustedes tres. • Las limpió y aderezó lo mejor que pudo, pero vio que tenían un gran defecto, y era que no tenían los botones completos, pero esto lo arregló con su ingenio. • No acudieron a la cita ni Maricarmen, ni Ulises ni Javier. • Ora vengas, ora te quedes, no te olvides de lo dicho. • Bien en mi casa, bien en la tuya, se alojará esta noche. • ¡En la red no hice yo cabriolas, en el aire sí! • El decaimiento en los infortunios es malo, apoca la salud; esfuérzate pues. • El dinero no trae la felicidad, pero cuando se va se la lleva. • Entre más conozco a los hombres, más quiero a mi perro. • Pienso, luego existo. • No quiero que no venga, sino que no vuelva a ponerse delante de mí. • Gasta más de lo que tiene, por consiguiente no tardará mucho en arruinarse. • Me lo dijo, pero no le creí.

220• *Analizar las oraciones de los cinco primeros periodos del ejercicio anterior, explicando sus elementos.*

Lloro Como un Guerrero *(fragmento)*

Escuchadme ahora bien.
Y que esto quede claro en el proceso:
Muero como un soldado,
lloro como un guerrero.

Y lloro con los hombros,
con las uñas,
con el sexo,
con los músculos,
con las entrañas y con el cerebro
para romper tabiques,
placentas,
términos,
lenguajes,
sepulcros,
tinieblas
y silencios.

Mi llanto no es gemido,
no es hipo ni moqueo
de velorio. Yo no lloro
por los vivos ni por los muertos,
mi llanto es un designio,
una ley... la ley salvadora del esfuerzo.

Y sé que hay orden en mis lágrimas
como lo hay en la nube,
en el humo del horno
y en la sombra del vientre materno.

Y que el llanto, roto el salmo y hecho grito y blasfemia,
es como el trueno,
el crepitar del pan
y el empujón oscuro de la vida para
         romper la cáscara del huevo.

LEÓN FELIPE. ESPAÑA.

Oraciones Subordinadas Adjetivas

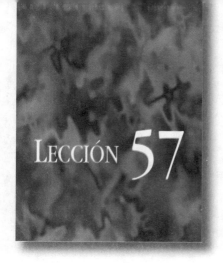

600. Las **oraciones subordinadas** desempeñan en la oración compuesta el mismo oficio que los complementos del nombre o del verbo en la oración simple.

Estos complementos pueden ser adjetivos, nombres y adverbios, por lo que las oraciones que hacen sus veces reciben el nombre de *adjetivas, sustantivas* y *adverbiales.*

Compárense las frases siguientes, dos a dos:

El niño *estudioso* es apreciado. El niño *que estudia* es apreciado.

Mucho siento *la muerte de tu hermano.* Mucho siento *que haya muerto tu hermano.*

Lo sabe *bien.* Lo sabe *como se lo enseñaron.*

601. Llamamos **oraciones adjetivas** a las subordinadas que se refieren a un nombre o pronombre de la oración principal, al que determinan o especifican a la manera del adjetivo; equivalen a un adjetivo o participio y son los que hemos llamado *adjetivos-oración;* por ejemplo: el hombre *que no propone soluciones* no tiene derecho a criticar.

También reciben el nombre de **oraciones de relativo** por estar unidas a su principal por un pronombre relativo.

602. Estas oraciones pueden ser *especificativas* o *determinativas,* y *explicativas* o *incidentales.* Las primeras determinan a su antecedente, especificándolo; las segundas sólo expresan alguna circunstancia del mismo.

Si digo: los olivos *que hemos podado* tienen muchas aceitunas, la oración *que hemos podado* especifica a su antecedente *olivos,* denotando que sólo nos referimos a los olivos que hemos podado, y no a todos; pero si digo: Luis, *que es inteligente,* ganará el premio, la oración *que es inteligente* no especifica a *Luis,* sólo indica una cualidad del mismo.

603. En las especificativas, la oración de relativo se une íntimamente con el antecedente; en las explicativas se separa del antecedente por una breve pausa en la enunciación y por una coma en la escritura. Las explicativas pueden suprimirse sin variar el sentido de la oración principal; las especificativas no pueden suprimirse.

Puede decirse: *Luis ganará el premio*, omitiendo la explicativa *que es inteligente*; **pero no**: *los olivos tienen muchas aceitunas*, pues suprimida la explicativa, *que hemos podado*, el predicado de la principal ya no conviene al sujeto.

Las explicativas pueden convertirse en oraciones independientes o en subordinadas adverbiales, con sólo sustituir el pronombre relativo por una conjunción; por ejemplo: Luis es inteligente *y* ganará el premio, o Luis, *porque* es inteligente, ganará el premio; pero no puede hacerse lo mismo con las especificativas.

604. El relativo **que** es invariable: puede referirse a un antecedente masculino o femenino, singular o plural, y también al sujeto de la oración principal, al predicado nominal, al complemento directo, al indirecto, al circunstancial y al caso posesivo; por ejemplo: *Fernando, que* lo vio, me lo ha contado; *Eugenia, que* llegó ayer, me ha enterado de todo; la lisonja *es la fruta que* más se sirve en palacio; he probado *el queso que* me has regalado; dio limosna *al pobre que* vimos en la plaza; voy *a la fábrica que* se fusionó a la mía, para evaluarla mejor; me gustaría conocer al hijo *del señor que* nos convidó anoche.

Por los ejemplos anteriores se ve que el relativo puede desempeñar en su oración distinto oficio del que desempeña el antecedente en la suya; puede ser sujeto, complemento directo, indirecto y circunstancial.

605. Cuando el relativo **que** es complemento circunstancial empleado sin artículo, sólo lleva la preposición correspondiente a la índole del complemento; por ejemplo: Se pasaron quince días *en que* no lo vimos; tengo en mis manos la vara *con que* te azotaron. Pero si se refiere a un antecedente que expresa circunstancias de tiempo o lugar, se usa sin preposición; por ejemplo: Hace *dos años que* no voy; *en el sitio en que* se encontraron los dos amigos se abrazaron.

Siendo complemento circunstancial, el relativo **que** puede en muchos casos sustituirse por los adverbios correlativos **donde** y **como**; por ejemplo: La casa *en que* (o *donde*) nací; no merece otra cosa por la manera *como* (o *que*) trató a mi padre.

Y también puede la preposición pasar al antecedente. Así decimos: Sé **al** *blanco* **que** *tiras*, por sé *el blanco* **a que tiras**. Ya sabes **a lo que** *vengo*, por ya sabes **lo a que** *vengo*. Mira, pues, **al** *peligro* **que** *te expones*, por mira, pues el peligro **a que** *te expones*.

606. En las locuciones **el que, la que, lo que, los que, las que**, puede el artículo conservar su primitivo valor de pronombre demostrativo y constituir el antecedente del relativo, o bien presentarse como simple artículo que forma con el relativo una sola palabra prosódica; por ejemplo: Yo soy *el que* (por *aquel que*) me voy; no pidas de grado *lo que* (por *aquello que*) puedes tomar por fuerza; pero, diremos: no podía mirar con indiferencia *el que* se infamase la doctrina de mi partido.

607. **El cual, la cual, lo cual, los cuales, las cuales,** equivalen *a que*; por ejemplo: Esperaba a mi hermano, *el cual* no llegó; se fue a la Alcaldía, *la cual* encontró cerrada; comía unos higos con *los cuales* se desayunó.

El empleo del relativo **cual** es muy útil en ciertos casos para la claridad, sobre todo en las oraciones *explicativas*, cuando la palabra a que se refiere queda muy distante; en las *especificativas*, y estando cerca la palabra es preferible el relativo *que* o *el que*.

También se prefiere **el cual** con las preposiciones *por, sin, tras,* y sobre todo con las de más de una sílaba; por ejemplo: *Tras el cual, hacia el cual, hasta el cual, entre los cuales;* y asimismo detrás de adverbio; por ejemplo: *por medio del cual.*

608. El relativo **quien** equivale a *el que, la que;* y su plural, **quienes**, a *los que, las que,* tratándose de personas o cosas personificadas. No puede ponerse por *que,* a causa de que siempre lleva envuelto en sí su antecedente; no podrá, pues, decirse: el hombre *quien vino;* pero sí: *quien canta, sus males espanta.*

609. **Cuyo** es el posesivo de los pronombres relativos, como *mío, tuyo,* etc., lo son de los personales, y equivale a *de que, de quien, del cual, de lo cual;* es a la vez relativo y posesivo, y, como todos los posesivos, concierta, no con el poseedor, sino con la cosa poseída; por ejemplo: Ayer llegó el niño *cuya* madre y *cuyos* hermanos has visto. "En un lugar de la Mancha de *cuyo* nombre no quiero acordarme".

No debe emplearse **cuyo** por *que* o *el cual;* y así como dicen un disparate los que, por ejemplo, escriben: Le regaló un aderezo, *cuyo aderezo* era de brillantes, en vez de: *este aderezo, aderezo que, el cual aderezo.*

610. Cuando un relativo es sujeto de una oración, el verbo de ésta no concierta con él, sino con el antecedente; y si se refiere a la vez a varios antecedentes singulares, se pone el verbo en plural; por ejemplo: *Tú, que fuiste* cuerdo, supiste callar. *Tú y yo, que fuimos* de paseo, no pudimos verlo. *Tú y Luis, que lo vieron,* díganme cómo pasó.

611. En cuanto al uso de modos o tiempos en las oraciones adjetivas, pudiendo éstas expresar un hecho como real o como posible y también una apreciación o deseo cualquiera, caben todos los modos menos el imperativo, y todos los tiempos excepto el antepretérito; por ejemplo: Veo la rosa *que florece;* la rosa *que florecería* si se la cultivara; la rosa *que floreciera* con esta temperatura; sería más estimada la rosa *que floreciese* en invierno; quiero una flor *que florezca* temprano; me dieron una rosa *que floreció* en diciembre, etc.

612. Pueden dos o más oraciones adjetivas unirse por coordinación, sin necesidad de repetir el relativo en la segunda; por ejemplo: *La música es un arte **que** atrae y deleita a todos;* donde, en la segunda oración, se omite el *que.*

Ejercicios de Aplicación

221 • *En los periodos siguientes, poner dos rayas debajo de las oraciones principales y una sola debajo de las subordinadas adjetivas.*

Dios, que nos ha criado, conoce todas nuestras necesidades. • La senda que sigues es peligrosa. • Aquél que sólo adula sin cooperar, termina fastidiando. • El hombre cuya conciencia es pura, es feliz. • Aquel a quien Dios sostiene no perecerá. • Debemos amar a los que nos aman. • La única semilla que fructifica en todos los terrenos es la amabilidad. • El temor y la esperanza son los dos grandes resortes que mueven el corazón del hombre. • El amor es una saeta que envía la volun-

tad. • La última camisa de que se despojan los sabios es la soberbia. • La honra que se hace a la virtud inflama a los demás para seguir el ejemplo. • Lo que bien se concibe bien se expresa.

222 • *Copiar las oraciones principales del ejercicio anterior, indicando el sujeto y predicado con sus complementos.*

MODELO:

Dios... conoce todas nuestras necesidades; **sujeto,** Dios (**completado por** *que nos ha criado*); **predicado,** *conoce* (**completado por** *todas nuestras necesidades*).

223 • *Hacer lo mismo con las oraciones adjetivas del ejercicio 221.*

MODELO:

... que nos ha criado; **sujeto,** *que;* **atrib.,** *ha criado* (**complementado por** *nos*).

224 • *Copiar las oraciones en cursiva y decir de cada una 1o. si es especificativa o explicativa, y 2o. a qué palabra se refiere.*

No todo lo *que brilla* es oro. • El cordero, *que era inocente,* fue devorado por el lobo voraz. • El cielo *a que aspiramos* se compra por una vida santa. • Las estrellas, *que nos parecen ser simples puntos brillantes en la bóveda celeste,* son millones de veces mayores que la Tierra. • El *que presta un servicio* debe olvidarlo; el *que lo recibe* debe acordarse siempre de él. • El perro, *que de ordinario es tan paciente,* se vuelve bravísimo cuando ve llegar a tu hermano. • El oro, *que los hombres aprecian tanto,* es, en el fondo, menos útil que el hierro, *del cual tienen tan poca estimación.* • Los hombres *que hablan mucho de su valor,* tienen ordinariamente muy poco. • El lirio, *cuyo cáliz es de un blanco inmaculado,* es símbolo de la pureza.

225 • *Manejar las siguientes oraciones de la misma manera que las del ejercicio anterior.*

El hombre *que practica la virtud* vive feliz. • El niño tomó el pájaro *que se había escapado de la jaula.* • Los hombres *que más apegados están a las riquezas* propalan que no las apetecen. • El niño *que miente* corre el riesgo de meterse en líos. • Las riquezas materiales, *que todos desean,* no traen de por sí la felicidad. • Dichosa la madre *cuyos hijos han demostrado que valen para sí mismos y para la sociedad.* • Los valientes soldados, *a quienes tanto debe la nación,* acaban de regresar. • El mensajero del señor *que hemos encontrado* es un chico *cuyas cualidades me agradan y con las cuales ha de adquirir una buena posición que le servirá para mejorar la situación en que se encuentran sus padres, a los que tanto extraña.* • Cuando no se tiene lo *que se ama,* es preciso amar lo *que se tiene.* • El tiempo, *que huye estando en los placeres,* parece alargarse sobre las penas. • Todos los pecados nacen del amor propio, porque todos ellos se cometen por codicia de algún bien particular *que este amor propio nos hace desear.*

Nocturno de San Ildefonso

El muchacho que camina por este poema,
entre San Ildefonso y el Zócalo,
es el hombre que lo escribe:

                esta página
también es una caminata nocturna.

                    Aquí encarnan

los espectros amigos,

                  las aldeas se disipan.

El bien, quisimos el bien:

            enderezar el mundo.

No nos faltó entereza:

              nos faltó humanidad.

Los que quisimos no lo quisimos con inocencia.
Preceptos y conceptos,

              soberbia de teólogos,

golpear con la cruz,

                fundar con sangre,

levantar la casa con ladrillos de crimen,
decretar la comunión obligatoria.

              Algunos

se convirtieron en secretarios de los secretarios
del Secretario General del Infierno.

OCTAVIO PAZ. MÉXICO.

LECCIÓN 58

Oraciones Subordinadas Sustantivas

613. **Oraciones sustantivas**, llamadas también *completivas*, son las subordinadas que hacen las veces de un nombre cualquiera de la principal: son los *sustantivos-oración*.

Hay, por consiguiente, tantas clases de subordinadas sustantivas cuantos son los oficios del sustantivo en una oración simple: así tendremos *oraciones sustantivas que hacen oficio de sujeto, de complemento directo, de complemento indirecto, de complemento circunstancial y de complemento de un nombre* (sustantivo o adjetivo), que equivalen a un genitivo.

614. Las oraciones sustantivas pueden construirse como **sujeto** de verbos en voz pasiva, de verbos intransitivos y de los verbos *ser* o *estar*; por ejemplo: Diríase *que todo le sale a pedir de boca*, construcción pasiva de *dirían que todo*, etc.; se dice (se cree, se asegura) *que no vendrán*; construcción pasiva de *dicen...*; no importa *que no vengan*; es lástima *que tarden tanto*.

Es digno de notarse lo mucho que se emplean estas oraciones *cuando el predicado es un verbo impersonal*. Las locuciones siguientes y otras análogas introducen oraciones sustantivas de sujeto: es conveniente que, es de desear que, es extraño que, es fácil que, es justo que, es imposible que, es lástima que, es menester que, es muy bueno que, es necesario que, es una vergüenza que, no está bien que, agrada que, admira que, basta que, conviene que, me duele que, sorprende que, cabe que, consta que, es verdad que, es claro que, es evidente que, ocurre que, parece que, resulta que, etc., por ejemplo: Es lástima *que tardes tanto*; conviene *que vengas*; es evidente *que lo hemos de hacer*.

615. Las **oraciones sustantivas que hacen oficio de complemento directo** pueden ser *explicativas, interrogativas* y *de temor*, y están unidas a su principal por la conjunción *que* u otra relativa; por ejemplo: *Esto* digo, q*ue no vimos a nadie*. Dime *quién lo ha hecho*. Temo *que no aciertes*.

616. En la oración *esto digo, esto* es complemento directo del predicado *digo*; la explicación de *esto* es una oración explicativa: *que no vimos a nadie*; donde vemos que la conjunción relativa *que* se refiere al complemento directo *esto*, como se refiere todo relativo a un antecedente;

pero una vez convertido el relativo neutro en conjunción *explicativa* puede suprimirse el pronombre a que se refería; digo *que no vimos a nadie;* de modo que la subordinada sustantiva que hace las veces de complemento directo es una subordinada relativa.

617. La conjunción *que* puede omitirse, sobre todo con subjuntivo; por ejemplo: le rogué *viniese pronto,* por le rogué *que viniese* pronto.

618. En lugar de *que* se emplea a veces *como,* con lo cual parece que se expresa, más bien que el hecho, el modo de realizarse; por ejemplo: Me dijo *cómo* no había ido.

619. Cuando un verbo requiere preposiciones determinadas van delante del *que* de la subordinada; por ejemplo: Ya me maravillaba yo, *de que él* no respondía.

620. Las oraciones interrogativas independientes se convierten en subordinadas si las enunciamos como complemento directo de verbos que expresan actos del entendimiento o del habla, tales como *saber, decir, preguntar, mirar, informarse, avisar,* etc.

Así las preguntas directas *¿qué dices?, ¿quién viene?, ¿cómo escribe?, ¿cuál es?, ¿cuándo vendrás?,* etc., se convierten en subordinadas si decimos: no sé **qué** dices, dime **quién** viene, *cada uno mire* cómo escribe de las personas, no sé **cuál** ha de ser el último, *dime* cuándo **vendrás.**

Asimismo las dubitativas *¿Si podré hallar otras tantas?, ¿si llegará pronto?,* se convierten en subordinadas al decir: *Pienso* si podré hallar otras tantas, *ignoro* si llegará pronto; oraciones donde *si* hace las veces del relativo *que.*

621. Las oraciones de temor hacen también de complemento directo del verbo de la principal, que expresa el temor o recelo de que se verifique lo que indica el verbo de la subordinada; por ejemplo: Temo *que no aciertes;* temía *que llegases tarde.*

622. Las **oraciones sustantivas que hacen oficio de complemento indirecto** se llaman también *finales* por expresar el fin o la intención con que se ejecuta lo que se afirma en la oración principal, y requieren el modo subjuntivo.

Estas oraciones son también correlativas: así, la interrogativa ¿para *qué* vienes? puede contestarse diciendo: vengo *para que* me dejes el caballo.

En ellas empleamos los modos conjuntivos *a que, para que, a fin de que,* y la conjunción compuesta *porque;* algunas veces también se emplea sólo *que* o *como;* por ejemplo: Ya sé *a qué* vienes; digo esto *porque* sepas que te he entendido; gritó al mozo *que* ensillase las caballerías; te daré lugar y tiempo *como* a solas te entiendas con él.

623. Las **oraciones sustantivas que hacen oficio de complemento circunstancial** llevan la preposición que corresponde a la clase de complemento circunstancial a que equivalen dichas oraciones; por ejemplo: Lo conocí *en que* llevaba el mismo traje; se fue *sin que* nadie lo advirtiera; estoy muy contenta *de que* hayas venido; huyó, *porque* no tenía armas para defenderse.

Estas oraciones, por equivaler a un complemento circunstancial, son verdaderas oraciones *sustantivas adverbiales.*

624. Las **oraciones sustantivas que hacen oficio de complemento de un nombre** llevan la preposición *de;* por ejemplo: *El temor de* que fuera descubierto, lo contuvo; donde la oración *de que fuera descubierto* es un genitivo complemento de *temor. Seguro de* que lo conocía por tan manso. *Temeroso de* que no se lo darían.

Ejercicios de Aplicación

226. *Copiar las oraciones sustantivas de los siguientes periodos, indicando a qué clase pertenecen.*

Creeríase que Claudio todo lo sabe. • No sabía que Fernando hubiese escrito a su hermano. • No ignoro a qué vienes. • Es muy digno y justo que demos gracias a Dios. • Conviene que te vayas pronto. • Dime con quién andas y te diré quién eres. • Temo que no lleguemos a tiempo. • Quemé la carta porque no la leyese alguno. • Es necesario que estudiéis mucho. • Vengo a que me enteres de lo sucedido. • Supe que Paco había llegado. • Dicen que no ha pasado el correo. • Estoy seguro de que llegaremos a un acuerdo. • Lo arrestaron para que respondiese de la acusación que sobre él pesaba. • Lo hizo sin que nadie lo notara. • Tú olvidaste que a los sesenta años uno ya no es joven. • Preferimos que tú personalmente vengas. • No pensaba que fuesen parientes.

227. *Analizar las oraciones sustantivas de los siguientes periodos.*

Recuerdo que hablaron de Ud. • La razón nos dice que hay orden en el Universo. • Que cada uno de nosotros tiene una sola personalidad, podemos probarlo por la percepción de un objeto, por el juicio y por el raciocinio. • Creo que esta tarde lloverá. • Todos sabemos que ninguno entra en el reino de los cielos sin antes hacer penitencia. • Esta mañana he visto que Felipe reía a carcajadas. • Me parece que Carlos se burla de Andrés. • Apenas ayer noté que Julio es un buen músico. • San Luis quería que la justicia reinase entre sus súbditos.

228. *Reemplazar los puntos suspensivos por una oración sustantiva que haga oficio de complemento directo.*

Mi padre quiere *que...* • Para excusarse, el alumno dijo al maestro *que...* • Viendo volar una gaviota, Cristobal Colón comprendió *que...* • Colón señaló a los reyes de España *que...* • El hijo titulado dijo *que...* • El padre del hijo pródigo ordenó *que ...* • El cuervo de la fábula aprendió, a expensas suyas, *que...* • Al ver aquel hermoso caballo, Juanito creyó *que...* • Hidalgo al ver la pobreza del pueblo, ordenó *que...* • Octavio Paz dijo al recibir el premio Nobel de Literatura, *que...* • Como recuerdo de la batalla de San Quintín, mandó Felipe II *que...* • Cortés dijo a la Malintzin *que...* • Moctezuma se presentó delante de Cortés y le pidió *que...*

No anheles impaciente el bien futuro,
Mira *que...*

SAMANIEGO.

Tierra *(fragmento)*

Tierra, yo no te canto con la voz bullanguera
del que escucha en los campos junto a la sementera
arrullos de palomas en el atardecer.
Yo no tengo horizontes de verdes pastizales,
yo no tengo la linfa de frescos manantiales;
yo te maldigo, tierra que me vistes nacer.

Y no te extrañe, tierra, que mi voz te maldiga
por ponerme en el centro de la ciudad enemiga
en la que tantas lágrimas vertió mi corazón;

porque tú me robastes los momentos felices,
porque tú me teñistes con nublados y grises
el cielo transparente que soñó mi ilusión...

Yo, tierra, quise viento para llenar mi pecho;
quise ver en el bosque las aves al acecho
de la oruga y el grano con que hacemos el pan

y tú me diste el humo de la ruidosa usina
y el fragor incesante del timbre y la bocina
y el chirrido de frenos, como voz de Satán.

BERNARDO LÓPEZ REYES. MÉXICO.

LECCIÓN **59**

Oraciones Subordinadas Adverbiales

625. **Oraciones adverbiales** son las subordinadas que determinan o modifican el verbo de la principal como puede hacerlo un adverbio o locución equivalente: son las que ya conocemos con el nombre de *adverbios-oración.*

Hay, pues, tantas clases de subordinadas adverbiales cuantas son las clases de adverbios por su significación. Todas son correlativas, y se relacionan con la oración principal por medio de conjunciones relativas que corresponden a un adverbio demostrativo expreso o tácito en aquélla.

626. Las **oraciones adverbiales de lugar** se unen a la principal por el adverbio correlativo *donde,* y se refieren a un nombre o adverbio de lugar expreso o tácito.

Constituyen un caso particular de las oraciones adjetivas, y se confunden con éstas cuando el antecedente es un nombre de lugar; por ejemplo: Ésta es la *quinta en que* lo vi *(adjetiva);* ésta es la *quinta donde* lo vi *(adverbial).*

627. Cuando el antecedente es un adverbio de lugar, estas oraciones responden indirectamente a las interrogaciones *¿dónde?, ¿de dónde?, ¿adónde?, ¿por dónde?, ¿hacia dónde?, ¿hasta dónde?;* por ejemplo: *Aquí (allí, allá,* etc.), fue *donde* nos vimos; *de aquí (de allí,* etc.), fue *de donde* salió; *allí* es *adonde* se dirige; *por ahí* es por *donde* se pasa; *allá* fue *hacia donde* encaminó sus pasos.

El adverbio *donde* puede llevar implícito el antecedente. Así, cuando decimos: *Adonde* las dan, las toman; callamos el antecedente *allí, en el sitio,* etc.

628. Las **oraciones adverbiales temporales** indican el tiempo en que se verificó lo significado en la principal, y corresponden a un adverbio de tiempo.

Los relativos empleados como conjunciones temporales son *cuando, cuanto, como* y *que;* los tres primeros llevan generalmente suprimido el antecedente; el último lo lleva ordinariamente expreso; por ejemplo: Iré *cuando* mis ocupaciones me lo permitan; y con el antecedente expreso: *Entonces* es la caza más gustosa, *cuando* se hace a costa ajena. El juego duró *tanto cuanto* (o simplemente *cuanto*) tú quisiste; es decir, todo el tiempo que tú quisiste. *Como* vieron que nos acercábamos huyeron todos. Llegamos al tiempo *que* amanecía. No salgas *hasta que* yo te avise.

629. Las **oraciones adverbiales de modo** corresponden a los adverbios de modo; responden indirectamente a la pregunta *¿Cómo?*, y se unen a la principal mediante el relativo *como* o la locución *según que*; con aquél puede omitirse el antecedente, y con éste el relativo; por ejemplo: "Sean mis imitadores, *así como* (o simplemente *como*) yo lo soy de Cristo". *Según que* recogemos la aceituna, extraemos el aceite; y omitiendo el relativo: *Según* recogemos la aceituna, etc.

630. **Oraciones comparativas** son las que sirven para comparar en cualquier línea dos conceptos cualesquiera. La comparación puede ser en *calidad* o *modo,* y en *cantidad* o *intensidad.*

631. Las *comparativas de modo* se relacionan con su principal mediante el adverbio conjuntivo *como,* y también por el relativo *cual.* El primero suele llevar como antecedentes los demostrativos *así, bien así, tal*; el segundo *tal* o *así*; por ejemplo: Así salta desde el suelo sobre una barrica, *como* si fuera un gato. Me ha traído a que me veas *tal* cual me ves.

632. La elipsis del antecedente es muy ordinaria: No obres *como* Juan (*así como* Juan). También hay a menudo elipsis del verbo, sobre todo, cuando es el mismo en la principal y en la subordinada: Así por esto, *como* por las persuasiones del ventero, le dejaron de tirar. La hermosura que tengo, *tal cual es,* el cielo me la dio; equivale a: la tal hermosura que tengo, *cual la tengo,* el cielo me la dio.

Como puede llevar antepuesto **así,** y **así** puede reforzarse con **también;** por ejemplo: *Así como* el frío congela el agua, *así también* la falta de piedad seca el alma.

633. Las *comparativas de cantidad* pueden serlo de igualdad o de desigualdad en mayor o menor grado.

634. La *igualdad* que expresan estas oraciones puede referirse a la *cualidad* o a la *cantidad.*

En el primer caso empleamos el correlativo *cual* con su antecedente *tal*; y en el segundo *cuanto* con su antecedene *tanto*; por ejemplo: No podían las obras ser *tales cuales* pedía la necesidad; *tanto vales, cuanto* tienes; nuestro ruin natural es *tan* aborrecedor de las obligaciones *cuanto* inclinado al interés.

A veces, se calla el antecedente, y el verbo también deja de repertirse cuando es el mismo en ambas oraciones; por ejemplo: No quieras saber *cuanto* he sufrido, es decir, *tanto cuanto.* *Cual* el padre, *tal* era el hijo.

635. *Tanto* y *cuanto, tal* y *cual* conservan su valor de adjetivos cuando las palabras que se comparan son sustantivos; por ejemplo: Este procedimiento ofrece *tantos* inconvenientes, *cuantas* ventajas tiene aquél; los discursos fueron tales *cuales* se puede pensar.

636. En vez de *cual* y *cuanto* puede emplearse también el adverbio *como*; por ejemplo: Deseo *tantos* tinteros *como* pupitres; para triunfar no hay *tal como* dividir; *tanto* es lo más *como* lo de menos.

637. Las locuciones *igual… que, lo mismo que,* sirven también para enlazar compararativas de igualdad; por ejemplo: Todo lo hacían con *igual* prontitud *que* desinterés; trataba a los ricos *lo mismo que* a los pobres.

638. Las *comparativas de desigualdad* se unen mediante la conjunción relativa *que,* la cual se refiere a los adverbios *más* o *menos* de la oración principal que siempre le preceden; por ejemplo: Este método ofrece *más* inconvenientes *que* ventajas. Ayer te di *menos* libros *que* cuadernos.

639. Observaciones:

1o. Los adjetivos *grande, pequeño, bueno,* y *malo* tienen las formas comparativas *mayor, menor, mejor* y *peor;* por eso decimos, por ejemplo: España es *mayor que* Portugal y *menor que* Francia; el trigo es *mejor que* el centeno.

2o. Cuando *mejor* y *peor* modifican a un verbo equivalen a *más bien* y *más mal;* por ejemplo: Está *mejor que* antes; habla *peor que* escribe.

3o. A veces, para hacer resaltar más la comparación, se pone la negación *no* después del *que;* por ejemplo: Más vale la virtud *que no* la ciencia.

4o. Los adjetivos *diferente, distinto, diverso,* etc., y sus adverbios, lo mismo que el adjetivo *otro,* pueden a veces llevar una comparativa de desigualdad; por ejemplo: Sucede de *distinta* manera *que* antes. Es preciso dirigirse *diferentemente* a las personas de autoridad *que* a los iguales. No hacían *otra cosa que* estorbar.

640. Para expresar la comparación en grado superlativo, empleamos el artículo determinado antes del comparativo *más* o *menos,* y la preposición *de* en vez de *que;* por ejemplo: Lope de Vega fue *el* más fecundo *de* los clásicos.

Ejercicios de Aplicación

229• *Copiar las oraciones adverbiales de los siguientes periodos, indicando su naturaleza.*

Un hospital es un edificio en donde se cuida a los enfermos. • Estudiarán hasta que yo regrese. • Tendré el gusto de enseñarles la casa donde nací. • No actúen como él. • El verano empieza cuando acaba la primavera. • No hay virtudes privadas donde no puede haber dignidad pública. • La partida duró tanto cuanto quisimos. • Comemos según que dan las doce. • Llegaron al tiempo que salíamos de cátedral. • La he traído para que la vean tal cual está. • Se te pagará según trabajes. • Así como el alimento sostiene la vida del cuerpo, así también la oración conserva la vida de la gracia. • La tabaquera es una caja donde se pone tabaco. • Las frutas se recogen cuando han madurado. • El trigo vale más que el maíz. • Te acompañaremos hasta donde quieras y cuando gustes. • Volveré cuando termine mis asuntos. • Aún no eran las ocho cuando llegamos al lugar • Cicerón fue el más elocuente de los oradores romanos.

230• *Reemplazar los puntos suspensivos por una oración adverbial indicando su naturaleza.*

Noé salió de la arca *cuando…* • Aquí fue *donde…* • Apenas lo vi *cuando…* • Nos ocultamos *como…* • De aquí no me levantaré *hasta que…* • Aquella es la casa *adonde…* Todo estaba apercibido *para cuando*... • Hazlo *como*... • Tales obras hacía, *cuales*... • Cuantos fueron sus años, *tantos*... • Antonio tenía tantas ovejas *como*... • Hablas *mejor que*... • Más vale ayunar *que*... • No bien salimos *cuando*... • Te conocí *así como*... • No se pierde nada, *mientras*... • Cobraremos *según que*... • Pedirnos eso, es *como*... • El hábito del Carmen que llevaba convenía a la rica *lo mismo que*... • No quisiera saber *cuanto*...

Cuando en las obras del...
No encuentra...,
Contra la persona cargos
Suele hacer el necio.

IRIARTE.

231 • *Analizar las oraciones de los tres primeros periodos del ejercicio 229.*

El Amor Indeciso

Un amor indeciso se ha acercado a mi puerta...
Y no pasa; y se queda frente a la puerta abierta.

Yo le digo al amor: —¿Qué le trae a mi casa?
Y el amor no responde, no saluda, no pasa...

Es un amor pequeño que perdió su camino:
Venía ya la noche... Y con la noche vino.

¡Qué amor tan pequeñito para andar por la sombra!...
¿Qué palabra no dice, qué nombre no me nombra?...

¿Qué deja ir o espera? ¿Qué paisaje apretado
se le quedó en el fondo de los ojos cerrados?

Este amor nada dice... Este amor nada sabe:
Es del color del viento, de la huella de un ave

deja en el viento... —Amor semi-despierto, tienes
los ojos nublinosos aún de Lázaro... Vienes

de una sombra a otra sombra con los pasos trocados
de los ebrios, los locos... ¡Y los resucitados!

Extraño amor sin rumbo que me gana y me pierde,
que huele a naranjas y que las rosas muerde...

Que todo lo confunde, lo deja... ¡Y no lo deja!
Que esconde estrellas nuevas en la ceniza vieja...

Y no sabe morir ni vivir: Y no lo sabe
que el mañana es tan sólo el hoy muerto... El cadáver

futuro de este hoy claro, de esta hora cierta...

Un amor indeciso se ha dormido a mi puerta...

DULCE MARÍA LOYNAZ. CUBA.

LECCIÓN 60

Oraciones Subordinadas Adverbiales *(Continuación)*

641. Las *oraciones adverbiales* se llaman **causales** cuando expresan la causa, razón o motivo de un hecho en el hecho enunciado por la principal.

Estas causales se distinguen de las coordinadas en la mayor conexión que presentan; llevan indicativo, excepto con *por miedo que*, que siempre exige subjuntivo, y *toda vez que*, cuando se trata de lo futuro; por ejemplo: Mira lo que dices *porque sin duda andas equivocado* (coordinada causal). Por eso, como *porque faltan algunos*, ya no iremos (subordinada causal). Di gracias al cielo, *ya que lo derribó en tierra*, no salió con alguna costilla quebrada.

642. El **periodo condicional** consta de dos oraciones relacionadas mediante la conjunción *si*. La que expresa la condición es la subordinada, y se llama *prótasis*; y la que expresa la consecuencia es la principal, y se denomina *apódosis*; por ejemplo: Si vienes conmigo (prótasis), te daré un libro (apódosis).

643. La relación entre las dos oraciones puede concebirla el entendimiento como necesaria, imposible o contingente.

644. Como *necesaria* cuando puesto el antecedente o condición, se afirma el consiguiente o condicionado como cierto; en este caso se emplea siempre en la prótasis el modo indicativo (en presente, pretérito o copretérito), y en la apódosis cualquier tiempo del verbo, salvo el antepretérito de indicativo y los futuros del subjuntivo; por ejemplo: *Si* yo lo *hago, (he hecho, hacía, hice)* también tú lo *haces, has hecho, hacías, habías hecho, harás, habrás hecho, harías, habrías hecho,* lo mismo que yo; y acaso lo *hagas, hayas hecho, hicieras, hicieses o hubieras o hubieses hecho*; todavía más, o *hazlo* tú también.

645. Como *imposible* cuando en la prótasis se expone un hecho cuya realización negamos en la forma de exponerlo, afirmando implícitamente que no es posible la consecuencia; si la condición se refiere al presente o al futuro empleamos en la prótasis el pretérito de subjuntivo, y en la apódosis la forma en *-ra* del mismo tiempo o el psopretérito; por ejemplo: *Si* yo lo *hiciera o hiciese,* también lo *hicieras o harías* tú. Pero si la condición se refiere al pasado, empleamos en la prótasis el antepretérito de subjuntivo; y en la apódosis la forma en *-ra* del antepretérito del subjuntivo o el pospretérito o antepospretérito; por ejemplo: *Si yo lo hubiera o hubiese hecho,* también tu lo *hubieras o habrías hecho* o lo *harías* tú también.

646. Como *contingente* cuando en la prótasis se expresa un hecho cuya realización ni se afirma ni se niega, y por lo tanto la apódosis se expone como contingente o conjetural; en la prótasis se emplea el futuro de subjuntivo y en la apódosis el presente o futuro de indicativo, una oración exhortativa o el pospretérito de indicativo; por ejemplo: *Si* así lo *hiciere,* Dios se lo *premie; si* para fin de curso no *hubiere cumplido,* le *apremias, aprémiale* o le *apremiarás;* no *sería* yo digno de mis antepasados, *si* no *supiere* vencer o morir.

647. Los vocablos *como* y *cuando* con subjuntivo, y las locuciones *con tal que, con sólo que, con que, siempre que* y otras, se emplean también con valor de conjunción condicional; por ejemplo: *Como* ellas no fueran tantas, fueran más estimadas. Y *cuando* todo esto falte, tu misma conciencia no ha de faltar de dar voces callando. Yo te perdono *con que* te enmiendes. Te complaceré, *con tal que* sepas la lección.

648. **Oraciones concesivas** son las *subordinadas adverbiales* en las que se expone una contrariedad real o posible a lo afirmado en la principal, pero denotando al mismo tiempo que dicha contrariedad, aun concedida, no invalida lo afirmado en aquélla; por ejemplo: *Aunque nieva, voy; aunque nieve, iré.*

649. Estas oraciones llevan las conjunciones *si* y *que,* reforzadas generalmente con otros vocablos, resultando, *así, así bien, siquiera, aunque, más que, por más que, bien que, mal que,* y alguna más; por ejemplo: No sube, *así* lo maten; a mí me hizo llorar, *que* no suelo ser llorón; por *más que* te empeñes, no lo conseguirás; ya lo harás, *mal que* te pese.

Ejercicios de Aplicación

232 • *Distinguir las diferentes clases de oraciones adverbiales contenidas en los siguientes periodos. En los periodos condicionales se dirá cuál es la prótasis y cuál la apódosis.*

Estuve enfermo mientras viví en Tampico. • Seríamos más indulgentes por los defectos del prójimo, si conociésemos los nuestros. • Lo haré por más que me cueste. • Ya que así lo ha querido mi suerte, me conformo. • Si todas estas señas no bastan para acreditar mi verdad, aquí está mi espada. • Por más que ponía las piernas al caballo, menos lo podía mover. • Iré de paseo cuando termine esta carta. • Di lo que quisieres, como lo digas presto. • Iré, aunque llueva a cántaros. • Eso es cierto, como que yo lo vi. • ¡Qué alborozo siento aunque llorar me vean! • Como haya muchas truchuelas, podrán servir de alguna trucha. • ¿Qué lengua, aunque sea de los mismos santos, podrá explicar la gloria que ellos poseen? • Si acaso viniere a verte, cuando estés en tu ínsula, alguno de tus parientes, no le deseches ni le afrentes. • Cuando yo quisiera olvidarme de los garrotazos que me han dado, no lo consentirán las huellas, que aún están frescas en las costillas.

233 • *Analizar las oraciones de los tres últimos periodos del ejercicio anterior.*

Las Formas Nominales del Verbo

650. Las **formas nominales del verbo** son: el *infinitivo*, el *gerundio* y el *participio*, que hemos llamado *nombres verbales* o *verboides*.

651. Considerado el **infinitivo como nombre**, desempeña en la oración los mismos oficios que éste, pudiendo ser:

a) Sujeto: *el saber* no ocupa lugar.

b) Predicado nominal: ayudar a quien lo necesita, es amar.

c) Complemento de un sustantivo: es hora *de marchar*; tienes un libro *sin encuadernar*.

d) Complemento de un adjetivo: digno *de imitar*; fácil *de recoger*; bueno *para vender*.

e) Complemento de un verbo, pudiendo ser aquél directo, indirecto y circunstancial: Deseo *saber*; estudio *para saber*; "*del* mucho *leer* y *del* poco *dormir* se le secó el cerebro".

652. Y como el nombre, admite:

1o. Artículo y demostrativos: *el* querer, *este* desentenderse de todo, *aquel* trabajar sin descanso.

2o. Preposiciones: *a* callar, *para* comer, *sin* tardar, *por* saberlas, *del* poco dormir.

3o. Complemento con preposición: ir *al campo*, el murmurar *de las fuentes*, estar *en casa*.

653. Considerado el **infinitivo como verbo**, puede tener, como éste, sujeto y complementos.

Sólo se distingue del verbo en no llevar *expreso* el sujeto, como lo lleva, por ejemplo, *tienes* en la *s*: por eso no puede ser predicado, oficio propio y exclusivo del verbo; pero siempre lo lleva *implícito*; en *quieres molestarme*, claro está que se sobreentiende *tú*, y se sobreentiende que acaba de enunciarse en otro verbo de la oración.

654. El infinitivo, como verbo, puede llevar complemento directo; por ejemplo: El joven tardó mucho tiempo en abrir la puerta; indirecto; por ejemplo: Luis prometió mandar*me* las cartas, y circunstancial;

por ejemplo: Luis prometió visitarme *mañana*. Puede asimismo ser modificado por adverbios; por ejemplo: venir *pronto*; levantarse *temprano*.

655. Cuando el infinitivo es sujeto, forma **oraciones sustantivas de sujeto** con artículo o sin él; por ejemplo: *el decir esto y el marcharse* fue todo uno; acontece *tener un padre un hijo inteligente*; es menester *esperar* la segunda parte.

656. El **infinitivo como complemento directo** puede introducir una **oración sustantiva** de la misma denominación; por ejemplo: no pensaba *dejar* persona viva en el castillo.

657. Observaciones:

1o. Con los verbos que expresan percepción y actos de voluntad se construye el infinitivo sin preposición, y equivale a una **oración sustantiva explicativa**; por ejemplo: te veo *venir*, equivale a veo *que tú vienes*; te mando *ir*, equivale a te mando que *vayas*.

2o. Los verbos *deber, dejar, mandar, poder, querer, saber, hacer, soler, osar, prensar*, etc., forman con el infinitivo una especie de conjugación perifrástica, en la cual la idea del infinitivo queda modificada por la de obligación, consentimiento, mandato, posibilidad, voluntad, costumbre, etc., por ejemplo: *Debo partir* sin demora; *dejaron retirar* a los heridos; *quiero estudiar*; *podrías tomar* la delantera.

658. El **infinitivo como complemento indirecto** se construye con las preposiciones *a, para* y *por*, y equivale a una **oración sustantiva final**; por ejemplo: *Lo llevaron* a ver al médico, equivale a *lo llevaron* **a que viese al medico**. *Déme licencia* **para ir a mi pueblo.** *Sus parientes*, **por gozar de la parte de su herencia**, *lo tenían allí*.

Por con un infinitivo complemento de un sustantivo equivale a sin; por ejemplo: la casa está *por* alquilar, es decir, *sin* alquilar, *para ser* alquilada.

659. El **infinitivo como complemento circunstancial** se construye siempre con preposición, y equivale a las siguientes *oraciones adverbiales*:

1o. A una **temporal,** con *a* y el artículo *el*, o con *en* y *hasta*, o con las locuciones *antes de, después de, a punto de*, etc.; por ejemplo: *al llegar*, todos lo saludaron; llegamos un poco *antes de anochecer*.

2o. A una **modal,** con las preposiciones *a, en, con*; por ejemplo: fuimos *a todo correr*; no tardó mucho *en asomar* por la carretera; se contentó *con recibir* una indemnización.

3o. A una **concesiva,** con la preposición *con*; por ejemplo: *con ser rey*, me llama amigo.

4o. A una **causal,** con las preposiciones *por* y *de*; por ejemplo: no lo compré, *por faltarme* dinero; *del poco dormir y del mucho leer* se le secó el cerebro.

5o. A una **condicional,** con las preposiciones *a* y *de*: por ejemplo: *a no ser así*, hubiéramos terminado pronto; *de haberlo sabido*, no hubiéramos venido.

660. El **gerundio** denota la significación del verbo con carácter adverbial; por ejemplo: *No hables* **gritando** y *Lo hizo* **sabiéndolo,** equivalen a *No hables* **a gritos,** y *Lo hizo* **a sabiendas.**

Emilio Marín

661. El gerundio es invariable, lo mismo que el infinitivo, y como éste, puede tener complementos directo, indirecto y circunstancial; por ejemplo: Juan estaba *recogiendo aceitunas*; Juana estaba *escribiendo a sus padres*; ellos estaban *jugando en el patio*.

662. Como el participio y el infinitivo, el gerundio puede usarse en *construcción conjunta y construcción absoluta*. En la primera se refiere a un nombre, sujeto o complemento directo del verbo de la oración principal; por ejemplo: *Estoy escribiendo* desde que llegué; *llegando* a la *plaza, sentí* que venía la ronda; he visto un *aeroplano volando*. En la construcción absoluta se refiere a un nombre que no forma parte de la oración principal; por ejemplo: *guiando* mi hermano, nos encaminamos por el monte.

663. El gerundio conjunto puede equivaler a una oración **adjetiva explicativa**; por ejemplo: He visto un aeroplano *volando*, equivale a que *volaba*.

Además, como el absoluto, puede ser equivalente:

1o. A una **temporal**; por ejemplo: *Arando* un labrador, se encontró un tesoro = *Cuando araba* un labrador, etc. *Habiendo esperado* ya una hora, me marché.

El gerundio con *en* indica anterioridad respecto al verbo principal. por ejemplo: *En llegando* yo lo dejaron marchar.

Es notable el modismo castellano tan castizo, que consiste en poner tras el gerundio precedido de *en* el relativo *que* y luego el verbo, con la significación de *en seguida*, por ejemplo; *En poniendo que puso* los pies en el umbral; *en viendo que me veían*, bajaban la cabeza.

2o. A una **modal**; por ejemplo: *Tirando* su hija al rucio, se fueron a su casa; venían *galopando*.

3o. A una **causal**; por ejemplo: *Siendo* él tan buen estudiante y *habiendo aprobado* ya varios cursos, no hay duda de que terminará la carrera. Donde los gerundios *siendo* y *habiendo aprobado* equivalen a *por ser* y *por haber aprobado*.

4o. A una **condicional**; por ejemplo: Pensamos, *favoreciéndonos* el tiempo, acabar para Navidad; mañana, *siendo* Dios servido, firmaremos el contrato.

5o. A una **concesiva**; por ejemplo: ¿Cómo puede ser eso que dices, *estando* él tan enfermo?

664. El **participio** tiene formas distintas para concertar con el nombre a que se refiere; y puede desempeñar en la oración los oficios siguientes:

a) Predicado, con el verbo *ser* u otros intransitivos; por ejemplo: Luis es *apreciado*; Luisa estará bien *acompañada*; Luis y Antonio llegaron *cansados*.

b) Complemento predicativo del complemento directo de un verbo transitivo o reflexivo; por ejemplo: *La* tengo *obligada*; me queda muy *agradecido*.

c) Atributo de un sustantivo; por ejemplo: Recojo las hojas *caídas*.

Como puede verse en los ejemplos anteriores, el participio pasivo denota que la significación del verbo, o ha recaído ya en el objeto designado por el nombre con que concierta, o que recae en el tiempo indicado por el verbo con que se construye.

665. Cuando es complemento de un nombre, el participio conjunto siempre puede resolverse en una oración de relativo cuyo sujeto sea el sustantivo con que concierta; por ejemplo: *Las ilusiones* **perdidas** *son hojas* **desprendidas** *del árbol del corazón*, equivale a: *Las ilusiones* **que se han perdido** *son hojas* **que se han desprendido** *del árbol del corazón*.

666. El participio absoluto equivale a una oración adverbial, que puede ser:

1o. Temporal; por ejemplo: *Concluida la lección* (una vez que *esté concluida*), saldremos de paseo; *llegada la hora* (una vez que *llegó la hora*), salió para la estación.

2o. Modal; por ejemplo: Vimos varias estatuas de piedra, *los pies descalzos y los brazos desnudos* hasta los hombros.

3o. Concesiva, cuando lleva la locución *si bien*; por ejemplo: Quizá sean éstos, *si bien arreglados* antes de presentarlos.

667. El **participio de presente** o **activo** cuando conserva el valor de tal puede tener los mismos complementos que su verbo; por ejemplo: *Obedecer a los padres y obediente a los padres; condesciende con su hermano y condescendiente con su hermano;* pero no cuando se hace adjetivo; por ejemplo: *ama a Dios y amante de Dios; complace a su amigo y complaciente con su amigo*.

Estos participios se convierten en adjetivos al construirlos como predicados con el verbo ser; por ejemplo: Luis es *obediente*; Luisa es *amante*; y una vez hechos adjetivos, algunos han pasado a sustantivos, como *estudiante, escribiente, presidente, dependiente, sirviente, teniente*, etc.

Ejercicios de Aplicación

234 • *Subrayar las oraciones de infinitivo de los periodos siguientes, indicando a qué clase pertenecen.*

Ante una injusticia es preciso tener mucha paciencia. • Te oigo cantar todas las mañanas. • Pretendo acabar pronto. • El alumno desea aprobar el curso. • Los operarios regresaron sin terminar el trabajo. • Me dieron licencia para ausentarme por unos días. • Lo llevaron a ver a un especialista. • No lo hice por faltarme tiempo. • A no ser así, no terminaríamos nunca. • De escribir, hazlo pronto. • El decir gracias y escribir donaires es de grandes ingenios. • En esto llegaba ya la noche, y al cerrar de ella llegó a la venta un coche.

¡Gran cosa! Ganar crédito sin ciencia,
Y perderle en llegando a la experiencia.

IRIARTE.

235 • *Íd. las oraciones de gerundio y participio.*

Practicando buenas obras, te granjearás el aprecio de la sociedad. • Deshecha la muralla, fue asaltada por los soldados. • Fue Jacob a la tierra de Mesopotamia huyendo de la ira de su hermano. • Amante de la gloria, el soldado se convierte en héroe. • ¿Cómo te avisaremos viviendo tan lejos? • Notificada al reo su perdón, fue liberado. • Las tropas haciéndose fuertes en un combate, tuvieron pronto que rendirse.

Emilio Marín

Mirad... cruzando —la mar vecina
Como las auras —de abril, ligera
Cantando vuelve —la golondrina,
Cantando vuelve —la primavera.

R. DEL VALLE RUIZ.

236• *Escribir separadamente las oraciones del trozo siguiente, indicando su especie por la naturaleza del verbo.*

Inventario *(fragmento)*

Creo que muchos lo saben. Hace veinticinco años declaré mi guerra a la gramática. Bueno, digamos, a la enseñanza de la gramática. Porque no sirve para nada. Cuando mucho, para crear profesores que a su vez generarán nuevos profesores de gramática. Y que seguirán atormentando con su enseñanza a las criaturas indefensas.

¿Ustedes saben lo que es el pluscuamperfecto? Personalmente lo ignoro, porque nunca lo supe ni me hace falta saberlo todavía. (Y a la mejor yo lo he usado, al hablar o al escribir, sin darme cuenta: perdóname pluscuamperfecto, me serví de tu función verbal, sin saber cómo te llamabas).

¿Se han dado cuenta ustedes de cómo los niños aprenden a hablar? Chocolate por la noticia, como dice Borges. Pues aprenden hablando, como a caminar, caminando... Porque nos oyen hablar y se dan cuenta de que nos entendemos (o cuando menos fingimos entendernos), comienzan a usar el lenguaje, a veces con facilidad sorprendente, a pesar de todo ese complejo sistema de conjugaciones y los tiempos, a veces tan por completo pasados de moda...

En vez de toda esa nomenclatura inútil de verbo, y adverbio, de sujeto y complemento, de caso y género, de tripo y sinonimia, de sindéresis, solecismo, anacoluto y gerundio, yo quisiera que se les ayudara a escribir ¡no tan sólo a dibujar las letras!

¡Por favor, enseñemos a los niños a escribir sin que se den cuenta, tal y como los enseñamos a hablar! Y si quieren saber un día cómo se llaman las palabras, y qué nombre les damos a todos los disparates y aciertos del lenguaje allá ellos... Que los busquen en los libros ya para entonces debidamente empolvados... Y que se diviertan a costa de nosotros, los profesores de gramática parda... *"Yo, tú y él también, como todos vosotros somos los inocentes culpables: no sabemos conjugar vida y verdad".*

JUAN JOSÉ ARREOLA. MÉXICO.

Cuadro Sinóptico de las Oraciones

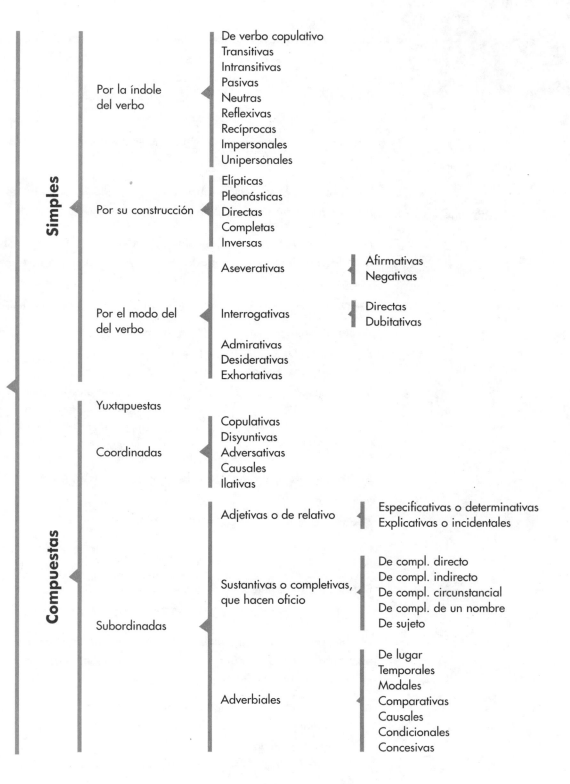

LAS ORACIONES PUEDEN SER:

Simples

Por la índole del verbo
- De verbo copulativo
- Transitivas
- Intransitivas
- Pasivas
- Neutras
- Reflexivas
- Recíprocas
- Impersonales
- Unipersonales

Por su construcción
- Elípticas
- Pleonásticas
- Directas
- Completas
- Inversas

Por el modo del del verbo
- Aseverativas
  - Afirmativas
  - Negativas
- Interrogativas
  - Directas
  - Dubitativas
- Admirativas
- Desiderativas
- Exhortativas

Compuestas

Yuxtapuestas

Coordinadas
- Copulativas
- Disyuntivas
- Adversativas
- Causales
- Ilativas

Subordinadas
- Adjetivas o de relativo
  - Especificativas o determinativas
  - Explicativas o incidentales
- Sustantivas o completivas, que hacen oficio
  - De compl. directo
  - De compl. indirecto
  - De compl. circunstancial
  - De compl. de un nombre
  - De sujeto
- Adverbiales
  - De lugar
  - Temporales
  - Modales
  - Comparativas
  - Causales
  - Condicionales
  - Concesivas

LECCIÓN 62

Sintaxis Figurada

668. **Sintaxis figurada** es aquella que, para mayor energía o elegancia de las expresiones permite ciertas licencias contrarias a la *Sintaxis regular*, ya alterando el orden de colocación de las palabras, ya omitiendo unas, ya añadiendo otras, ya quebrantando las reglas de la concordancia.

Estas licencias, autorizadas por el uso, se llaman **figuras de construcción.**

669. Las figuras de construcción son: *hipérbaton, elipsis, pleonasmo, silepsis* y *traslación*.

670. Llamamos **hipérbaton** la inversión del orden natural de las palabras o de las oraciones en el periodo, ateniéndose siempre a determinadas reglas.

1o. Puede principiarse la oración por el *verbo* o *cualquier complemento*.

Orden Directo	**Orden Inverso**
Morelos dio a México su primera Constitución.	Dio Morelos a México. su primera constitución.
	Su primera Constitución a México dio Morelos.
	A México su primera Constitución dio Morelos.

2o. Los *adjetivos* y *adverbios* pueden anteponerse a sus respectivos *nombres* y *verbos*.

Orden Directo	**Orden Inverso**
Padres felices, los que tienen hijos buenos.	Felices padres los que tienen buenos hijos.
El pecador vive siempre intranquilo.	Siempre vive intranquilo el pecador.

671. No siempre es indiferente anteponer o posponer el adjetivo al sustantivo, pues, a veces, cambia con ello la significación de éste, como fácilmente se colige de los siguientes ejemplos:

Pobre hombre.	Hombre *pobre*.
Grande hombre.	Hombre *grande*.
Simple soldado.	Soldado *simple*.
Triste figura.	Figura *triste*.

672. La **elipsis** consiste en omitir en la oración palabras que, si bien completan la construcción gramatical, no hacen falta para que se comprenda el sentido.

Es figura de mucho uso para dar concisión y elegancia al lenguaje; ejemplo: *Yo soy compasivo, tú ingrato. ¡Bienvenido, amigo! Gracias. Buenos días. Hasta luego.*

Es viciosa esta figura cuando dificulta la inteligencia del concepto.

673. El **pleonasmo**, que quiere decir *abundancia,* consiste en emplear palabras que no hacen falta en la oración, ni le añaden belleza, y sólo se emplean para dar más fuerza y colorido a la frase, por ejemplo: Yo *mismo* lo vi; lo toqué *con mis manos*; escribí la carta *de mi propio puño*; es necesario conocernos *a nosotros mismos.*

674. La **silepsis** consiste en dar a determinadas palabras diferente concordancia de la que les corresponde según las reglas gramaticales, por atender a la significación y no a la estructura; por ejemplo: Vuestra Majestad es *justo* (refiriéndose al Rey); Su Santidad está *enfermo* (refiriéndose al Papa); *Nos,* Obispo de Barcelona, *gustosos* acudiremos.

675. Se usa la **traslación** cuando se da a ciertos tiempos de los verbos una significación que comúnmente no tienen; por ejemplo: no *gritar,* no *ir* aprisa; mañana *salgo* para Roma, en vez de no *griten*; no *vayan* aprisa; mañana *saldré para* Roma.

Ejercicios de Aplicación

237· *Deshágase el hipérbaton que llevan los siguientes versos, respetando el lugar que corresponde a los epítetos en cursivas.*

Estos cielos, cual bóveda tendidos
Sobre el *humilde* globo; esa perenne
Fuente de luz que alegra y vivifica
Toda la creación; el numeroso
Ejército de estrellas y luceros
A un *leve* acento de su voz sembrados,
Cual *sutil* polvo en la región etérea;
La luna en torno presidiendo *augusta*
De su alto carro a la *callada* noche;
Esta vega, estos prados, este *hojoso*
Pueblo de *verdes* árboles que mueve
El céfiro con soplo regalado;
Esta, en fin, varia y majestuosa escena
Que de tu Dios la gloria solemniza
A ti te llama y mi amistad alienta.

Jovellanos.

238• *Citar siete frases en que se cometa hipérbaton.*

239• *Íd. en que haya elipsis.*

240• *Escribir siete frases en que se cometa pleonasmo.*

241• *Formar siete oraciones en que haya silepsis.*

242• *Enumérense siete frases en que haya la figura de traslación.*

243• *Indicar la figura de construcción que se ha empleado en los siguientes enunciados, y cómo se expresaría el mismo pensamiento sin emplear tal figura.*

Cae el almirante Alí herido en la frente, y los españoles renuevan el combate con mucha gritería: derriban y destrozan todo cuanto les sirve de estorbo para la victoria; y se apoderan de la capitana enemiga. • Una multitud de gente lo rodeó; parte lo escuchaban atentamente y parte lo aclamaban con delirio. • El hombre valeroso se conoce en el combate; el sabio, en la cólera, y el amigo, en la adversidad. • Por naturaleza, por gracia, por gloria, eres Tú la fuente de todo lo hermoso. • Leyó toda la carta, desde la cruz a la fecha. • La mitad iban vestidos de blanco. • Cada vez que me ausento de casa sucede alguna desgracia. • ¿Ven esa agradable criatura, alta, con bella sonrisa y blanca dentadura?

244• *Mismo ejercicio que el anterior.*

Su propia madre nos lo participó. • Los hombres, animales y plantas fueron creados por Dios. • El año próximo venidero salgo para las Américas. • Una gran bandada de pájaros volaban por los aires. • Roma pide satisfacción al Senado cartaginés; mas éste declara la guerra. • Vos, don Isidoro, sois el alivio de los pobres. • A todo me hallé yo presente: oí las palabras y vi con mis ojos y palpé con mis manos la herida; escuché los llantos de mi señor, que penetraron mis oídos. • Los montes nos ofrecen leña de balde; los árboles, frutas; las viñas, uvas; las huertas, hortalizas; los ríos, peces; los vedados, caza; sombra, las peñas.

Canek *(fragmento)*

La tía Charo y el niño Guy comen junto a la campana de la cocina. La cocina está llena de humo claro. Comen despacio y casi no hablan. Las tazas de caldo y de chocolate despiden un acre y dulce olor sazonado: como de clavo y almendras quemadas. La tía Charo, sin levantar los ojos rezongó:

— De veras eres tonto. Prefieres las verduras a la carne de venado.

Por la ventana uno de los venaditos del corral, un venadito domesticado, miraba la escena con los ojos húmedos. Canek y Exa acariciaban la testuz moza, casi niña del venadito.

La tía Charo insistía:

— De veras que eres un tonto.

ERMILO ABREU GÓMEZ. MÉXICO.

Vicios de Dicción

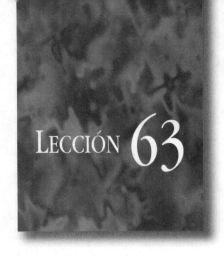

676. Los principales vicios de dicción son: *barbarismo, solecismo, cacofonía, anfibología, monotonía* y *pobreza.*

677. El **barbarismo** consiste en escribir o pronunciar mal las palabras, o en emplear vocablos impropios. Este vicio afecta, pues, a la Analogía, Prosodia y Ortografía.

678. Se comete dicho vicio:

1o. Al escribir, acentuar o pronunciar mal las palabras; por ejemplo: *Heran* las *dose* cuando *bino*. Vimos un *méndigo ha* la puerta de la *frábica.*

2o. Al emplear palabras, locuciones o frases de otros idiomas en vez de las castizas ya existentes. Según el idioma de que se toman llevan el nombre de *latinismos, helenismos, galicismos, anglicismos*, etc., si provienen respectivamente, del *latín, griego, francés, inglés*, etc.; por ejemplo: *implicar* por *abrazar; acaparar* por *monopolizar; finanzas* por *rentas públicas; meeting* por *asamblea.*

3o. Empleando en el lenguaje y estilo moderno voces anticuadas, como *asaz, alegramiento*, etc., lo cual se llama **arcaísmo.**

4o. Atribuyendo a las palabras un significado distinto del verdadero, como decir: *desapercibido* por *inadvertido, reasumir* por *resumir* o *abreviar,* etc.

679. El **solecismo** consiste en faltar a las reglas establecidas acerca del oficio y uso de las distintas partes de la oración. Este vicio afecta a la Sintaxis.

680. Se comete solecismo:

AL DECIR	DEBE DECIRSE
No *me recuerdo.*	No *me acuerdo.* No *lo recuerdo.*
Les vi, y al momento *les* conocí.	*Los* vi, y al momento *los* conocí.
Cuando vi a tu madre *le* saludé y *la entregué tu carta.*	Cuando vi a tu madre saludé y *le* entregué tu carta.
Me han dicho *que de ir.*	Me han dicho que vaya.
Es aquí *que vivo.*	Es aquí *donde* vivo.

Emilio Marín

AL DECIR	**DEBE DECIRSE**
Es así *que* se hace.	Es así *como* se hace.
Fue entonces *que* murió.	Fue entonces *cuando* murió.
Me extraña lo que dices.	*Extraño* lo que dices.
Le remito una caja *conteniendo* naranjas.	Le remito una caja *que contiene* naranjas.
Cuando *venga* a ésa haré una visita.	Cuando *vaya* a ésa te haré una visita.
Voy *a por* el sombrero.	Voy *por* el sombrero.
No pudiste volver en *sí*.	No pudiste volver en *ti*.
Me se han escapado los pájaros.	*Se me* han escapado los pájaros.
Fui *en* Lisboa y volví *con* el tren.	Fui *a* Lisboa y volví *en* el tren.
Llévame tu libro.	*Tráeme* tu libro.
Algunas, a cual más *poderosas*.	Alguna, a cual más *poderosa*.

681. Llamamos **modismos** a ciertas expresiones propias y privativas de la lengua. Cuando en ellas no se observan las leyes de la concordancia y construcción, y, tomadas al pie de la letra, ofrecen un sentido disparatado, se denominan **idiotismos;** tales son: *a la chita callando, a pie juntillas, de vez en cuando, a ojos vistas, uno que otro, a tontas y a locas,* etc.

Refranes, *proverbios* o *adagios* son máximas o sentencias breves, comúnmente recibidas, y, las más veces, morales; por ejemplo: *Al que madruga, Dios le ayuda. Quien mal anda, mal acaba. Ojos que no ven, corazón que no siente. Bien predica quien bien vive.*

682. **Cacofonía** es el mal sonido que resulta del encuentro o frecuente repetición de unas mismas letras o sílabas en una frase, o la reunión de sonidos ásperos desapacibles; por ejemplo: Un gitano de Jerez, con su faja y traje majo; poco me costó este coco seco; dales las lilas a las niñas; ¡los plácemes alientan tanto!

683. **Hiato** es el encuentro de dos palabras de las cuales la primera acaba con la misma letra con que empieza la segunda; por ejemplo: Voy *a* Alejandría a hablar a Alejandro o *a* Aarón; va a Roma, *m*adre del orbe.

684. Llamamos **anfibología** la falta de claridad en la frase; ejemplos: *El perro muerde el gato. Pedro presenta a su hermana a doña Elvira. Se venden calcetines para caballeros de lana.*

685. La **monotonía** y **pobreza**, como su nombre lo indica, es la repetición frecuente de los mismos vocablos; como usar el verbo *ocuparse* para designar toda clase de quehaceres. El verbo *hacer* entra en mil expresiones viciosas como éstas: *hacer furor, hacer ambiente, hacer discursos, hacer saber, hacer dinero,* etc.

686. En el análisis de la construcción debe indicarse: **1o.** las figuras; **2o.** la razón de las mismas; **3o.** los modismos que hubiese.

Ejemplos:

El mes próximo *vienen* mis tíos de América . • Salió de casa *a hurtadillas.* • Ese día *echaremos la casa por la ventana.*

En la primera oración hay una *traslación,* por emplearse el presente *vienen* en vez del futuro *vendrán.*

En la segunda nótase el modismo a *hurtadillas*, que significa *ocultamente*.

La tercera contiene el idiotismo *echar la casa por la ventana*, que equivale a *excederse en gastos*.

Ejercicios de Aplicación

245• *Decir el vicio de dicción que se haya cometido y corregirlo.*

Les sucedió unas cosas muy desagradables. • Explendor. • Balija. • Adjunto a Ud. a la presente unas botellas de vino de Bordeaux. • El perro muerde el gato. • Antidiluviano. • Canongía. • A los que Dios y la naturaleza hizo libres. • Atónito ante ti me postro. • Hilación. • Tengo vivos deseos de ver París y visitar Londres. • Voy donde mi tío. • Manolo lo colocó. • Con tal de que. • Brutus fue preceptor de Nerón. • Gerarquía. • Verruga. • Entre los cuales entablaron una larga plática. • Te se olvidó la balada que debías cantar. • ¡Qué tarda en llegar! • Escavar. • El médico encomienda a su hijo al cirujano. • Es así que se dice. • Bajo este punto de vista no tiene su igual. • Dracón dio a los atenienses unas leyes, cuyas leyes eran muy severas.

246• *Resolver los siguientes ejercicios de la misma manera que los anteriores.*

Bajo este fundamento. • Bajo tal aspecto. • Bajo el punto de vista. • Nos hacemos un deber de tal cosa. • Estrato de jenciana. • Terreno accidentado. • Dentro de un año. • Sonido apreciable. • Pasó desapercibido. • Constatar una cosa. • Debido al mal tiempo se suspendió la fiesta.

En los momentos dados, importa obrar con energía. • Llegó literalmente mojado. • El orador arrancó aplausos. • Es un argumento aplastante. • La carrera le procuró un buen empleo. • El ratero no se apercibió de que lo iban siguiendo. • Apoplegía. • ¡Diga! Venga por aquí. • La crema de nuestra sociedad. • Velladona.

247• *Corregir los galicismos siguientes:*

Hacía maravillas. • ¿Cómo se encuentra Ud.? • Va a venir pronto. • Si jamás me necesitas. • Comida ligera. • ¿Qué quiere decir esto? • Ocuparse de algo. • Está de pie. • Está Ud. en error. • Tener muchas fincas. • Buena recepción. • Otro que él. • De ese modo iré. • Vivir en medio de sabios. • Su nombre de bautismo. • Su nombre de familia. • Va de peor en peor. • Por precio de sus servicios. • En este sentido se puede decir que es feliz. • No sea V. tan susceptible. • Todos dos murieron. • Vale la pena de pensarlo. • Toda vez que la opinión lo reclama. • Ni trazas quedan ya. • Entre gente de buen tono. • Hacerse valer. • Maneras muy distinguidas. • ¿En qué sentido?

248• *Dar la explicación de los siguientes modismos e idiotismos:*

Perder la chaveta. • Echar la soga tras el caldero. • Estar en ascuas. • Caérsele a uno la casa a cuestas. • No cabe en su pellejo. • Portarse como un hombre. • Ser un babieca. • Tenderse a la bartola. • Quedarse en albis. • Ir hecho un adán. • Mi gozo en un pozo. • Dar gato por liebre. • Agacha las orejas. • Asarse vivo. • Entrar a ojos cerrados. • De mala fe. • Ser hombre de palabra. • Tener un rey en el cuerpo. • Echárselas de filósofo. • Estar a obscuras en el asunto.

249• *Complétense los refranes siguientes:*

Dios da el frío.... • Por el hilo... • A palabras necias... • El león no es... • Quien dice lo que quiere... • Al ojo del amo... • Antes que te cases... • Con pan y vino... • Por oír misa y dar cebada... • Quien da presto... • Al cabo de cien años... • No firmes carta que no leas ni... • Los dineros del sacristán... • Más sabe el diablo por viejo... • Quien mal anda... • Camarón que se duerme...

No te Salves

No te quedes inmóvil
al borde del camino
no congeles el júbilo
no quieras con desgana
no te salves ahora
ni nunca

     no te salves
     no te llenes de calma
     no reserves del mundo
     sólo un rincón tranquilo
     no dejes caer los párpados
     pesados como juicios
     no te quedes sin labios
     no te duermas sin sueño
     no te pienses sin sangre
     no te juzgues sin tiempo

pero si
     pese a todo
no puedes evitarlo
y congelas el júbilo
y quieres con desgana
y te salvas ahora
y te llenas de calma
y reservas del mundo
sólo un rincón tranquilo
y dejas caer los párpados
pesados como juicios
y te secas sin labios
y te duermes sin sueño
y te piensas sin sangre
y te juzgas sin tiempo
y te quedas inmóvil
al borde del camino
y te salvas
  entonces
no te quedes conmigo.

MARIO BENEDETTI. URUGUAY.

Análisis Gramatical

687. El **análisis gramatical** comprende:

1o. El examen del valor gramatical de cada palabra, con sus accidentes, o sea, *análisis analógico*.

2o. El estudio de los sonidos y su recta pronunciación, o sea, *análisis prosódico*.

3o. La correcta representación gráfica de las letras y demás signos auxiliares de la escritura, o sea, *análisis ortográfico*.

4o. La distinción y clasificación de las oraciones del periodo, y el estudio de los elementos de cada oración, indicando sus complementos, así como los casos de concordancia y construcción oracional, o sea, *análisis sintáctico*.

688. Ejemplos de análisis sintáctico.

I. Anselmo es cantor.

Este pensamiento está constituido por una oración *simple, de verbo copulativo*, formada por el sujeto o primer nominativo *Anselmo*, el verbo copulativo *es* y el predicado nominal *cantor* o segundo nominativo. Por el modo del verbo la oración es *afirmativa*, y por su construcción, *directa*.

Anselmo es: concordancia de sustantivo y verbo en número singular y en la tercera persona.

Anselmo cantor: concordancia de sustantivo y adjetivo en género masculino y número singular.

II. Luis y Antonio estudian la Gramática.

Es una oración compuesta o periodo copulativo, que equivale a estas dos oraciones coordinadas: *Luis estudia la Gramática y Antonio estudia la Gramática*.

Por la naturaleza del verbo las dos son *transitivas*; por tener el mismo predicado *estudian*, los sujetos *Luis* y *Antonio* se colocan uno a continuación de otro, enlazados por la conjunción *y*; el predicado se pone en plural, concordando con los sujetos en número y persona. El verbo tiene por complemento directo *Gramática*, determinado por *la*, con la que concierta en género femenino y número singular.

Por el modo del verbo el periodo es *afirmativo*, y atendiendo a la construcción, *directo*.

III. Dichoso el hombre que teme al Señor.

Este pensamiento consta de dos oraciones por encerrar dos verbos en modo personal, uno expreso, *teme*, y otro elíptico, *es*. La primera, *dichoso el hombre*, es *principal, elíptica y de verbo copulativo* por tener el verbo *es* sobreentendido. El sujeto es *el hombre*; el predicado nominal, *dichoso*, y *es* la cópula sobreentendida. Es *afirmativa*; y por su construcción, *inversa*, por preceder el predicado al sujeto, cometiéndose *hipérbaton*.

La segunda oración, *que teme al Señor*, es *subordinada, adjetiva, especificativa*, unida por el relativo *que* a su antecedente *hombre*. Es *transitiva, afirmativa y directa*. El sujeto es *que* (el cual); el predicado verbal *teme*, tiene por complemento directo *Señor*.

El hombre =	conc. de sust. y art. en género masc. y núm. sing.
Hombre es =	conc. de suj. y verbo en núm. sing. y en la 3a. pers.
Hombre dichoso =	conc. de sust. y adj. en gén. masc. y núm. sing.
Que teme =	conc. de suj. y verbo en núm. sing. y en la 3a. pers.
El Señor =	conc. de sust. y art. en gén. masc. y núm. sing.

IV. Adoro la mano que me hiere, y beso humilde el dogal inhumano que me ahoga.

Este periodo consta de cuatro oraciones por tener cuatro verbos en modo personal. La primera, *adoro la mano*, es *principal, transitiva, elíptica* por tener sobreentendido el sujeto *yo, afirmativa* por su forma, y *directa* por su construcción; el predicado verbal *adoro* está determinado por el complemento directo *la mano*.

Yo adoro =	conc. de suj. y verbo en núm. sing. y en la 1a. pers.
La mano =	conc. de sust. y art. en gén. femenino y núm. sing.

La 2a. oración *que me hiere* es *subordinada, de relativo, especificativa*; por el verbo es *transitiva*; por la forma, *afirmativa*, y por la construcción, *directa*. El sujeto es *que* (por *mano*); el predicado, *hiere*, está determinado por el complemento directo *me*.

que hiere =	conc. de suj. y verbo en núm. sing. y en la 3a. persona.
que mano =	conc. de relat. con su antecedente en gén. fem. y núm sing.

La tercera, *beso humilde el dogal inhumano* es una oración *principal, transitiva, elíptica*, por tener el sujeto *yo* sobreentendido; por su forma es *afirmativa*; y por su construcción, *directa*. El predicado *beso* está determinado por el complemento circunstancial *humilde*, por humildemente, y por el complemento directo *el dogal inhumano*.

Yo beso =	conc. de suj. y verbo en núm. sing. y en la 1a. pers.
El dogal =	conc. de sust. y art. en gén. masc. y núm. sing.
Dogal inhumano =	conc. de sust. y adj. en gén. masc. y núm. sing.

La cuarta oración, *que me ahoga*, idéntica a la segunda es, como ésta, *de relativo, transitiva, completa y directa*. El sujeto es *que* (por *dogal*); el predicado, *ahoga*, está determinado por el complemento directo *me*.

Que dogal =	conc. de relat. con su antecedente en gén. masc. y núm. sing.
Que ahoga =	conc. de suj. y verbo en núm. sing. y en la 3a. pers.

Las dos últimas oraciones están enlazadas a las dos primeras por la copulativa *y*.

Ejercicios de Aplicación

250• *Analizar sintácticamente las oraciones y periodos siguientes.*

El cielo será la recompensa de los justos. • Seré vencedor o moriré . • Se odia lo que se tiene y se ama lo que no se tiene. • El hombre propone y Dios dispone. • Dime con quién andas y te diré quién eres.

El que desde pequeño respeta la bandera, sabrá defenderla cuando sea mayor.

EDMUNDO DE AMICIS. ITALIA.

La vida es como una flor, ¿cómo esperar que siga dando siempre su perfume?

TAKIRO ONISHI. JAPÓN.

Los hombres grandes, no por tener algún defecto dejan de ser grandes; que si no lo tuvieran, no serían hombres.

FEIJOÓ.

Morir, para quien muere en Jesucristo, es saltar al bajel que conduce a las playas eternas; es dormirse entre los hombres y despertar entre los ángeles.

APARISI GUIJARRO.

Dos cosas no has de hacer nunca;
No ofrecer lo que no sabes
Que has de cumplir, ni jugar
Más de lo que está delante;
Porque si por accidente
Falta, tu opinión no falte.

CALDERÓN DE LA BARCA.

251• *Corríjanse los vicios de dicción.*

Vinieron con el tren de las dos mi madre y abuela. • Junto a la casa existe un jardincito vecino, en extremo cómodo. • A la salida del sol, la tierra muda su aspecto y las cantoras avecillas saludan con armoniosos trinos al astro del día. • El sol vivifica a todo cuanto alumbra, nada puede sustraerse a su salvador influjo. • Lunes iré al campo.

Abre tus ojos y contempla la conducta que observas, alumno perezoso. • ¿Quién es el que da a su sencillo rostro (del niño) esa dulce expresión de candor y felicidad? • Tenía su cabello en desorden, su rostro lívido, sus manos crispadas. • Fue en Cádiz con vapor y de Cádiz a Toledo con el tren. • El cura ha cazado hoy dos grandes ciervos de Dios.

La última noche que hemos pasado cayó la lluvia del cielo con mucha abundancia. • Es tan pretencioso, que va a tomar la revancha. • Se vende un reloj con o sin cadena. • En defecto de pan, buenas son tortas. • La carta está concebida estos términos.

PROFETA MAHOMET.

252• *Sustitúyanse las expresiones siguientes por otras más variadas, con objeto de destruir la monotonía.*

Hacer su deber. • Hacer política. • Hacer saber. • Hacer reír. • Hacer bien. • Hacer discursos. • Hacer furor. • Hacer vida alegre. • Hacer dinero. • Hacer atmósfera. • Hacer país. • Hacer memoria. • Hacer constar. • Hacer relación. • Hacerse ilusiones.

Me ocupo en escribir. • Se ocupa en sus hijos. • Nos ocupamos en política. • Me ocupo en cazar. • Te ocupas en historia. • Se ocupa en las bellezas del Quijote. • Se ocupan en leer a Fr. Luis de Granada.

Tales accidentes tienen lugar con mucha frecuencia. • Tuvo lugar una gran riña. • Al atravesar el puente tuvo lugar una explosión. • Tendrán lugar grandes temporales. • Con frecuencia tienen lugar acontecimientos que nos pasman. • Tuvo lugar a la entrada de la ciudad. • La salida tendrá lugar a las siete.

253• *Analizar sintácticamente las oraciones y periodos siguientes:*

El hombre superior hace la fortuna, conocedor de las circunstancias que se oponen al logro de sus planes, las esquiva o las dirige y las domina.

Mariano José de Larra.

Dicen que el mundo es un jardín ameno,
Y que áspides oculta ese jardín...
Que hay frutos dulces de mortal veneno,
Que el mar del mundo está de escollos lleno...
¿Y por qué estará así?

Julio Alarcón.

254• *Poner en español moderno.*

Escrito de las Leyes de las Siete Partidas (siglo XIII)

Mucho se deven los Reyes guardar de la saña e de la ira, e de la malquerencia, por que éstas son cotra las buenas costumbres. E la guarda que deven tomar en si cotra la saña, es que sean sofridos, de guisa, que non les venga, nin se muevan por ella a facer cosa que les esté o que sea cotra derecho: ca lo que con ella ficiesen desta guisa más semexaría vengança que xusticia. E por ende dixeron los sabios: que la saña embarga el coraçon del home de manera quel non dexa escoger la verdad... E tanto tuvo el rey David por fuerte cosa la saña, que a Dios mesmo dixo en su coraçon: Señor, cuando fueres sañudo non que quieras reprender, seyendo irado castigar. E por esto deve el Rey sofrirse en la saña fasta que le sea pasada: e quando lo ficiere seguirse le ha gran pro, ca podrá escoger la verdad e facer con derecho lo que ficiere. E si desta guisa non lo quisiese facer, caerá en saña de Dios e de los homes.

Alfonso X.

Evaluación sobre la Sintaxis

1o. ¿Cómo se divide la construcción? **2o.** ¿Cuál es preferible? **3o.** ¿Cuáles son las partes de la oración que no tienen concordancia? **4o.** ¿Concuerda en caso el adjetivo? **5o.** ¿Y el pronombre? **6o.**

Explíquese la concordancia del adjetivo en la expresión: El pueblo y las afueras fueron *invadidos* por la muchedumbre. **7o.** ¿Qué caso indica la preposición *a*? **8o.** Dé usted ejemplos. **9o.** ¿Y de? **10o.** Ejemplos. **11o.** ¿Cómo debe decirse: *Dirigiéndose más hacia al Norte* o *más hacia el Norte*? **12o.** ¿Qué les parece la expresión: *Vino Luis y bueno*? **13o.** ¿Y esta otra: *No te se acuerda lo que Elpino cantaba el otro día*? **14o.** ¿Y de estas otras: *El que cayese quedará en prisiones, sin poder alegar excusa alguna. Y el que a mi hermano derribase en tierra. Me ganó por premio de la guerra*? **15o.** ¿Y de ésta: *Don Quijote les agradeció el aviso y el ánimo que mostraban de hacerle merced, y decía que por entonces...*? **16o.** ¿Está bien dicho: *Juan no está con él*? **17o.** ¿Debe decirse: *Juan se ha salido de la Universidad* o *Juan ha salido de la Universidad*?

Un Confesor de Reyes

Un solo rasgo nos pintará muy al vivo a la Reina Isabel como penitente, y como confesor a Talavera. Era costumbre inmemorial de los Reyes de Castilla confesarse arrodillados en un ancho reclinatorio: arrodillábase también el confesor a su lado, y, en esta forma confesaban sus pecados y recibían la absolución. La primera vez que fue Fray Hernando de Talavera a confesar a la Reina, sentóse en un banquillo que había al lado del reclinatorio. La Reina, creyéndolo distracción o ignorancia del ceremonial de costumbre, le dijo:

— Vos. Padre, aquí a mi lado: entrambos hemos de estar de rodillas.

Respondió el nuevo confesor:

— ¡No, señora; sino yo he de estar sentado y V.M. de rodillas; porque éste es el Tribunal de Dios, y V.M. es aquí la pecadora que confiesa sus culpas, y yo el representante de Dios, que va a juzgarlas y perdonarlas!

La Reina obedeció humildemente, y dijo después a su camarera:

— ¡Éste es el confesor que yo buscaba!

L. COLOMA.

LECCIÓN 65

Apendice
de la Composición
La Composición en General

689. **Composición** es un conjunto de oraciones gramaticales que expresan *pensamientos* y *sentimientos* que tienden hacia un *fin común*, que es comunicarse ordinariamente, se propone instruir o agradar, o las dos cosas a la vez.

Según su forma o su objeto la composición se llama: *carta, narración, descripción, discurso, disertación, diálogo, monólogo,* etcétera.

690. Los **pensamientos** se expresan lingüísticamente y comunican los juicios que formamos sobre las personas o sobre las cosas; por ejemplo: *El sol brilla. El tiempo es precioso. El hombre que miente es despreciable.*

Según sean más o menos complicados, los pensamientos se expresan por periodos o por oraciones simples.

691. Los pensamientos deben ser *verdaderos* o *justos, claros* y *convenientes.*

a) Un pensamiento es **verdadero** o **justo,** cuando lo que expresa es conforme con la verdad; en caso contrario, es **falso.** Así: *La tierra se mueve*, es un pensamiento justo, pues así sucede en realidad; *la tierra es inmóvil*, al contrario, sería un pensamiento falso.

b) Un pensamiento es **claro**, cuando se comprende fácilmente; en caso contrario, sería **obscuro** o **confuso.**

c) En fin, un pensamiento es **conveniente** cuando se refiere al asunto de la composición; en caso contraario, sería **ajeno** o **fuera de propósito.**

692. Los **sentimientos** son impresiones agradables o desagradables que los pensamientos hacen nacer en el alma. Tales son: *el amor, el odio, el temor, la alegría, la tristeza, el cariño, el respeto,* etc.

Los sentimientos deben ser *naturales, nobles* y *delicados*. Se expresan por oraciones y periodos, como los pensamientos; otras veces no se expresan distintamente; pero con su influencia, la frase toma una forma y fisonomía que los muestra fácilmente.

693. Al decir que los pensamientos y sentimientos de una composición deben ser **coordinados**, entendemos que deben aparecer como hechos los unos para los otros, suponerse y llamarse mutuamente.

Eso se verifica en una máquina cualquiera, en un reloj, por ejemplo, en el cual se arregla la forma y dimensiones de cada pieza según las de todas las demás, de modo que del conjunto resulte el efecto deseado por el inventor.

694. Los pensamientos y sentimientos de la misma composición deben dirigirse a un fin común, porque sin eso, la composición carecería de *unidad*.

Diversas partes no pueden formar un todo sin un lazo que las una. Ahora bien, la *orientación hacia un mismo fin* es a menudo la sola relación que existe entre las varias partes de una misma composición. De aquí se deduce que, cualquier pensamiento que no tienda al mismo fin que los demás, es extraño al asunto y debe ser rechazado.

Ejercicios de Aplicación

255· *Examinar la composición siguiente y decir:* **1o.** *Los varios pensamientos que encierra;* **2o.** *a qué fin se dirigen todos los pensamientos;* **3o.** *qué sentimientos supone en el que la ha hecho;* **4o.** *qué pensamientos deben infundir en los que la leen.*

Descripción de la Edad de Oro

Dichosa edad y siglos dichosos aquellos a quien los antiguos pusieron nombre de dorados, y no porque en ellos el oro, que en nuestra edad de hierro tanto se estima, se alcanzase en aquella venturosa, sin fatiga alguna, sino porque entonces, los que en ella vivían ignoraban estas dos palabras de **tuyo** y **mío.** Eran, en aquella santa edad, todas las cosas comunes: a nadie le era necesario, para alcanzar su ordinario sustento, tomar otro trabajo que alzar la mano y alcanzarle de las robustas encinas, que liberalmente les estaban convidando con su dulce y sazonado fruto. Las claras fuentes y corrientes ríos, en magnífica abundancia, sabrosas y transparentes aguas les ofrecían. En las quiebras de las peñas y en el hueco de los árboles formaban su república las solícitas y discretas abejas, ofreciendo a cualquiera mano, sin interés alguno, la fértil cosecha de su dulcísimo trabajo. Los valientes alcornoques despedían de sí, sin otro artificio que el de su cortesía, sus anchas y livianas cortezas con que se comenzaron a cubrir las casas, sobre rústicas estacas sustentadas, no más que para defensa de las inclemencias del cielo. Todo era paz entonces, todo amistad, todo concordia: aún no se había atrevido la pesada reja del corvo arado a abrir ni visitar las entrañas piadosas de nuestra primera madre; que ella, sin ser forzada, ofrecía por todas partes, de su fértil y espacioso seno, lo que pudiese hartar, sustentar y deleitar a los hijos que entonces la poseían.

CERVANTES.

Emilio Marín

256• *Como en el ejercicio precedente.*

De la Isla Encantada

Descubrimos luego una selva de árboles de diferentes géneros, tan hermosos que nos suspendieron las almas y alegraron los sentidos; de algunos pendían ramos de rubíes que parecían guindas, o guindas que parecían granos de rubíes; de otros pendían camuesas, cuyas mejillas, la una era de rosa, la otra de finísimo topacio; en aquél se mostraban las peras cuyo olor era de ámbar, y cuyo color de los que se forman en el cielo cuando el sol se traspone; en resolución, todas las frutas de que tenemos noticia estaban allí en su sazón, sin que las diferencias del año las estorbasen, todo allí era primavera, todo verano, todo estío sin pesadumbre y todo otoño agradable, con extremo increíble. Satisfacía todos nuestros cinco sentidos lo que mirábamos: a los ojos, con la belleza y la hermosura; a los oídos con el ruido manso de las fuentes y arroyos y con el son de los infinitos pajarillos, con no aprendidas voces formado, los cuales, saltando de árbol en árbol y de rama en rama, parecía que en aquel distrito tenían cautiva su libertad, y que no querían ni acertaban a cobrarla; al olfato, con el olor que de sí despedían las hierbas, las flores y los frutos; al gusto, con la prueba que hicimos de la suavidad de ellos; al tacto, con tenerlos en las manos, con que nos parecía tener en ellas las perlas del Sur, los diamantes de las Indias y el oro del Tíbar.

CERVANTES.

257• *Trabajar esta lectura como en los dos ejercicios anteriores.*

Armonía del Universo

Este tan admirable concierto con que se mueve y se gobierna tanta y tan variada multitud de criaturas, sin embarazarse unas a otras, antes bien dándose lugar y apoyándose todas entre sí, es otro prodigioso efecto de la infinita sabiduría del Creador, con la cual dispuso todas las cosas en peso, con número y medida: porque, si bien se nota, cualquiera cosa creada tiene su centro en orden al lugar, su duración en el tiempo, y su fin especial en el obrar y en el ser. Por esto verás que están subordinadas unas a otras, conforme al grado de su perfección. De los elementos, que son los ínfimos en la naturaleza, se componen los mixtos, y entre éstos los inferiores sirven a los superiores. Esas hierbas y esas plantas que están en el más bajo grado de la vida, que sólo gozan la vegetación, moviéndose y creciendo hasta un punto fijo de su perfección en el durar y en el crecer, sin poder pasar de allí, éstas sirven de alimentos a los sensibles vivientes que están en el segundo orden de la vida, gozando de la sensible sobre la vegetante, y son los animales de la tierra, los peces del mar y las aves del aire: ellos pacen la hierba, pueblan los árboles, comen sus frutos, anidan en sus ramas, se defienden entre sus troncos, se cubren con sus hojas, y se amparan con su toldo; pero unos y otros, árboles y animales, se reducen a servir a otro tercer grado de vivientes mucho más perfectos y superiores, que, sobre el crecer y el sentir, añaden el raciocinar, el discurrir y el entender, y éste es el hombre, que, finalmente, se ordena y se dirige para Dios, conociéndole, amándole y sirviéndole. De esta suerte, con tan maravillosa disposición y concierto, está todo ordenado, ayúdándose las unas criaturas a las otras para su aumento y conservación. El agua necesita de la tierra que la sustente, la tierra del agua que la fecunde; el agua se aumenta del agua; y del aire se ceba y alienta el fuego.

Todo está así ponderado y acompasado para la unión de las partes; y ellas lo están en orden a la conservación de todo el universo.

B GRACIÁN.

258• *Analizar sintácticamente la lectura siguiente:*

¡Adiós, "Cordera"!

La Cordera, mucho más formal que sus compañeros, verdad es que, relativamente, de edad también mucho más madura, se abstenía de toda comunicación con el mundo civilizado, y miraba de lejos el palo del telégrafo como lo que era para ella efectivamente, como una cosa muerta, inútil, que no le servía siquiera para rascarse. Era una vaca que había vivido mucho. Sentada horas y horas, pues, experta en pastos, sabía aprovechar el tiempo, meditaba más que comía, gozaba del placer de vivir en paz, bajo el cielo gris y tranquilo de su tierra, como quien alimenta el alma, que también tienen los brutos; y si no fuera profanación, podría decirse también que los pensamientos de la vaca matrona, llena de experiencia, debían parecerse todo lo posible a las más sosegadas y doctrinales odas de Horacio (...)

"El Xatu" (el toro), los saltos locos por las praderas adelante..., ¡todo eso estaba tan lejos!

LEOPOLDO ALAS. ESPAÑA.

Trabajo de la Composición

695. El trabajo de toda composición puede reducirse a tres operaciones principales, a saber: la *invención*, la *disposición* y la *elocución*.

696. La **invención** consiste en descubrir, en hallar los *pensamientos* y *afectos* que conviene expresar.

Para lograr esto, se debe reflexionar detenidamente acerca del asunto, procurar comprenderlo bien, examinarlo sucesivamente en los diversos aspectos que puede presentar y anotar las ideas a medida que se presentan al espíritu. Nunca se debe empezar a redactar una composición sin saber antes, casi por completo, cuánto ha de contener y el modo cómo debe terminar. Es decir un plan.

697. Medio excelente para concebir con facilidad los *pensamientos* o *ideas* que han de entrar en una composición es formular de antemano, de una manera precisa, la *conclusión* que se desea sacar y hacerse las preguntas: ¿*por qué*?, ¿*cómo*?, ¿*dónde*?, ¿*cuándo*?, etc., dando a cada una tantas respuestas como sean posibles. Cada una de estas respuestas constituirá un pensamiento.

698. La **disposición** es complemento indispensable de la invención; consiste, como su nombre lo indica, en disponer, en orden conveniente, las ideas que se quieren expresar.

Puede variar este orden según el *asunto* de que se trata, las *circunstancias* en que uno se halla y el *fin* que se propone. Es indispensable considerar estas tres cosas para determinar el orden que conviene adoptar.

699. Hallar las ideas que deben entrar en una composición y expresarlas en orden conveniente, recibe el nombre de **plan**. Este trabajo preliminar es de la mayor importancia.

Ejercicios de Aplicación

259• *Valiéndose de las preguntas ¿por qué?... ¿cómo?... expresar sobre cada uno de los conceptos siguientes, cuatro pensamientos que hagan resaltar el que está entre paréntesis.*

   I. *La rosa* (es agradable).

   II. *Las recompensas* (deben merecerse).

   III. *La Providencia* (debemos confiar en ella).

IV. *Los colores* (son variadísimos en la naturaleza).

V. *La mañana* (es momento agradable).

260• *Expresar cinco pensamientos sobre cada uno de los conceptos siguientes:*

I. *El hombre* (es el rey de la creación).

II. *Las casas* (difieren mucho unas de otras).

III. *Los juegos* (son útiles y agradables a la juventud).

IV. *El orgullo* (se debe huir de él).

V. *El vino* (es útil).

261• *Expresar seis pensamientos sobre cada uno de los conceptos siguientes:*

I. *Los libros* (deben leerse los buenos y rechazarse los malos).

II. *El papel* (es útil).

III. *La lana* (la empleamos para muchos usos).

IV. *La obediencia* (es virtud necesaria a los niños).

V. *La gallina* (es una madre admirable).

262• *Como en el ejercicio anterior, expresando siete pensamientos en vez de seis:*

I. *El trabajo* (es necesario a todos los hombres).

II. *La pereza* (se debe huir de ella).

III. *El perro* (es un animal utilísimo al hombre).

IV. *El buey* (nos presta señalados servicios).

V. *El caballo* (nos procura numerosos beneficios).

263• *Como en el ejercicio anterior:*

I. *La mentira* (es un vicio detestable).

II. *La instrucción* (deben hacerse esfuerzos para lograrla).

III. *El atolondramiento* (se debe combatir).

IV. *La paciencia* (es necesaria en todos los estados).

V. *Nuestros vestidos* (han exigido mucho trabajo).

264• *Como en el ejercicio anterior, pero, en vez de enunciar siete pensamientos, enunciar ocho:*

I. *Las frutas* (juntan lo útil con lo agradable).

II. *Las riquezas* (no se deben buscar ansiosamente).

III. *El pan* (antes de servirnos de alimento exige muchas labores).

IV. *La noche* (es un tiempo de descanso para la naturaleza).

265• *Como en el ejercicio anterior:*

I. *Las flores* (juntan lo útil con lo agradable).

II. *Los animales domésticos* (nos prestan numerosos servicios).

III. *Las buenas lecturas* (son útiles y agradables).

IV. *El agua* (es un gran beneficio de la naturaleza).

266• *Como en el ejercicio 264, enunciando diez pensamientos, en vez de ocho.*

    I.   *El tiempo* (es precioso y breve).

    II. *La limpieza* (nos procura grandes bienes).

    III. *La constancia* (sin ella no se alcanza ninguna cosa de valor).

    IV. *La atención* (es origen de muchos bienes).

267• *Como en el ejercicio anterior:*

    I.   *La patria* (debemos amarla y servirla).

    II. *Nuestros padres* (les debemos mucho).

    III. *La agricultura* (es muy útil a la sociedad).

    IV. *La geografía* (es útil y su conocimiento agradable).

Diré Cómo Nacisteis

Diré cómo nacisteis, placeres prohibidos,
Como nace un deseo entre torres de espanto,
Amenazadores barrotes, hiel descolorida,
Noche petrificada a fuerza de puños,
Ante todos, incluso el más rebelde,
Apto solamente en la vida sin muros.

Corazas infranqueables, lanzas o puñales,
Todo es bueno si forma un cuerpo;
Tu deseo de beber esas hojas lascivas
O dormir en esa agua acariciadora.
No importa;
Ya declaran tu espíritu impuro.

No importa la pureza, los dones que un destino
Levantó hacia las aves con manos imperecederas;
No importa la juventud, sueño más que hombre,
La sonrisa tan noble, playa de seda bajo la tempestad
De un régimen caído.

Placeres prohibidos, planetas terrenales,
Miembros de mármol con sabor a estío,
Jugo de esponjas abandonadas en el mar,
Flores de hierro, resonantes como el pecho de un hombre.

Soledades altivas, coronas derribadas,
Libertades memoriales, manto de juventudes;
Quien insulta esos frutos, tinieblas en la lengua,
Es vil como un rey, como sobra de rey
Arrastrándose a los pies de la tierra
Para conseguir un trozo de vida.

LUIS CERNUDA. ESPAÑA.

Composición y Estilo

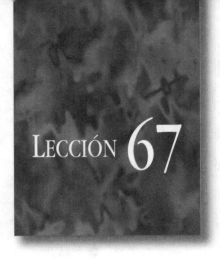

700. **Composición** es el arte de enunciar acertadamente los *pensamientos y afectos* adquiridos por la invención. A cada forma típica de composición corresponde un *estilo.*

701. El *estilo* ha de tener las mismas cualidades que el periodo, es decir, que debe ser *claro, correcto, armonioso y elegante,* y además, *natural, preciso y variado.*

Aparte de estas cualidades esenciales, el estilo puede, en ciertos casos, presentar otras accesorias; así puede ser *sencillo, delicado, rico, valiente, vehemente, sublime,* etc.

702. Es **clara** la oración cuando se comprende inmediatamente y sin esfuerzo. Los vicios opuestos a la claridad son la *obscuridad* y la *confusión* o *ambigüedad.*

703. Muy variadas son **las causas que oscurecen** o hacen confusa la oración o periodo; entre otras véanse las siguientes: **1o.** *La obscuridad de los pensamientos,* **2o.** *La impropiedad de los vocablos y expresiones.* **3a.** *La construcción viciosa de las oraciones y periodos gramaticales.*

Evítase la *oscuridad de los pensamientos* hablando únicamente de lo que se sabe y se comprende perfectamente; reflexionando antes de escribir y procurando no querer lucir en los escritos más ingenio del que uno tiene.

La *impropiedad de los vocablos,* perjudica mucho a la claridad del estilo porque el lector los toma, generalmente, en su verdadero sentido, y comprende, por tanto, cosa diferente de lo que se quería expresar. Impropio será decir: *No me* apercibí *de que tocara la música.* Deberá decirse: *No noté…*

La construcción viciosa se manifiesta en la mala colocación de los pronombres y adjetivos que es un manantial abundante de equivocaciones.

No hay que decir: *"El raposo dijo al león que era demasiado bondadoso y que* sus *escrúpulos…"* No se sabe si el raposo o el león es demasido bondadoso; si los escrúpulos son del león o del raposo.

Sí es correcto, hacer hablar directamente al raposo: "Señor, dijo la zorra, *en todo eso no se halla más exceso que el de vuestra bondad… Trató la corte al rey de escrupuloso".* Así desaparece todo equívoco y la dicción resulta más elegante.

Los *complementos circunstanciales y explicativos* demasiados apartados de la palabra a que se refieren, hacen también el periodo equívoco.

No hay que decir: *"Dios recompensará todas las buenas acciones que hayamos obrado **en el cielo"** .*No se sabe si **en el cielo** se refiere a *recompensará* o a *hayamos obrado.*

En cambio es correcto unir el complemento a la palabra a que se refiere: *"Dios recompensará **en ei cielo** las buenas acciones que hayamos obrado".* Así desaparece toda ambigüedad.

704. Corrección. Para que la oración sea correcta, se requieren tres condiciones: **1a.** que todas las palabras que la componen sean del idioma; **2a.** que dichas palabras se empleen en el sentido autorizado por el buen uso; **3a.** que las reglas gramaticales se observen con exactitud en su construcción.

La oración falta de corrección cuando se introducen en ella *barbarismos* o *solecismos,* vicios que se trataron ya en la Sintaxis.

705. Armonía. Se llaman *armoniosos* los periodos que se producen en el ánimo una emoción suave y placentera, recreando el oído.

Para que el periodo resulte armonioso debe evitarse el *hiato,* la *cacofonía* y las *terminaciones similares.*

Ya se ha tratado del *hiato* y de la *cacofonía;* las *terminaciones similares* de las diferentes partes de una misma oración o periodo van también contra la armonía; por ejemplo: *León estudia con afán la lección y escribe con atención.* Deben evitarse igualmente los **periodos cojos**, o contrarios a la simetría, que tienen la segunda parte mucho más corta que la primera; por ejemplo: Les escribiré, tan luego como llegue, *una carta.*

706. Llámase **elegante** un periodo cuando, a la par que recrea el oído por la armonía de las voces y por su acertada coordinación, está adornado con los primores de la imaginación y del buen gusto.

Perjudica a la elegancia:

1o. El empleo de términos *bajos* y *vulgares.*

2o. El empleo repetido de *que, cual, cuyo, porque, cuando*, etc., que dan origen a una serie de verbos que entorpecen el discurso sin provecho para el sentido.

Ejemplo de elegancia: *Acércase por entre setos de arroyos; percibe suave murmurio de fuentes y blando follaje, y ve que, en lluvia de pedrería, los cielos se deshacen…*

707. Se dice que el estilo es **natural** cuando enuncia los pensamientos y afectos sin *esfuerzo*, de modo que las palabras y expresiones se presentan por sí solas y sin tener que buscarlas.

Cualidad es esta que pocas veces se ve en el estilo de los escolares. Con frecuencia, rebuscan los vocablos para expresar pensamientos ordinarios o nombrar cosas comunes, pensando que por ello los admirarán, siendo así que caen en ridículo.

708. El estilo es **preciso** cuando expresa pensamientos y afectos con términos exactos, suprimiendo cuanto es superfluo, sin omitir nada que sea necesario.

Como se ve la precisión excluye dos defectos diametralmente opuestos; la *prolijidad o difusión,* que consiste en entrar en pormenores inútiles, y la *aridez,* u omisión de circunstancias o adornos necesarios.

Ejercicios de Aplicación

268 • *Construir correctamente los periodos siguientes, dando el lugar conveniente a los complementos impresos en cursiva.*

El acusado hizo señas de que quería hablar *con la mano.* • San Roque curaba a todos los enfermos que le llevaban *en virtud de la señal de la cruz.* • David echó una piedra *al* gigante Goliat que le derribó *con su honda.* • El joven Tobías tomó al pez que iba a devorarlo *por las agallas.* • Absalón quedó colgado en las ramas de un encino, bajo la cual pasó *con su cabellera.* • Sansón mató a más de mil filisteos que habían ido a prenderle *con la quijada de un asno.* • Doña Cecilia fue a comprar un par de medias para un sacerdote *de lana.* • Ayer vi un perro que agradece cuando se le da pan *meneando la cola.* • Rufo llevó a casa de su tía el cordero que encontró *sobre sus espaldas.*

269 • *Los periodos siguientes están equivocados, porque los pronombres personales y los adjetivos posesivos en cursiva pueden convenir a varios nombres diferentes. Aclararlos*

Un mensajero fue a decir a Job que el fuego del cielo había caído sobre *su* alquería y que todos *sus* rebaños habían sido reducidos a cenizas. • La hormiga preguntaba a la cigarra qué había hecho en el verano; *ella* respondió que cantaba. • Ruth dijo a Noemí que *ella* no se separaría de *ella,* que iría a donde *ella* fuese, que *su* pueblo sería *su* pueblo, que *su* Dios sería *su* Dios y que el país en donde *ella* muriese vería *su* sepultura.

270 • *Los periodos siguientes, son incorrectos, porque las diversas partes de un mismo complemento no son de la misma naturaleza. Corregir sin cambiar el sentido.*

Mi hermanito Juan aprende el cálculo y a escribir. • Enseño a Pedro la pintura y a dibujar. • Vio su pérdida cierta, y que no podía escapar a sus enemigos. • Dios quiere nuestra dicha en esta tierra y que vayamos a verlo en el cielo. • Mucha gente parece no tiene otra ocupación que la mesa y de jugar. • Su poder exigía que todos obedeciesen y el orden. • Yo estoy convencido de su inocencia y que sus intenciones eran rectas.

271 • *Los periodos del trozo siguiente son defectuosos y, por lo mismo, carecen de armonía, corregir dando al complemento en cursiva el lugar que más convenga.*

Sobre la Vanidad

No hay cosa peor *que la vanidad en el vestir,* para los niños y que los *eche a perder* más dolorosamente y más pronto. Hay *desde luego* que infundirles desprecio hacia el lujo en el vestir. Por lo que a mí se refiere, perseguía sin piedad cualquier vano deseo de lucir, *en el Seminario Menor de París.* No permitía jamás la ostentación de relojes y cadenas de oro, *por ejemplo.* Deciales: *cuando se lo merezcan,* llevarán ustedes cadena de oro. Sean ustedes, *en la clase* los primeros. Será esa la distinción del talento, del trabajo, de la ciencia: *justa* y *honrosa distinción.*

314

272. *Analizar sintácticamente las oraciones y periodos siguientes;*

El Salvador de los hombres puso a la Magdalena debajo de su amparo; cuando hubo llegado el día tremendo en que se nubló el sol y se estremecieron y dislocaron dolorosamente los huesos de la tierra, al pie de la cruz estaban juntas su inocentísima Madre y la arrepentida pecadora, para darnos así a entender, que sus amorosos brazos están abiertos igualmente a la inocencia y al arrepentimiento.

DONOSO CORTÉS.

Espantapájaros

Ya en mi alma pesaban de tal modo los muertos futuros
que no podía andar ni un solo paso sin que las
piedras revelaran sus entrañas.
¿Qué gritan y defienden esos trajes retorcidos
por las exhalaciones?
Sangran ojos de mulos cruzados de escalofríos.
Se hace imposible el cielo entre tantas tumbas
anegadas de setas corrompidas.

¿Adónde ir con las ansias de los que han de morirse?
La noche se desploma por un exceso de equipaje secreto
Alabad a la chispa que electrocuta las huestes y los rebaños.
Un hombre y una vaca perdidos.
¿Qué nuevas desventuras esperan a las hojas para
este otoño?

Mi alma no puede ya con tanto cargamento sin destino.
El sueño para preservarse de las lluvias intenta una alquería.
Anteanoche no aullaron ya las lobas.
¿Qué espero rodeado de muertos al filo de una
madrugada indecisa?

RAFAEL ALBERTI. ESPAÑA.

Composición y Estilo
(Continuación)

709. La **variedad** de estilo consiste en evitar la *monotonía* y demasiada *uniformidad* que siempre es embarazosa.

710. La lectura de buenos autores y la costumbre de la composición, da numerosos medios de variar el estilo. Entre los mejores y más fáciles que deben emplearse pueden citarse los siguientes:

1o. Hacer uso juicioso de las diversas formas que pueden presentar los periodos.

2o. Sustituir por expresiones equivalentes los vocablos que se repiten con frecuencia.

Así: en vez de decir varias veces *continuamente,* se puede decir: *de continuo, a la continua, de un modo continuo,* etc.; en vez de *cielo* e *infierno;* se podrá decir *la mansión celestial, las llamas eternas,* etc.

3o. No dar a todos los periodos u oraciones la misma extensión, antes por el contrario, escribir de modo que unas sean cortas y otras extensas.

4o. No enunciar siempre en el mismo orden las diversas partes de la oración (sujeto, verbo, atributo, complementos), procurando comenzar, ya por un miembro, ya por otro.

711. Sirva de ejemplo el siguiente periodo: *los amigos fingidos, que nos hacen cortejo cuando nadamos en la abundancia, nos dejarán solos en el infortunio;* puede expresarse de diversos modos:

1o. *Nos hacen cortejo, los amigos fingidos, cuando nadamos en la abundancia; pero nos dejarán solos en el infortunio.*

2o. *Cuando nadamos en la abundancia nos hacen cortejo los amigos fingidos; pero nos dejarán solos en el infortunio.*

3o. *Nos dejaron solos en el infortunio los amigos fingidos que nos hacen cortejo cuando nadamos en la abundancia.*

4o. *En el infortunio, los amigos fingidos que nos hacen cortejo cuando nadamos en la abundancia, nos dejarán solos.*

5o. *Solos nos dejarán en el infortunio, los amigos fingidos que nos hacen cortejo cuando nadamos en la abundancia.*

6o. *Ahora que nadamos en la abundancia, los amigos fingidos nos hacen cortejo, pero solos nos dejarán en el infortunio.*

Sumario. 709. Variedad de estilo. 710. Modos de variar el estilo. 711. Ejemplo.

315

Ejercicios de Aplicación

273• *Reemplazar las expresiones en cursivas por otras equivalentes.*

Me he suscrito a un periódico *que aparece todos los días* y a dos revistas *que aparecen todos los meses.* • Varias tribus del centro de África *se alimentan todavía con carne humana.* • Pensaba *ser vencedor y se le venció.* • Nos acogió *dura y desdeñosamente.* • Penetró *ocultamente* en el aposento de su amo y le robó todo el dinero que tenía. • Pueden hablar *sin temor.* • Los caminos *estaban en tan mal estado que no se podía pasar por ellos.* • Es una mancha *que no se puede borrar.* • *Nuestras campiñas se regocijan con los cánticos de los pájaros.* • Nuestra alma *no puede morir.* • Es un delito *que no podrá ser reparado.*

274• *Escribir cada uno de los periodos siguientes de cuatro modos diferentes, comenzando sucesivamente por cada una de las palabras que se hallan escritas en cursivas. Hay que evitar alterar el sentido.*

1o. *Si consideras* lo que eres en ti mismo, *te* importará muy poco *cuanto* digan de ti los demás.

2o. *El humilde* conocimiento de sí mismo es un *camino* mucho más seguro *para* alcanzar la felicidad, que la posesión de bienes materiales.

3o. *Nos* es con *frecuencia* utilísimo, *para* mantenernos en la humildad, *que los demás* conozcan nuestros defectos y nos reprendan de ellos.

275• *Escribir cada uno de los periodos siguientes de cinco modos diferentes, como en el ejercicio anterior.*

1o. En cualquier lugar donde estés, *serás siempre* miserable *si* no ayudas a quienes lo necesitan.

2o. *Faltaríamos* raramente de lo necesario *si supiésemos* privarnos de lo superfluo.

3o. Las *espigas* levantan *tanto más* la *cabeza* cuantos *menos* granos *contienen.*

276• *Como en el ejercicio 274, pero escribiendo los siguientes periodos de siete formas diferentes en vez de cuatro.*

1o. *Cuando* el *peligro* está lejano, *es preciso preverlo* y temerlo; pero *cuando* ha venido, *no hay más que despreciarlo.*

2o. Los *hombres pasan como* las *flores,* que se *abren* por la *mañana* y por *la tarde* se marchitan.

3o. La *satisfacción* que procura la *venganza* solo *dura* un *momento;* la que *alcanza* la *clemencia* es *eterna.*

277• *Sirviéndose de los pensamientos hallados en el ejercicio 262 hágase una composición sobre cada uno de los asuntos siguientes:*

I. *El trabajo* (necesario a todos los hombres).

II. *La pereza* (es necesario huir de ella).

III. *El perro* (animal utilísimo al hombre).

IV. *El tractor* (nos presta señalados servicios).

V. *El caballo* (nos procura numerosos beneficios).

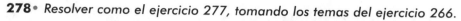

278. *Resolver como el ejercicio 277, tomando los temas del ejercicio 266.*

   I. *El tiempo* (es precioso y breve).

   II. *La limpieza* (nos procura grandes beneficios).

   III. *La constancia* (sin ella no se alcanza ninguna cosa de valor).

   IV. *La atención* (es origen de muchos bienes).

La Sombra del Águila *(fragmento)*

Estaba allí, de pie sobre la colina, y al fondo ardía Shodonovo. Estaba allí, pequeño y gris con su capote de cazadores de la Guardia, rodeado de plumas y entorchados, gerifaltes y edecanes, maldiciendo entre dientes con el catalejo incrustado bajo una ceja, porque el humo no le dejaba ver lo que ocurría en el flanco derecho. Estaba allí igual que en las estampas iluminadas, tranquilo y frío como la madre que lo parió, dando órdenes sin volverse, en voz baja, con el sombrero calado mientras los mariscales, secretarios, ordenanzas y correveidiles se inclinaban respetuosamente a su alrededor. Sí, Sire. En efecto, Sire. Faltaba más Sire. Y anotaban apresuradamente despachos en hojas de papel, y baridores a caballo con uniforme de húsar apretaban los dientes bajo el barbuquejo del colbac y se persignaban mentalmente antes de picar espuelas y salir disparados ladera abajo entre el humo y los cañonazos, llevando las órdenes, quienes llegaban vivos, a los regimientos de primera línea. La mitad de las veces los despachos estaban garabateados con tanta prisa que nadie entendía una palabra, y las órdenes se cumplían al revés, y así nos lucía el pelo aquella mañana. Pero él no se inmutaba: seguía plantado en la cima de su colina como quien está en la cima del mundo. Él arriba y nosotros abajo viéndolas venir de todos los colores y tamaños. *Le Petit Caporal,* el Pequeño Cabo, lo llamaban los veteranos de la Vieja Guardia. Nosotros lo llamábamos de otra manera. El Maldito Enano, por ejemplo. O *Le Petit c...*

ARTURO PÉREZ-REVERTE. ESPAÑA.

LECCIÓN 69

El Desarrollo de la Composición

712. El **desarrollo de la composición** consiste en desenvolver un pensamiento para exponer al lector sus diversos aspectos, o para producir en su ánimo todo el efecto que se intenta.

713. De ahora en adelante emplearemos solamente el término **desarrollo**, para hablar del de la **composición**.

714. El desarrollo se compone necesariamente de dos partes muy distintas: una, que pudiéramos llamar *material,* al alcance de todos, cuyo objeto es hallar pensamientos apropiados al asunto, ordenarlos de una manera *lógica* y *natural,* y deducir de ellos una conclusión conveniente; la otra más difícil, por ser esencialmente una cosa de gusto y sentimiento, consiste en comunicar a la composición la viveza, gracia y colorido, mediante los recursos lingüísticos que convengan al asunto.

Los adjetivos, epítetos, participios, adverbios, y los pensamientos o imágenes que sugiere el asunto, hacen perfectamente al caso.

Para que exista en el escrito esta animación y elegancia, se debe proceder de modo que resalte, en todo el curso de la composición, el mismo pensamiento que se halla encerrado en la conclusión.

715. Varios son los procedimientos de desarrollo; entre otros, véanse los siguientes:

a) *Desarrollo por definición,* esto es, acumulando varias definiciones de un mismo objeto; es decir, sus buenas y malas cualidades.

b) *Desarrollo por circunstancias,* que consiste en hacer mención de todas las circunstancias que acompañan a un hecho, tales como el lugar, tiempo, el modo, la causa, etc.

c) *Desarrollo por causas y efectos,* que no es otra cosa sino enumerar las causas que han motivado un hecho, así como los resultados y particularidades que han sido su consecuencia.

d) *Desarrollo por ideas contrarias,* que se hace comparando entre sí los objetos o ideas opuestas o tan sólo diferentes.

e) *Desarrollo por graduación,* que consiste en disponer por orden progresivo varios pensamientos, imágenes y afectos de diferente importancia.

716. Se debe tener presente que en todo desarrollo deben desterrarse las ideas superfluas, los pormenores minuciosos, la exageración, y cuanto no dé a la composición más claridad, belleza y gallardía, pues no pocas veces por la redundancia de palabras el estilo es confuso, y a la vez menos elegante.

717. Ejemplos de desarrollo. *"La ley, concebida como un algo eterno o una ramificación de la sabiduría de Dios, no sólo es tan antigua como todo pueblo y como el género humano mismo, sino que es coeterna con Dios, que rige el universo; no comenzando a ser ley cuando fue escrita, sino siéndolo desde su nacimiento en el pensamiento de Dios: en una palabra siendo la ley verdadera, la ley que legítimamente manda y prohíbe, la recta razón del gran Júpiter."*

CICERÓN: DE LEG. LIB. I

La oración: *Cervantes floreció en España,* puede ampliarse del modo siguiente:

"En la hermosa y celebrada España, patria fecunda de muy preclaros ingenios, floreció, hará tres centurias, el manco sano, el famoso todo, el regocijo de las musas y príncipe de los novelistas, Miguel de Cervantes Saavedra."

C. CORTEJÓN: PRECEP. LIT.

Ejercicios de Aplicación

279 • El calendario. Durante las vacaciones poniendo orden en el cajón de una cómoda, encontraron entre papeles y libros viejos, un calendario del año pasado, en donde se hallaban anotados los hechos principales ocurridos en la familia. Referir algunos. Reflexiones.

280 • Animales mamíferos. Idea de estos animales. Mamíferos más útiles en nuestro país. Servicios que nos prestan.

281 • La germinación. De qué manera se alimenta al principio la planta. Necesidad que tiene de la humedad, del calor y del aire. Medios para conservar las semillas y modo de sembrarlas.

282 • Cultivo de la huerta. Al ver trabajar a un campesino se observó que ara profundamente la tierra; siembra en líneas y a poca profundidad las semillas pequeñas; procurando no matar a los sapos y exponiendo al sol el agua antes de usarla para el riego. Explicar el motivo de todo eso.

283 • Nuestros padres. Beneficios que debemos a nuestros padres; cuidados y desvelos que por nosotros se toman. Sentimientos que nos infunden su caridad y solicitud. Manera de manifestarles nuestro amor y reconocimiento.

284 • Camarón que se duerme se lo lleva la corriente. Explicar este proverbio y referir un cuento que facilite su comprensión.

285 • Alegrías de invierno. Velada en familia. Las piñatas, colaciones, ponche, el nacimiento. La cena en familia, la caridad, la reunión, el perdón.

286• **A Dios rogando y con el mazo dando.** ¿Debe repetirse esta máxima? ¿Por qué?

287• **El 2 de noviembre visitaron el cementerio del pueblo.** ¿Qué vieron? ¿Qué sentimientos experimentaron? Anotar sus reflexiones.

288• **Desenvolver este pensamiento:** La ociosidad es como la herrumbe: gasta más pronto que el trabajo.

289• **El que compra lo superfluo, venderá pronto lo necesario,** dice Franklin ¿Es esto generalmente verdadero? ¿Cómo y en qué sentido?

El Túnel *(fragmento)*

Pasé una noche agitada. No pude dibujar ni pintar, aunque intenté muchas veces empezar algo. Salí a caminar y de pronto me encontré en la calle Corrientes. Me pasaba algo muy extraño: miraba con simpatía a todo el mundo. Creo haber dicho que me he propuesto hacer este relato en forma totalmente imparcial y ahora daré la primera prueba, confesando uno de mis peores defectos: siempre he mirado con antipatía y hasta asco a la gente, sobre todo a la gente amontonada; nunca he soportado a las playas en verano. Algunos hombres, algunas mujeres aisladas me fueron muy queridos, por otros sentí admiración (no soy envidioso), por otros tuve verdadera simpatía; por los chicos siempre tuve ternura y compasión (sobre todo cuando, mediante un esfuerzo mental, trataba de olvidar que al fin serían hombres como los demás); pero, *en general,* la humanidad me pareció siempre detestable. No tengo inconvenientes en manifestar que a veces me impedía comer en todo el día o me impedía pintar durante una semana el haber observado un rasgo; es increíble hasta qué punto la codicia, la envidia, la petulancia, la grosería, la avidez y, en general, todo ese conjunto de atributos que conforman la condición humana pueden verse en una cara, en una manera de caminar, en una mirada. Me parece natural que después de un encuentro así uno no tenga ganas de comer, de pintar, ni aún de vivir. Sin embargo, quiero hacer constar que no me enorgullezco de esta característica: sé que es una muestra de soberbia y sé, también, que mi alma ha albergado muchas veces la codicia, petulancia, avidez, grosería. Pero he dicho que me propongo narrar la historia con entera imparcialidad, y así lo haré.

ERNESTO SÁBATO. ARGENTINA.

La Narración

718. **Narración** es la exposición en prosa de un hecho real o ficticio desde su origen hasta su fin.

719. Cuando la narración tiene por objeto un hecho histórico poco conocido, toma el nombre de *anécdota;* si se refiere a un hecho algo incierto y está adornado de circunstancias más o menos maravillosas, se llama *leyenda;* si el hecho es puramente imaginario, *cuento* y también *novela;* si su fin es recrear, *fábula;* y *apólogo,* cuando tiene por objeto la enseñanza de una verdad moral.

720. En toda la narración se distinguen tres partes: *exposición, nudo* y *desenlace.*

721. En la **exposición**, cuyo objeto es preparar el ánimo del lector a lo que se va a referir, se da a conocer la época y el lugar donde se verificó la escena, juntamente con los caracteres de los personajes que en ella tomaron parte.

722. La exposición debe ser rápida, clara y precisa; pero ante todo sencilla.

723. Se llama **nudo** el conjunto de accidentes, lances y peripecias que, a la vez que despiertan la curiosidad del lector, complican y dificultan de tal manera el hecho que lo ponen en la incertidumbre sobre el fin en que parará.

724. Toma el nombre de **desenlace** la parte de la narración en que se aclaran todas las incertidumbres y se da solución a todas las dificultades que vienen a constituir el nudo.

El desenlace puede ser feliz, alegre o desgraciado; en este último caso se clasifica la narración como tragedia.

725. Toda narración debe tener las siguientes cualidades: *claridad, viveza* e *interés.*

726. Será **clara** cuando los sucesos que en ella se refieren vayan ordenados, y se encadenan de una manera natural y lógica.

727. Se le podrá dar el epíteto de **viva** cuando toda ella se encamine rápidamente hacia el desenlace.

321

728. Finalmente se llamará **interesante** si excita la curiosidad, cautiva la atención y hace brotar del corazón agradables emociones.

729. Para que tenga la narración esta última cualidad, es preciso, entre otras condiciones:

a) *Dejar ignorado hasta el fin el desenlace.*

b) *Hacer resaltar vivamente las circunstancias que pueden causar placer.*

c) *Hacer hablar directamente a los personajes.*

d) *Tomar interés en lo que uno mismo refiere.*

730. Son ejemplos de narración fantástica la que hace *Cervantes* en el capítulo intitulado *De los molinos de viento*, y la de *D. Francisco de Quevedo* en el que se trata de la *Burla hecha por Pablo al ama de su posada*.

Ejercicios de Aplicación

290• **Una historia.** Referir una circunstancia de tu vida que te haya causado gran sorpresa y a la vez mucha risa.

291• **Una historia.** De todas las historias que hayas oído contar, narra la que más te gustó y la que más te conmovió.

292• **Asociaciones.** Recuerdos que te despierta el nombre *"Rafael"*.

293• **Vida del Santo Job.** Rápida ojeada sobre su vida. Su prosperidad y riquezas. Sus virtudes. Pruebas del cielo y heroica paciencia que mostró en ellas. Recompensas obtenidas de Dios. Consideraciones.

294• **Rodrigo, caballero, Babieca.** ¿Qué nos recuerdan estas palabras? ¿Dónde y en qué circunstancias aparecieron? ¿A qué época nos remiten? ¿Cuál es su importancia dentro de la literatura en lengua española?

295• **Un paseo.** Sale el padre con su hijo a dar un paseo por el jardín. Consideraciones que hace el hijo y preguntas que hace al padre. Sabias respuestas del padre. Deducciones.

296• **Computadora.** Somera descripción de una computadora. Su utilidad. La velocidad del desarrollo de su tecnología. Campos del conocimiento dentro de los cuales la computación ha creado un cambio.

297• **La ardilla.** Se halla este animal en las selvas y montes cubiertos de pinos. Se le ve en los árboles y salta con asombrosa agilidad de una rama a otra. Hablar de su nido y alimento.

298• **El hermanito enfermo.** Tu hermanito se ha puesto enfermo. Referir el estado de su enfermedad. Personas que se afligen e inquietan en la casa. Visitas y órdenes del médico. ¿Cómo prestas servicio en esta circunstancia?

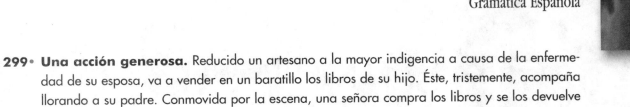

299• **Una acción generosa.** Reducido un artesano a la mayor indigencia a causa de la enfermedad de su esposa, va a vender en un baratillo los libros de su hijo. Éste, tristemente, acompaña llorando a su padre. Conmovida por la escena, una señora compra los libros y se los devuelve al niño.

300• **Mi ciudad.** Me considero feliz de verla después de una prolongada ausencia. Placer que experimento al hallarme de nuevo en el hogar paterno. Alegría que me causa el ver la escuela y a mi antiguo maestro, la iglesia donde hice la Primera Comunión, etc.

301• **La reunificación alemana.** Su importancia histórica. Los problemas que enfrentó el pueblo alemán a partir de la reunificación. Los hechos que desencadenaron este acontecimiento. Un relato de una familia dividida por el muro que se reencontró luego de la caída de éste. Reflexiones.

302• **El jilguero.** Era un día riguroso de invierno. Estaba yo en mi habitación cuando un jilguero vino a posarse en mi ventana. Lo cogí, y después de calentarlo le dí de comer. Lo domestiqué, y llegó a ser la diversión de todos en la casa. Qué le ocurrió por haberse alejado un día de casa. Súplica del pájaro.

303• **Peligros de la libertad.** Vivía felizmente una cabra en el redil de su dueño. Un día echa un vistazo a la montaña y dice para sí: ¡Qué bien se debe estar allá! Desde entonces le pareció el redil una prisión. Se escapa un día por la madrugada y huye al monte para gozar de la imaginada libertad. Por la noche vino el lobo y la devoró. Conclusión.

304• **Los dos caminos.** Un viajero no sabe qué camino tomar. Indicaciones que le da un campesino sobre la naturaleza y término de los dos caminos que se presentan ante él. Respuesta y determinación del viajero. Lo que le sucedió. Dos caminos en la vida. Reflexiones.

305• **La ocasión hace al ladrón.** Lenguaje de un ratoncillo a la vista de una ratonera. Da vueltas alrededor del lazo. Ve el cebo… tentación… se acerca… lo toca… le hinca el diente. La puerta se cierra. Queda preso. Moraleja y conclusión.

306• **La gallina y el polluelo.** Lenguaje afectuoso y prudente de una gallina a su polluelo. Le descubre todas las astucias del coyote. El polluelo promete seguir sus consejos, pero aprovecha la primera ocasión para alejarse de ella. El coyote lo alcanza y lo devora. Moraleja.

323

LECCIÓN **71**

La Descripción

731. Consiste la **descripción** en dar a conocer de tal manera los objetos, que produzcan en el alma los mismos efectos que la realidad.

La descripción poética (a la que nos referimos) no debe confundirse con la científica; verdad es que ambas tienen idéntico fin: presentar los objetos en todas sus formas, partes, cualidades y relaciones; pero la primera los describe desde el punto de vista más arcano al escritor.

732. Para que la descripción produzca en el ánimo el debido efecto debe procurarse: **1o.** Representar con verdad y exactitud el objeto o conjunto de objetos que se describe. **2o.** Escoger las circunstancias más interesantes, los rasgos más salientes y huir de la redundancia y de los adornos postizos. **3o.** Introducir en ella algún contraste, ideas y pensamientos opuestos, pues nada comunica tanta gracia y viveza a una descripción como esta variedad y oposición de situaciones, caracteres y tonos.

733. Como el mismo objeto puede dar impresiones diferentes y hasta opuestas, según sea el punto de vista desde el cual se considere, es de suma importancia que en la descripción se presente el objeto del modo más conforme al efecto que se desea obtener.

Si, por ejemplo, se desea que la descripción produzca en el lector un efecto agradable, se describen del objeto sus cualidades *más bellas*, y se hace caso omiso *de sus defectos*.

Si, por el contrario, se quiere producir una impresión desagradable, se presenta el objeto en un *aspecto defectuoso*, y se pasan por alto *sus buenas cualidades*. En ambos casos será exacta la descripción, pero según distintos aspectos.

734. Modelo de descripción:

Pero lo verdaderamente admirable y maravilloso de aquél inmenso panorama era cuanto abarcaban los ojos por el Norte y por el Este. En lo más lejano de él, pero muy lejano, y como si fuera el comienzo de lo infinito, una faja azul recortando el horizonte: aquella faja era el mar, el mar Cantábrico; hacia su último tercio, por la derecha y unida a él como una rama al tronco de que se nutre, otra mancha menos azul, algo blanquecina, que se internaba en la tierra y formaba en ella como un lago: la bahía de Santander. Pero es el caso (y aquí estaba la verdadera originalidad del cuadro, lo que más me desorientaba en él y me sorprendía) que la faja azul se presentaba a mis ojos mucho más elevada que el perfil de la costa, y que con ella se fundían otras mucho más blancas que iban extendiéndose y prolongándose hacia nosotros, quedando entre la mayor parte de ellas islotes de las más extrañas formas, picos y hasta cordilleras que parecían surgir de una repentina inundación.

PEREDA.

Ejercicios de Aplicación

307• Describe el jardín de tu casa o cualquier otro que conozcas. Su situación, forma, disposición interior, etc. Plantas que se cultivan en él.

308• Describe tu juego favorito Sus reglas. Los jugadores que son necesarios. Las categorías que de él existen. Las características por las cuales es tu preferido.

309• Ayer fue un día de elecciones. Describir el aspecto que presentaban las calles y avenidas.

310• Describe a la persona más admirable que conozcas. Su aspecto. Sus valores y virtudes. Sus defectos. Tu afinidad con ella.

311• Escribe una carta en la que relates a un amigo qué fue lo más interesante que te ocurrió durante el mes pasado.

312• Describe la experiencia más desagradable que te haya ocurrido en el último año.

313• Describe lo que sería tu ciudad ideal. Sus habitantes. Sus calles. Sus centros de diversiones y recreo. Sus bibliotecas y escuelas. Sus servidores públicos.

314• Imagina que tratas de explicarle a un extranjero cuáles son las características más sobresalientes de tu país, sus paisajes y costumbres.

315• Describe a un niño de 8 años lo que es el termómetro y el barómetro, sus diferencias y usos.

316• Describe lo que harías un fin de semana en caso de que el mal tiempo te impidiera salir.

317• Estás tratando de conseguir una pareja para tu mascota, describe al animal ideal para ésta.

318• **El aire.** ¿Qué es? ¿Es pesado? ¿Qué experimentos demuestran que es pesado? ¿Qué es barómetro? ¿Para qué sirve?

319• Describe el libro que más te haya impactado. Su trama. Su intención. Sus personajes. Lo que sabes acerca del autor.

320• Describe el tipo de persona que te agrada como amiga.

Aura *(fragmento)*

Sabes, al cerrar de nuevo el folio, que por eso vive Aura en esa casa: para perpetuar la ilusión de juventud y belleza de esa pobre anciana enloquecida. Aura, encerrada como un espejo, como un icono
más de ese muro religioso, cuajado de milagros, corazones preser-
vados, demonios y santos imaginados.

Arrojas los papeles a un lado y desciendes, sospechando el único lugar donde Aura podrá estar en las mañanas: el lugar que le habrá
designado esa vieja avara.

La encuentras en la cocina, sí, en el momento que degüella un macho
cabrío: el vapor que surge del cuello abierto, el olor de la sangre de-
rramada, los ojos duros y abiertos del animal te dan náuseas: detrás
de esa imagen, se pierde la de una Aura mal vestida, con el pelo revuelto, manchada de sangre, que te mira sin reconocerte, que continúa su labor de carnicero.

Le das la espalda: esta vez, hablarás con la anciana, le echarás en
cara su codicia, su tiranía abominable. Abres de un empujón la puerta y la ves, detrás del velo de luces, de pie, cumpliendo su oficio de
aire: la ves con las manos en movimiento, extendidas en el aire: una
mano extendida y apretada como si realizara el esfuerzo por detener
algo, la otra apretada en torno a un objeto en el aire, clavada una y
otra vez en el mismo lugar. En seguida, la vieja se restregará las manos contra el pecho, suspirará, volverá a cortar en el aire, como si —
sí, lo verás claramente: como si despellejara una bestia...

CARLOS FUENTES. MÉXICO.

La Carta

735. **Carta** es una comunicación que se tiene, por escrito, con una persona ausente.

736. Se deduce de esto que el estilo, en las cartas, debe ser el que se usa en el trato común: la naturalidad, la espontaneidad, la sencillez, la gracia y cierto abandono son sus cualidades más preciosas; el estilo conviene que se acomode al asunto: festivo y movido algunas veces, serio o elevado, otras; pero siempre sencillo, suelto y muy correcto.

737. Los principales géneros de cartas son:

a) *Cartas de felicitación y enhorabuena.*

b) *De pésame.*

c) *De petición y súplica.*

d) *De agradecimiento.*

e) *De excusa.*

f) *De negocios.*

738. Las cartas de **felicitación**, con motivo de una fiesta onomástica y cumpleaños han de ser breves. Se expresan en ellas los sentimientos de cariño, respeto y gratitud que uno siente, y el deseo de una felicidad cada vez más cumplida.

Si la carta fuera para *dar a uno el parabién* por un feliz acontecimiento, se llama *enhorabuena*. En ella se debe mostrar gran satisfacción por la suerte que le ha cabido: alabar sus virtudes, talento, trabajo, y, sobre todo, su mérito justamente recompensado, y ponderar luego las buenas consecuencias que pueden resultar y el placer que experimentan por ello sus amigos y cuantos saben apreciar las cosas en su justo valor.

La exageración y excesivo énfasis son defectos muy comunes en éste y en el género anterior de cartas, por lo que se procederá con mucho tiento para evitarlos.

739. Las cartas de **pésame** tienen mucha analogía con las de felicitación en cuanto a su composición, aunque no respecto a los sentimientos que expresan; pues en aquéllas, en vez de dominar, cual en éstas, la *alegría,* reina el *dolor* y el *consuelo.*

En esta clase de cartas, después de manifestar a la persona afligida cuánto pesar nos causa su desgracia y cuán de corazón nos unimos a su aflicción, se le hace ver lo legítimas que son las penas en esta vida, y luego se procura con tino, distraerla del objeto de su dolor, cautivando su atención con pensamientos de consuelo que *nos sugieren la fe* y *la esperanza* de otra vida *enteramente feliz.*

740. Las cartas cuyo fin principal es **pedir algún favor**, han de ser humildes y respetuosas; es necesario declarar, sin temor ni ostentación, el derecho que uno tiene al favor que solicita; prometer al que se escribe la gratitud que se le tendrá; responder con anticipación a las objeciones que se le podrán presentar; manifestar gran confianza en la justicia y bondad de la persona a quien se hace la súplica, y, por fin, concluir la carta dándole gracias anticipadas por el favor que espera alcanzar.

741. Las cartas de **agradecimiento** son una obligación para cuantos han recibido un favor de una persona lejana. Las principales ideas que constituyen el fondo de estas cartas, son las siguientes:

1o. *Placer, sorpresa, admiración y gratitud causados por el beneficio recibido.*

2o. *Elogio del favor y uso que de él se propone hacer.*

3o. *Buen recuerdo y gratitud que de él se tendrá en lo sucesivo.*

742. Las cartas de **excusa** tienen por objeto manifestar el pesar que se tiene por una falta cometida, o disculparse por una falsa acusación o malentendido de la que haya sido víctima.

En el primer caso, debe uno confesar y reconocer su culpa y mostrarse dispuesto a hacer cuanto sea necesario y conveniente para reparar la falta; dar luego a conocer las circunstancias atenuantes, considerando la falta como resultado de poca reflexión, de precipitación, de los malos consejos, más bien que de mala voluntad; manifestar la esperanza que se tiene de alcanzar perdón y agradecerlo por adelantado. En el segundo caso, debe decir sencillamente que no es culpado, manifestar su inocencia refutando las culpas que se le atribuyen y mostrarse confiado en la justicia e imparcialidad de las personas a quienes escribe.

743. Las cualidades esenciales en las cartas de **negocios**, son las siguientes:

a) *La claridad, para expresar con limpieza y de manera muy comprensible lo que se quiere decir.*

b) La *brevedad,* en cuyo obsequio se suprime cuanto no se refiere al asunto que motiva la carta, las fórmulas de pura cortesía, y permite se entre en materia sin preámbulo alguno y pasar sin transición de uno a otro artículo. Con todo, téngase presente que se debe tratar a cada uno según su cargo y condición.

744. **Modelo de carta:**

Sr. Aurelio López:

Me es muy grato informarle que ha sido beneficiado con el crédito solicitado por usted el pasado mes de noviembre. Sabemos de la importancia que esto representa para sus intereses, ya que podrá adquirir con mayor rapidez el bien inmueble que desea comprar.

Espero su pronta presencia en mi oficina para finiquitar con los trámites debidos.

México, 30 de enero de 1999.

SR. LUIS GUTIÉRREZ.

745. Advertencias referentes a las cartas:

1o. Las cartas se escriben en un pliego, generalmente; las de negocios se escriben siempre en una simple hoja.

2o. El papel debe ser muy liso, limpio y de tamaño aceptado por el uso.

3o. El espacio en blanco que se deja en la parte superior, así como el margen, han de ser tanto más anchos cuanto mayor sea la dignidad de la persona a quien se escribe.

4o. En el encabezamiento debe figurar, algo a la derecha, el nombre de la población de donde se escribe y la fecha en que se escribe. Un poco más abajo, y a la izquierda, se pone el nombre de la persona a quien se escribe, y debajo, su dirección (calle en que vive, número y población).

5o. No es conveniente escribir hasta el fin de las planas ni principiarlas enteramente arriba.

6o. Han de mandarse las cartas sin borrones ni raspaduras, cuanto más si se escribe a un superior.

7o. No está permitido abreviar los nombres Señor, Señora… etc., cuando no preceden al nombre de la persona a quien nos dirigimos, y deben siempre escribirse con letra mayúscula.

8o. Tales nombres no deben colocarse al principio de la oración, cuando van solos; es más elegante intercalarlos en ella: así, no está bien decir: Señor, le doy gracias por haber tenido la bondad-,…mejor es decir: Le doy gracias, Señor, por haber…

9o. Antes de dar principio a una carta conviene se tenga presente la edad y condición propias de la persona a quien se escribe, y arreglar de acuerdo a ello, el tono y el estilo.

10o. No es cortés encargar a un superior que salude de parte nuestra a otra persona, ni encargarle recado alguno por el estilo.

11o. Deben terminarse las cartas de una manera cortés y correcta: conviene despedirse de los padres, parientes y amigos con términos cariñosos; de los bienhechores, con palabras de gratitud, de los superiores, con expresiones de sumisión y respeto.

12o. Es cosa que se debe tener muy en cuenta lo siguiente: ¡jamás mandes una carta que no puedas firmar, y no mandes ninguna sin firma.

13o. Por fin, debe procurarse escribir claramente y disponer con gusto las diferentes indicaciones que llevan las señas de la casa a donde debe dirigirse la carta.

Ejercicios de Aplicación

321· **Carta a un primo.** Un primo, de once años de edad, no quiere ir ya a la escuela con el pretexto de que como cerillo gana dinero y de tiempo completo sería muy buena la ganancia, escríbele para convencerlo de que su prosperidad futura depende de sus estudios actuales.

322· **Otra.** Un amigo tuyo suele burlarse de los demás y esto le está trayendo dificultades, tú le escribes para aconsejarle que evite herir a las personas.

323· **Carta a tus padres.** Fuiste a estudiar a un país extranjero, escribe a tus padres para narrarles cómo te fue en tu primer semana de estancia en ese lugar.

324· **Carta a una estación de radio.** Conociste a un pequeño huérfano que vive en la calle, su historia te conmueve y deseas ayudarlo. Escribe a una estación de radio para pedir apoyo para el pequeño.

325· **Otra.** Te has carteado con un(a) joven argentino(a) desde hace años, él(ella) te escribe para avisarte que quiere conocerte y que pronto viajará a tu país. Escríbele de vuelta para decirle el gusto que te da la noticia.

326· **Carta de un hijo a su madre.** Fernando escribe a su madre para darle gracias por el hermoso reloj que le ha enviado por el reconocimiento que obtuvo por sus buenas notas en el colegio.

327· **Otra.** Tu hermana acaba de tener bebés, tus padres viven en Sudamérica y les escribes para contarles todos los detalles sobre los niños

328· **Otra.** Julio tiene por regla general escribir a sus padres cada semana ya que no viven en la misma ciudad y no tiene teléfono. Sufrió un accidente y dejó de comunicarse dos semanas, les escribe para contarles lo ocurrido.

329· **Utilidad del dibujo.** Aconseja a tu hermano que tome lecciones de dibujo práctico en una escuela nocturna.

330· **Carta de un hijo a su padre.** Tu amigo te ha convencido de pasar algunos días en su casa de campo durante las vacaciones de Pascua. Escribe a tu padre para que te lo permita.

331· **Otra.** León da a su padre algunas noticias. Desean su vuelta. Un comerciante en trigo se ha presentado y espera respuesta. Conclusión tierna y respetuosa.

332· **Solicitando empleo.** Deseas trabajar en una compañía que se encuentra en una ciudad lejos de la tuya, parece ser una gran oportunidad y estás muy interesado, ya que parece como si el puesto fuera hecho especialmente para ti.

333· **Carta a un tío.** Pronto será navidad y le envías una tarjeta a tu tío favorito, y, claro, aprovechas para escribirle unas líneas contándole las novedades que han ocurrido desde la última vez que lo viste.

334· **Carta a un maestro.** Anuncia a tus maestros que, a causa de una desgracia ocurrida en la familia, no podrás asistir al colegio en la apertura de clases. Confías que será cinco días después.

335· **Carta a un amigo.** Termina el ciclo escolar y proyectas tus vacaciones al Caribe mexicano; invitas a tu mejor amigo a que te acompañe. Narra qué lugares visitarán y cuáles zonas arqueológicas conocerán.

336· **Otra.** La madre de Alfonso está enferma. Éste no puede ir a la escuela. Escribe al maestro para notificar su ausencia. Ruega le indique las lecciones y tareas. Promete volver pronto al colegio. Muestras de agradecimiento.

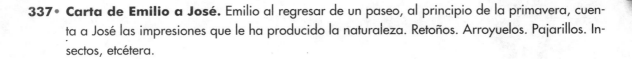

337• **Carta de Emilio a José.** Emilio al regresar de un paseo, al principio de la primavera, cuenta a José las impresiones que le ha producido la naturaleza. Retoños. Arroyuelos. Pajarillos. Insectos, etcétera.

El Maestro de Esgrima *(fragmento)*

Jaime Astarloa salió a la calle con la funda de sus floretes bajo el brazo. La mañana era muy calurosa; Madrid languidecía bajo un sol de justicia. En las tertulias, todas las conversaciones giraban en torno al calor y a la política: se hablaba de la elevada temperatura a modo de introducción y se entraba en materia enumerando una tras otra las conspiraciones en curso, buena parte de las cuales solían ser del dominio público. Todo el mundo conspiraba en aquel verano de 1868. El viejo Narváez había muerto en marzo, y González Bravo se creía lo bastante fuerte como para gobernar con mano dura. En el palacio de Oriente, la reina dirigía ardientes miradas a los jóvenes oficiales de su guardia y rezaba con fervor el rosario, preparando ya su próximo veraneo en el norte. Otros no tenían más remedio que veranear en el exilio; la mayor parte de los personajes de relieve como Prim, Serrano, Sagasta o Ruiz Zorrilla, se hallaban en el destierro, confinados o bajo discreta vigilancia, mientras dedicaban sus esfuerzos al gran movimiento clandestino denominado La España con Honra. Todos coincidían en afirmar que Isabel II tenía los días contados, y mientras el sector más templado especulaba con la abdicación de la reina en su hijo Alfonsito, los radicales acariciaban sin rebozo el sueño republicano. Se decía que don Juan Prim llegaría de Londres de un momento a otro; pero el legendario héroe de los Castillejos ya había venido en un par de ocasiones, viéndose obligado a poner pies en polvorosa. Como contaba una copla de moda, la breva no estaba más madura. Otros opinaban, sin embargo, que la breva empezaba a pudrirse de tanto seguir colgada en el árbol. Todo era cuestión de opiniones.

ARTURO PÉREZ-REVERTE. ESPAÑA.

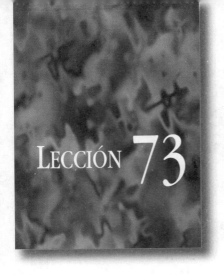

El Diálogo

746. **Diálogo** es una conversación entre varias personas que hablan *alternativamente* acerca de un asunto determinado. Es de los géneros de composición más amenos y más usados.

747. El diálogo debe ser *natural, animado, rápido, seguido,* aunque *interrumpido oportunamente.*

a) Para que sea **natural** es necesario: 1o., que la presentación de los personajes al principio y la separación al fin se haga de un modo verosímil; 2o., que el lenguaje de cada uno esté en relación con su edad, carácter y situación actual;

b) Para que sea **animado** y **rápido** conviene que haya vida y movimiento, que los asertos y réplicas se sucedan sin interrupción;

c) Para que sea **seguido** es preciso que los interlocutores no se aparten del tema; que lo que uno dice ha de estar en relación con el asunto y con lo que se ha dicho anteriormente;

d) En fin, para que sea **interrumpido oportunamente**, cada interlocutor debe escoger el momento más a propósito para tomar la palabra y no interrumpir fuera de tiempo al personaje que con él habla.

748. La forma dialogada puede adaptarse a sinnúmero de asuntos que pertenecen a los más variados géneros, y bueno será que los alumnos la empleen a menudo en sus composiciones. Por otra parte, facilita mejor que otra cualquiera el huir de la trivialidad, y es ejercicio de los más eficaces para acostumbrarse pronto a pensar y escribir bien.

749. **Modelo de diálogo:**

No se Deben Destruir los Nidos

Eduardito tomó un día varios nidos y, rebosando de gozo, corrió a enseñárselos a su padre, comenzando entre padre e hijo el siguiente diálogo:

— ¡Mira, papá, los nidos que traigo!

— No quiero verlos, hijo mío, eso me da lástima.

— ¿Por qué no quieres, papá?

— Porque sufro mucho viendo a esos infelices robados a sus padres que los buscarán piando con tristeza. Me da mucha pena verlos destinados a morir en tus manos.

— No, papá, yo prometo cuidarlos a todas horas, dándoles de lo mejor que yo coma; nada le faltará.

— Tus molestias por criarlos serán inútiles; no es trabajo tan fácil como te parece.

— Yo conseguiré que los padres de los pajaritos vengan como acostumbraban a darles de comer a sus jaulas, y así estarán contentos y libres de peligros.

— No harás eso, porque, si bien es probable que de ese modo los críes, será una crueldad hacer que padezcan padres e hijos, viéndose tan cerca unos de otros, y, a pesar de esto, separados para siempre por las rejas de la jaula. Además, tus hermosas jaulas no valen tanto como el aire libre para esas criaturas voladoras.

— ¡Papá!, ¿qué debo hacer entonces?

— Volverlos a sus nidos, querido hijo.

Así lo hizo Eduardo.

JOAQUÍN GARCÍA.

Ejercicio de Aplicación

338 • Maximiliano ama los caballos y Jimena los perros. Cada uno de ellos expone las cualidades de su animal favorito. Inventa un diálogo entre ellos.

339 • Daniela y Camilo se quieren casar, pero son muy jóvenes para ello por lo que sus padres se oponen. Establecer un diálogo entre los jóvenes.

340 • Adolfo prefiere la primavera, Julio el otoño y Francisco afirma que todas las estaciones tienen sus encantos. Referir su conversación.

341 • Un joven y su padre discuten sobre un permiso que el primero solicita para un viaje con unos amigos a la casa de uno de éstos en un país extranjero. Inventa un diálogo entre ellos.

342 • El agua y el fuego disputan acerca de los servicios que prestan al hombre. Inventa un diálogo entre ellos.

343 • La madera y el hierro ponderan sus servicios que prestan al hombre. ¿Cómo sería su plática?

344 • Juan sostiene que el avión es el mejor medio de viajar. Rodrigo prefiere viajar en auto, pues le tiene miedo a viajar en avión. Crea una conversación entre ellos.

345 • Un japonés y un alemán mantienen una plática sobre la situación de sus respectivos países después de la segunda Guerra Mundial ¿cómo sería su plática?

346 • Un ángel y un demonio se encuentran y discuten cuál de ellos tiene más influencia sobre el ser humano, ¿cómo crees que sería su conversación?

347 • Las dos mujeres que se presentaron ante Salomón para reclamar la maternidad de un bebé se encuentran un año después de este suceso ¿qué crees que platicarían?

Ejercicios de Repaso

348 • **La pereza.** La pereza almuerza con la abundancia, come con la miseria y cena con la vergüenza.

349 • **El trabajo y la pereza.** El trabajo es fuente de riqueza. Diversas clases de trabajo. La economía, consecuencia del trabajo. El perezoso no puede conseguir la riqueza ni conservar el bien adquirido.

350 • **A quien madruga, Dios le ayuda.** ¿Cuál es el sentido que le das a este proverbio? Aplícalo a tus estudios.

351 • **Carta de un hijo a sus padres.** Estás interno en un colegio. Escríbeles a tus padres deseándoles feliz año nuevo.

352 • **Las hojas.** Principales usos de las hojas. Utilidad de las hojas para el mismo vegetal… para los animales… para el hombre…

353 • **El canario.** Gustos, placeres que nos procura…

354 • **Un ramillete en mi cuarto.** En el jardín de tu abuelo (o en otra parte) habías tomado un hermoso ramillete de flores. Lo habías colocado en tu cuarto, pero tu madre lo ha hecho quitar antes del anochecer. Describe por qué.

355. **Grave enfermedad.** Bautista anuncia a su primo la enfermedad de su madre. Le habla de las consecuencias de la enfermedad. Espera que pronto estará curada.

356 • **El padre.** Tu padre está de viaje y tu hermano acaba de enfermar. Carta a tu padre para participarle esta triste noticia.

357 • **Un paseo.** Salida. Viaje, llegada a un rancho. Movimiento que hay en él. Visita de las diferentes partes. El apetito, la comida, la tarde, la vuelta.

358 • **Las vacaciones.** ¿Te gustan las vacaciones? ¿Por qué? ¿Qué harás durante las vacaciones para no olvidar lo aprendido durante el curso?

359 • **El labrador.** Sus trabajos. Sus herramientas. Cualidades que debe tener. Servicios que presta.

360 • **El cementerio.** Última morada del hombre. Duelo y soledad. El rico y el pobre se confunden. Recuerdos de la cruz del cementerio.

361 • **Explica el proverbio siguiente:** *No hay peor cuña que la del mismo palo.*

362 • **El invierno.** Todo pasa. La nieve se conserva en las cumbres de las monatañas. Manto de nieve que cubre la tierra. Nubes, vientos, torbellino, hielo. Melancolía de esta época. Reflexiones.

363 • **Descripción del mes de mayo.** El mes más hermoso del año. Lo que nos trae. Aspectos de los prados. Las flores y los niños. Mes de María. Nuestros jardines en mayo. Las abejas. Los pájaros, sus nidos.

364 • **Por sus productos se conoce el obrero.** Contar una historia para demostrar la verdad de esta oración.

365 • **Carta de Carlos a su hermano.** Un niño de 13 años de edad no quiere continuar sus estudios. Su hermano le escribe una carta en la cual da a conocer las ventajas de la instrucción y las consecuencias, a menudo peligrosas, de la ignorancia.

366 • **Un buen consejo.** Se ha cometido una falta en clase. El maestro va a castigar a todos si el culpable no se da a conocer. Escríbele al chico que cometió la falta para exhortarlo a que confiese y al maestro reprochándole lo injusto de su actitud.

367 • **La gratitud.** Decir en qué consiste. Enumerar las personas por las que te sentías agradecido y las razones que te sugieren este sentimiento.

368 • **La sal.** Sus usos. Dónde y cómo se halla.

Bibliografía

- Abreu Gómez, Ermilo: *Canek*. Historia y Leyenda de un Héroe Maya. México. Ediciones Oasis. 1994.
- Alas, Leopoldo *"Clarín"*: *¡Adiós, Cordera! y Otros Cuentos*. Madrid. Ediciones Busma. 1989.
- Arreola, Juan José: *Inventario*. México. Editorial Grijalbo. 1976.
- Arreola, Juan José: *Obras de J. J. Arreola. Bestiario*. México. Editorial Joaquín Mortiz. 1987.
- Benedetti, Mario: *La Borra de Café*. México. Editorial Nueva Imagen. 1994.
- Benedetti, Mario: *Cuentos Completos*. Madrid. Editorial Alfaguara. 1994.
- Benedetti, Mario: *Inventario*. México. Editorial Nueva Imagen. 1997.
- Benedetti, Mario: *Inventario II*. México. Editorial Nueva Imagen. 1996.
- Borges, Jorge Luis: *Nueva Antología Personal*. Barcelona. Club Bruguera. 1980.
- Camino y Galicia, León Felipe: *Ganarás la Luz*. México. Dirección General de Publicaciones del Consejo Nacional para la Cultura y las Artes. 1990.
- Carpentier, Alejo: *El Siglo de las Luces*. Editorial La Oveja Negra. 1984.
- Fuentes, Carlos: *Aura*. México. Ediciones Era. 1992.
- Garro, Elena: *Los Recuerdos del Porvenir*. México. Editorial Joaquín Mortiz. 1985.
- Gullón, Germán: *Poesía de la Vanguardia Española (Antología)*. Madrid. Taurus Ediciones. 1981.
- López, Gerardo: Premio *Salvador Gallardo Dávalos 1996*. México. Ed. Instituto Cultural de Aguascalientes. 1997.
- López Velarde, Ramón: *El León y la Virgen*. México. Dirección General de Publicaciones, Universidad Nacional Autónoma de México. 1993.
- Loynaz, Dulce María: *Poemas Escogidos*. España. Fondo de Cultura Económica. Ediciones de la Universidad. 1993.
- Machado, Antonio: *Antología Poética*. Navarra. Salvat Editores. 1971.
- Monterroso, Augusto: *La Oveja Negra y Demás Fábulas*. Barcelona. Editorial Seix Barral. 1983.
- Pellicer, Carlos: *La Vida en Llamas. Una Pequeña Antología*. México. Asociación Nacional del Libro. 1996.
- Pérez-Reverte, Arturo: *La Sombra del Águila (Un Relato)*. México. Alfaguara Hispánica. 1994.
- Pérez-Reverte, Arturo: *El Maestro de Esgrima*. México. Alfaguara Hispánica. 1992.
- Reygadas, Pedro: Cenizas. México. Editorial Praxis. 1997.
- Sábato, Ernesto: *El Túnel*. México. Editorial Seix Barral. 1992.
- Sáinz, Gustavo: *Gazapo*. México. Editorial Joaquín Mortiz. 1993.
- Sáinz, Gustavo: *Muchacho en Llamas*. México. Editorial Grijalbo. 1987.
- Verlaine, Paul: *Poesías*. México. Editores Mexicanos Unidos. 1969.
- Villaurrutia, Xavier: *Nostalgia de la Muerte*. Poemas y Teatro. México. Fondo de Cultura Económica. 1995.